CW00920206

L'ENFANT BLEU

Du même auteur aux Éditions J'ai lu

Œdipe sur la route (5501)
Antigone (5818)
Le Régiment noir (7867)

HENRY

Bauchau

L'ENFANT BLEU

ROMAN

© Actes Sud, 2004

à Bertrand Py

et à Marie Donzel
à Jean-François La Bouverie
qui m'ont tant aidé et soutenu
pour l'écriture de ce livre

Il faut descendre jusqu'au chaos primordial et s'y sentir chez soi.

Georges BRAQUE

... le chaos, mot grec, signifiait paradoxalement à l'origine : ouverture et abîme, c'est-à-dire libération.

Francis PONGE

LA RENCONTRE

Première année à l'hôpital de jour. Dès ma sortie du métro, à Richelieu-Drouot, je retrouve mon malaise. Je consulte ma montre. Après le long trajet depuis ma banlieue, je sais que je suis à l'heure et pourtant je me sens en retard. En retard sur le tumulte, l'urgence qui dominent ce quartier de la Bourse. En retard sur le monde, sur l'angoisse.

Je ne perds pas pied, je remonte lentement la rue Drouot, je me force à bien percevoir l'inégal échelonnement des gris et le dôme blanc de Montmartre qui les surmonte. Je suis présente, attentive, c'est le moment de changer de rue, d'aborder avec courage le porche un peu dégradé, l'escalier et l'écrasante banalité de l'entrée de l'hôpital de jour. Ensuite viennent le couloir, la salle des profs, ses tables, ses portemanteaux encombrés et l'accueil toujours méfiant de ceux qui m'ont demandé, le jour de mon arrivée, pourquoi on m'avait parachutée là.

J'ignorais alors les conflits qui troublaient la maison et j'ai répondu : « C'est la direction qui peut vous le dire, moi, je sais seulement que j'ai les qualifications nécessaires et que je dois gagner ma vie. » C'était peut-être la bonne réponse, depuis ils ne m'agressent plus, mais ils me tiennent à l'écart et je ne fais pas vraiment partie de l'équipe.

En arrivant je vois, affiché sur le mur par le professeur d'art, un dessin qui m'enchante et s'accorde à la détresse bien cachée que j'éprouve. C'est une très petite île, une île bleue, entourée de sable blond et couverte seulement de quelques palmiers. Cette île, son ciel, sa lumière, sa minuscule solitude protégée par une mer chaude expriment le désir, la douleur d'un cœur blessé. Le dessin naïf, d'une manière fruste, toute pénétrée de rêve, me fait sentir avec force le silence, l'exil terrifié, la scandaleuse espérance dont il est né.

On me dit que c'est l'œuvre d'Orion, un garçon de treize ans, en qui alternent l'application, de fortes inhibitions et des crises de violence. Sans savoir son nom, je connais Orion car aux interruptions de cours il vient toujours se coller à la porte de la salle des profs pour solliciter protection contre les provocations de ses camarades. Pâle, les cheveux longs, l'air souvent égaré, serrant étroitement contre lui son cartable que les autres cherchent à lui arracher, il me fait penser à un suppliant.

Le lendemain, je m'approche de lui : « J'ai vu ton dessin de l'île, il est très beau, je l'aime beaucoup. » Il me regarde l'air effrayé et heureux, je poursuis : « Tu as beaucoup de talent. » Il sourit encore mais son regard s'assombrit, serait-ce de perplexité ? Est-ce qu'en quatrième il pourrait ne pas comprendre le mot talent ? J'ajoute vite : « C'est un dessin qui fait du bien. » Son visage s'éclaire à nouveau : « Oui, dessiner une île, ça fait du bien. »

L'heure du retour en classe sonne, il s'en va sans dire au revoir, poussé, happé par les autres, mais avant de prendre le couloir qui mène vers sa classe il se retourne et me fait de la main un petit signe timide.

À cause du conflit entre le directeur et l'équipe soignante mon statut est devenu incertain et on me demande souvent de remplacer des professeurs. Ce jour-là, je dois prendre dans l'après-midi la classe de quatrième, celle d'Orion. Ce sont des classes pour handicapés, de six ou sept élèves, et il n'est pas facile de maintenir leur attention. Après vingt minutes de cours, je vois qu'Orion décolle et que, s'il écoute encore, il ne fait plus que dessiner sur son banc. Tous les élèves sont fatigués et, pour le dernier cours, je décide de leur projeter des diapositives d'histoire de l'art. Cela marche mais certains se lassent et profitent de l'obscurité pour sortir et aller chahuter dans les couloirs ou chez leurs camarades. Orion, au premier rang, ne cherche pas à s'échapper, il regarde avec attention les images tout en griffonnant obstinément sur son banc. Je parviens à rétablir plus ou moins l'ordre et à la fin du cours, qui est aussi l'heure de la sortie, je vais remettre en place le projecteur et les diapositives. À mon retour, je vois que les élèves ne sont pas partis et qu'ils regardent Orion absorbé, qui dessine toujours sur son pupitre. Au moment où je reviens, il semble s'éveiller, jette un coup d'œil sur l'endroit où se trouvait son cartable et pousse un cri désespéré : « Mon sac ! » Ses camarades sortent en vitesse de la classe et, groupés à la porte, rient bruyamment. Orion hurle encore : « Mon sac ! », mais ils ne font que rire plus fort. Avant que, stupéfaite, j'aie pu tenter de l'arrêter, Orion, avec une vigueur inattendue, saisit un banc et le jette en direction de ses camarades. Ceux-ci, rieurs et terrorisés, se sont enfuis. Ils reviennent narguer de loin leur victime qui saisit un autre pupitre et le lance de toutes ses forces contre le mur où il se casse.

Je vois à ce moment Paule, une des filles de la classe, m'indiquer de la main le lieu où ils ont caché le cartable. Je vais le chercher pendant qu'Orion fait en bousculant les pupitres un fracas épouvantable. Quand je reviens, il ne me voit plus, il ne voit pas son cartable. Fort pâle il saute sur place, très haut, en roulant des yeux, dans la salle dévastée.

Les autres se sont rapprochés dans le couloir, ils le regardent fascinés et prêts à filer. Je demande à Paule :

« Pourquoi faites-vous ça ? Regardez dans quel état vous l'avez mis !

— On ne peut pas s'en empêcher, Madame, lui qui a toujours peur de tout, il devient formidable. C'est plus terrible qu'à la télé. »

Puis, comme Orion, cessant de sauter, saisit son sac pour en vérifier le contenu, elle ajoute :

« Quand il aura fini, il va pleurer, vous devrez le consoler. Nous, on a trop peur. D'ailleurs c'est l'heure, on s'en va ! »

Elle se sauve et je les entends descendre en riant l'escalier des élèves.

Orion pleure maintenant à chaudes larmes, il se laisse tomber en gémissant : « Sous-le-Bois... aller à Sous-le-Bois. Ici, c'est toujours les rayons ! »

Une secrétaire est encore là, je lui demande de l'aide. Elle connaît les crises d'Orion, nous parvenons à le faire se lever, à l'amener à mon petit bureau. Je lui donne un morceau de chocolat, il hésite puis commence à le manger. Je demande à la secrétaire : « Sous-le-Bois et les rayons, c'est quoi ?

— Sous-le-Bois, c'est chez sa grand-mère, à la campagne, très loin je crois. Les rayons, il dit que c'est le démon. Il est un peu fou parfois. Au revoir, il faut que je finisse mon travail. »

Orion est calme maintenant, les yeux rouges de larmes il a retrouvé l'air apeuré, sur ses gardes, qui lui est habituel. Il marmonne : « Il faut aller remettre la classe en ordre, ça fait bazar comme ça ! »

Nous arrangeons la classe aussi bien que possible. Il y a de vilaines traces sur les murs et les pupitres qu'il a lancés sont en piteux état.

Il les regarde avec une fierté craintive et dit : « Deux de plus ! Ah, il est fort celui-là ! »

Je lui montre son pupitre que nous avons tant bien que mal remis debout :

« Qu'est-ce que tu griffonnes tout le temps là-dessus ?

— On est obligé, madame, des dessins chahutés du démon, ceux qu'on ne doit pas voir !

— Pas comme ton île.

— L'île, c'est pour s'enfuir de lui.

— Sous-le-Bois, c'est une île ? »

J'ai eu tort de poser cette question. Il se tait, puis soudain, comme un secret :

« On ne sait pas, madame. »

Nous avons terminé, il me tend une main molle, un peu humide, celle pourtant qui tout à l'heure lançait les pupitres en l'air, et s'en va en rentrant les épaules, comme pour se cacher.

Le lendemain je parle de l'incident avec son professeur principal qui me dit : « Oui, les autres le turlupinent pour qu'il devienne violent, alors ils ont peur de lui. C'est ce qu'ils cherchent. Pour eux c'est comme un film de terreur. Orion a bien du mal à suivre en classe, il dessine au lieu d'écrire. Pourtant il écoute mais on ne sait pas ce qu'il comprend. C'est sa troisième année ici, les deux précédentes, cela marchait mieux. Le pronostic pour l'avenir n'est pas très favorable. »

Dans les mois qui suivent, je le recueille souvent dans mon bureau, en larmes après des crises de violence ou désemparé, ne sachant plus où il est lorsqu'il a, comme il le croit, reçu trop de rayons. Je me familiarise un peu avec lui, ses étranges réactions et son langage, comme il dit, chambardifié.

Souvent aussi, lorsqu'il sent qu'une crise menace, il vient frapper à ma porte et, si je suis seule, il me demande une feuille et des crayons et se met à dessiner. Toujours des dessins très violents : bombardements, explosions, éruptions volcaniques que je ne puis regarder sans malaise. À la fin des cours, il se lève brusquement, que le dessin soit terminé ou non, me dit au revoir et s'en va de son air traqué, le corps de profil pour être moins visible. Un jour, je décide de le suivre. Une fois dans la rue il marche très vite sans rien regarder, comme s'il était poursuivi avant de s'enfoncer, en courant, dans la bouche aux dents grises du métro.

À la suite d'un acte de violence à la cantine, on lui en interdit l'accès pendant une semaine. Problème, il ne peut pas déjeuner seul et j'accepte de l'accompagner dans l'un des terribles self-services du quartier. Le premier jour il revient avec un plat de viande et des frites. Il mange les frites puis contemple la viande avec désespoir.

« Laisse-la, si tu veux, tu n'es pas obligé de la manger. »

Il me lance un regard affolé qui signifie : Si, on est obligé.

Il mâchonne longtemps un premier morceau mais le second ne passe pas.

« Laisse le reste, je vais te chercher une assiette de pâtes, j'ai un ticket pour ça. »

Je vois la peur grandir dans ses yeux et, au moment où je me lève, il plante brusquement son couteau fort pointu à la place où était ma main.

Je le regarde en riant comme si c'était une blague, il me semble qu'il se détend. Quand je reviens, il tourne toujours lugubrement dans sa bouche le second morceau de viande. Il n'arrivera jamais à l'avaler, alors que les pâtes, je le vois à ses yeux, il aime.

« Crache ce morceau sur ta fourchette, comme ça !

— Sur mon assiette, on le verra.

— Non, sur la mienne, j'ai fini. Et mange les pâtes. »

Je lui tends mon assiette et, après avoir regardé tout autour si personne ne l'observe, il dépose son morceau sur le bord. Il ressent un soulagement manifeste et je ne puis m'empêcher de penser : Qu'est-ce qu'il est ligoté !

Pendant qu'il dévore ses pâtes, je vais chercher deux desserts et un café pour moi.

« Vous savez, vous, comme l'enfant bleu, faire disparaître les boulettes de viande qu'on ne peut pas manger. »

Qui est l'enfant bleu ? Je suis sur le point de lui poser la question. Je m'arrête à temps pour ne pas entendre le « On ne sait pas », qui oppose son mur de béton aux questions.

Je me contente de lui dire : « Tu as fait, avec ton couteau, un trou dans la table. » Comme le trou est assez visible, je mets ma tasse dessus et nous nous en allons. Quand nous sommes dehors, il rit très fort : « Personne n'a vu le trou, et, nous, on s'est échappé. On aime ça ! »

Peu avant les vacances, se décide le sort de l'hôpital de jour. Comme je ne suis entrée qu'en septembre et que je n'ai pas pris part au conflit entre le directeur et l'équipe, je suis consultée par les membres du conseil d'administration. Je n'ai rien à perdre, je n'ai plus ma place dans l'organisation future et vais être licenciée. Je me contente de dire dans un rapport ce que je crois possible.

Je prends aussi contact avec les services du chômage. Je vois qu'à quarante ans ils ne me donnent pas beaucoup de chances de trouver rapidement un autre travail.

J'apprends avec surprise que mon rapport a été remarqué par le conseil d'administration de la boîte, qu'une solution a été trouvée et que Robert Douai, le professeur, dont j'avais suggéré la nomination, a été choisi comme nouveau directeur.

La veille des vacances, Douai vient me voir : « Nous avons mis sur pied un nouvel organigramme pour la rentrée...

— Mon poste est supprimé ?

— Il était mal défini, mais nous souhaitons, le médecin-chef et moi, que vous restiez avec nous. »

Je ne cherche pas à cacher mon soulagement, ni ma surprise. Douai ajoute : « Pour participer à la cure des élèves. Vous avez une formation de psychanalyste et des diplômes en sciences. Nous ne nous sommes pas assez occupés jusqu'ici des élèves qui peinent à suivre les cours collectifs. Vous pourriez être chargée de ces cas individuels, les accompagner en thérapie et les aider pour leurs études. Vous êtes qualifiée pour les deux, ce qui est rare. Ça vous intéresse ? »

Je n'ai pas le choix, je réponds : « Beaucoup ! »

Il regarde sa montre : « J'ai un peu de temps, j'ai seulement pu parcourir votre CV que je n'avais pas à connaître jusqu'ici. J'aimerais vous poser quelques questions et faire plus ample connaissance avec vous, je peux ?

— Bien sûr.

— Que faisait votre père ?

— Instituteur... par vocation ! Et socialiste ! À sa retraite il a été le directeur bénévole de cours de français pour immigrés.

— Votre mère travaillait aussi ?

— Institutrice comme lui... Elle est morte à ma naissance. »

Il est un peu troublé par ma réponse. Je le rassure : « Ne regrettez pas, vous ne pouviez pas savoir. Posez-moi les questions que vous voulez.

— Vous avez fait des études supérieures, vous avez poussé la biologie très loin, puis vous avez opté pour psycho.

— Mon père m'a donné le goût des sciences. Il rêvait pour moi d'un doctorat en biologie. Je l'ai préparé...

— Vous avez renoncé ?

— Non, pendant mes études j'ai travaillé dans plusieurs laboratoires. J'ai reçu une bourse de doctorat. J'ai eu alors un accident de moto avec mon premier mari. Il a été tué sur le coup, j'ai été blessée gravement et l'enfant que j'attendais est mort... La guérison et les années suivantes ont été difficiles. Heureusement ma belle-mère est venue à mon secours. Elle m'a persuadée de faire une psychanalyse. J'ai senti que c'était ma voie.

— C'est alors que vous avez fait psycho ?

— Oui, j'ai pu entrer en seconde année tout en continuant à travailler en laboratoire. J'ai fait tout le parcours : un doctorat, une analyse didactique, j'ai suivi des tas de séminaires, je suis une vraie fille d'instit.

— Et après vous avez arrêté ?

— Non, je me suis remariée et nous sommes partis en Afrique... trois ans.

— Votre mari travaillait là ?

— Pas du tout. C'est un ingénieur, très fort en mécanique et un coureur automobile, qui a gagné beaucoup de courses. »

Douai est étonné : « C'est le Vasco, qui a gagné trois fois les Vingt-Quatre Heures du Mans et tant de rallyes ?

— C'est lui.

— C'est un grand champion. Pourquoi s'est-il retiré si jeune ?

— Vasco pensait avoir appris de la course tout ce qu'elle pouvait lui apprendre. Ce n'est pas quelqu'un qui souhaite accumuler les succès. C'est un chercheur. Il s'est tourné vers la musique, il compose, il cherche.

Nous sommes partis en Afrique pour recueillir ce qu'il appelle des musiques originelles avant qu'elles ne disparaissent ou ne soient commercialisées.

— Vous avez dû rapporter des disques.

— Ces musiques n'étaient pas à nous. Vasco a donné les enregistrements à l'Unesco. Mais, à notre retour, l'entreprise de moteurs qu'il tenait de son père battait de l'aile. Vasco n'est pas de ceux qui s'en tirent par une faillite. Il a tout vendu, tout payé. Nous n'avons gardé que quelques dettes que nous payons peu à peu.

— Que fait-il maintenant ?

— Il est ingénieur dans ses anciens ateliers. Ce n'est pas un gestionnaire. Il crée des moteurs et, quand il a le temps, il compose.

— Et vous dans tout ça ?

— J'ai aimé notre vie errante de chercheurs en Afrique. Maintenant je gagne ma vie ici, plutôt mal parachutée, comme on me l'a reproché à cause des conflits de la boîte. J'ai bouché les trous, je n'ai pas pu travailler vraiment cette année. Avec vous j'espère que cela va changer... »

Douai se lève, je fais de même. Il me tend la main avec une sympathie toute nouvelle :

« Oui, Véronique, cela va changer et nous travaillerons bien ensemble, j'en suis sûr. »

L'été est là, mais Vasco ne veut prendre qu'une semaine de vacances. Nous restons chez nous, dans la maison où une communauté de jeunes comédiens nous accueille. Les comédiens font partie de l'équipe d'Ariane, une jeune metteur en scène, qui a monté plusieurs spectacles admirables par leur ampleur et leur nouveauté. Ils viennent d'entreprendre une expérience nouvelle, la réalisation d'un grand film sans vedettes connues. Quand je puis, j'assiste aux tournages et tout un monde nouveau se révèle à moi.

Quand ils partent tourner à l'extérieur, nous disposons seuls du jardin qui s'étend jusqu'au chemin qui borde la Seine.

Je trouve du travail, j'aide des étudiants à préparer leurs examens en biologie. Un médecin ami m'envoie deux patients en psychothérapie. Je reçois les étudiants et les patients le matin. L'après-midi je peux descendre me reposer au jardin pour lire et pour écrire.

Lentement l'espoir du poème revient en moi. Je commence à écrire un long texte :

L'ombre est douce aujourd'hui, douce dans la mémoire
Il y a trois roses sur le mur et j'écris sous le cerisier.
Un chaland remonte la Seine. Une araignée tisse sa toile
Comme les hommes d'autrefois ont tissé les roses gothiques
Ce soir il y aura les framboises à cueillir...

Je peine en écrivant, mais chaque soir, quand Vasco revient, j'ai quelques vers ou quelques lignes à lui montrer. Il les lit avec une attention qui m'encourage plus que des paroles. S'il n'aime pas, je le vois tout de suite dans ses yeux. Il s'avance avec moi dans mes textes, il ne les juge pas, il pense que je peux me critiquer toute seule.

Je fais de même avec sa musique, j'aime, je crois en elle et pourtant je sens qu'il ne s'est pas encore trouvé. Comme moi, dans l'écriture et encore si souvent dans la vie. Patience est le mot de notre vigueur.

Si, le soir, il n'est pas trop fatigué, Vasco compose. C'est son monde que je ne partage que s'il joue ou me laisse déchiffrer des fragments. Parfois quand la nuit d'été tombe il prend sa flûte et nous descendons au jardin. Il s'abandonne alors à la musique, mêlant sans retenue les classiques qu'il joue à la perfection, les mélodies populaires et les rythmes nombreux de l'Afrique. Je suis emportée dans son univers de rigueur et de liberté, tout en détresse et en folies d'espoir. En écoutant Vasco, j'entends la voix brûlante ou charmée de mon père quand il me lisait des poèmes de Victor Hugo qu'il aimait ou certains passages d'Homère ou de Sophocle.

Je sens que l'invention, la musique future de Vasco, auxquelles je le fais croire, sont là. Il le sait, il ne peut pas encore y atteindre quand il compose. Ce qui est si dur pour lui, pour nous.

Quand Vasco se décide à prendre quelques jours de vacances, nous regardons nos comptes, nos dettes ont beaucoup diminué. Nous faisons de grandes balades, nous allons courir sur l'île des Impressionnistes ou dans la forêt de Saint-Germain. Nous contemplons les grands arbres et nous captons leurs ondes bienfaisantes dans nos mains. Il m'emmène deux fois dans des circuits où il a couru autrefois. Arrivés dans un des endroits solitaires qu'il affectionne, il sort son saxophone et joue pour moi seule. Je reçois ce don avec joie et je sors aussi mes petits talents. Puisqu'il joue pour moi, je jongle pour lui comme je faisais avec mon père. Nous sommes heureux alors, très heureux. Demain n'existe pas, hier non plus. Il n'y a plus rien qu'aujourd'hui et l'admirable, l'éphémère présent.

TROIS CENTS CHEVAUX BLANCS DANS LES RUES DE PARIS

Peu avant la rentrée, quand je viens le voir, Robert Douai me dit : « Nous avons quelques élèves pour vous. Le cas le plus lourd est Orion que vous connaissez déjà.

— Est-ce qu'il a des frères et sœurs ?

— Une demi-sœur, plus âgée, Jasmine. Orion a complètement décollé de la classe l'an passé, le faire redoubler ne servirait à rien. Nous avons pensé l'envoyer dans un autre hôpital de jour où les études ont moins d'importance. Ses parents sont allés voir, ils croient qu'il stagnerait là, alors qu'il peut encore progresser. Ils ont raison, mais seule une forte prise en charge individuelle permettrait de le garder ici. Les parents viennent me voir demain avec Orion, les médecins seront là. Venez aussi, c'est là que les choses se décideront. »

Le lendemain, grande réunion dans le bureau du directeur. Le père d'Orion est un artisan en bijouterie, aimable, ouvert, avec une nuance de gaieté respectueuse. La mère est grande, encore belle, la chevelure sombre, souriante mais fermée. Orion, un peu endimanché, est assis près d'eux, il regarde par la fenêtre, l'air absent. Est-ce qu'il comprend que c'est de lui et de son avenir que nous allons parler ? Quand je le salue, il semble à peine me reconnaître.

Le docteur Bruges, qui a suivi Orion jusqu'ici sur le plan psychologique, fait le point : « Orion, après avoir fait ses classes primaires dans un centre psychologique, a bien suivi ici en sixième, moins bien en cinquième où il a commencé à être persécuté par ses camarades qui pourtant, comme tout le monde d'ailleurs à l'hôpital de jour, l'aiment bien. En quatrième, il a pris un grand retard dans toutes les matières et ses crises de violence au lieu de diminuer sont devenues plus fréquentes. Normalement il ne devrait pas rester au Centre, car il est manifeste qu'un redoublement ne servirait à rien. Ses professeurs le trouvent intelligent quand il n'est pas trop perturbé, doué d'une excellente mémoire, habile de ses mains et pensent que dans un environnement plus calme et plus personnalisé il pourrait progresser encore. En accord avec eux, je propose qu'il demeure dans sa classe pour les maths, le sport et le dessin qu'il aime beaucoup. Pour les autres matières, il bénéficierait d'un préceptorat avec Mme Vasco qui est qualifiée pour lui donner un soutien psychologique et l'aider dans ses études et, s'il le désire, pour le dessin. »

Pendant que le médecin parle, Orion, tête basse, regarde obstinément par la fenêtre. Que regarde-t-il ? Je me penche, la cour est déserte, personne aux fenêtres, il ne voit rien, il se cache.

Les parents se consultent du regard, il y a un silence puis ils donnent leur accord à ce plan. Je leur conviens, peut-être, ou pensent-ils qu'ils n'ont pas le choix ? Bruges se tourne vers Orion : « Et toi, Orion, es-tu d'accord ? »

Le visage tourné toujours vers la fenêtre, Orion ne répond pas.

« Réponds à M. le docteur, Orion », finit par dire le père.

Orion ne bouge pas, le silence s'épaissit, je sens le danger grandir car Bruges insiste : « Il faut répondre, Orion, c'est une règle du Centre de ne jamais changer le plan d'études et de soins d'un élève sans son accord. »

Il faut ! Toujours ce terrible « il faut », qui le persécute sans doute depuis sa petite enfance.

Avant toute pensée, je me risque, je vais vers Orion, tourné toujours, tout crispé, vers la fenêtre. Je me penche à hauteur de son visage : « Tu ne peux pas répondre mais si tu me dis oui, tout bas à l'oreille, je peux le dire pour toi. »

Il tourne à demi la tête, lève vers moi un regard pâle, tremblant, chargé d'une sorte de promesse d'affection à laquelle une autre promesse répond en moi.

Il souffle : « On dit oui. »

Je dis aux autres : « Il m'a répondu : On dit oui. Alors, moi aussi, je dis oui. »

Le docteur Lisors, le médecin-chef, qui s'est tenu jusqu'ici en retrait et à qui notre petite scène n'a pas échappé, dit, après avoir consulté du regard le docteur Bruges et le directeur :

« Nous sommes d'accord. Faisons un essai sur la base de ce plan jusqu'à Noël. Nous ferons le point à ce moment-là. »

Il lève la séance et s'approche de moi : « J'ai vu, je crois, un bon début de transfert. Si ça marche, attendez-vous à l'avoir sur les bretelles pour des années. »

Je ris en répondant : « Peut-être. »

Nous rions tous les deux en nous quittant. Oui, je ris mais effectivement j'ai peur de ce qui vient de se passer. Je suis contente d'avoir gardé mon travail et de ressentir de la compassion pour Orion, le déshérité, mais je crains que la tâche ne soit lourde. Qu'importe, je n'avais pas le choix.

Il y a beaucoup de monde sur les boulevards, c'est la fin d'un bel après-midi de septembre. Quelque chose finit en ce moment, une autre commence. Ne pas traîner, me hâter vers l'Opéra et les méandres d'Auber pour prendre le RER vers ma banlieue, essayer de trouver une place assise et préparer à temps le dîner pour Vasco.

Dès le lendemain mon travail avec Orion commence. Il est content d'être seul avec moi, à l'abri dans mon minuscule bureau. Nous nous habituons, peu à peu, l'un à l'autre. Je m'aperçois vite que ce ne sera pas facile. Il est attentif et de bonne volonté mais ne peut se concentrer plus d'un quart d'heure d'affilée. Après, il faut changer de sujet ou d'activité.

La première fois que, le voyant fatigué, je lui propose de dessiner, il dit : « Maintenant c'est au cours de dessin. »

Comme toujours il a peur de n'être pas en règle. Je lui rappelle qu'il peut dessiner au cours et avec moi. « Tu n'as pas entendu à la réunion ?

— Non, on n'entendait pas, on avait peur.

— Peur de quoi ?

— Peur des rayons du démon de Paris, on les sentait maragouiller tout autour, mais comme il y avait des docteurs et toi ils n'ont pas réussi. »

Il faut que je m'accommode de son vocabulaire et de ce « on » persistant. Que je ne pose pas de questions. Je lui propose une feuille d'un beau format et des crayons de couleur. Il prend certains crayons en main, il les regarde, il regarde la feuille. Est-ce qu'il est comme moi, est-ce qu'il doit attendre, prendre du temps jusqu'à ce qu'il trouve son sillon ? Il a choisi un crayon, je le regarde faire, ne pas faire, et vois peu à peu quelque chose s'ébaucher.

« On dirait une île... »

Il ne répond pas, sourit, s'enfonce, s'immerge dans son travail. L'île ne sera pas aussi belle que la précédente, toute bleue et blonde, car il emploie trop de couleurs différentes. Qu'importe, puisqu'il s'exprime et est manifestement heureux. Il n'a pas le droit de l'être longtemps car soudain il lève la tête et dit avec un peu d'effroi :

« La dictée...

— Demain, continue ton dessin.

— Maman, elle dit qu'il faut faire une dictée chaque jour. »

Le moment du bonheur s'éteint, l'angoisse apparaît dans ses yeux. Je lui fais la dictée, il soupire, il rature souvent, quand elle est finie, il me la tend : « Tu marques les fautes en rouge. »

Je les marque, je lui rends la feuille. Il la regarde avec consternation et dit d'une voix qui n'est pas la sienne : « Que de fautes, que de fautes !

— Qui dit cela ? »

Il ne répond pas, il se lève : « C'est l'heure, Madame. »

C'est en effet l'heure de l'interruption pendant laquelle il va se coller à la porte de la salle des profs et s'exposer en ce point central aux plaisanteries, menaces et mauvais coups de ses camarades.

Le lendemain en arrivant il me tend la dictée de la veille : « On l'a recopiée. Tu la refais ? »

Je reprends la dictée, je dicte lentement, je souligne un peu de la voix les mots où il a fait des erreurs. Il s'efforce, il soupire en barrant des mots, il transpire. Après dix minutes, il n'en peut plus, j'ai pitié de lui : « Arrêtons, tu es fatigué, on reprendra plus tard. » Il me tend sa feuille, puis, comme une chose qu'il constate soudain :

« On a peur... on a peur des volcans.

— Des volcans...

— Ceux qui sont dans ma tête. Qui crient : Que de fautes ! Que de fautes ! Qui gueulent : Pourquoi ? Et puis : Comment ? Et Pourquoiment et Commentquoi ! Et puis nul, nul, on t'aura ! Et alors ça bouillonnise de partout. »

Il est en transpiration, ses yeux brillent, ses paupières clignent, il va parler encore mais jusqu'où ? Est-ce que son corps tiendra ? Il est si agité. Est-ce que le prix d'un effort continu ne sera pas trop grand, trop lourd ? Avec toi qui n'en sais pas tellement sur la psychose. Faut-il poursuivre ? Comme lui, je me réponds intérieurement : On ne sait pas. À ce moment, je repense à son île. Oui, continuer mais par une autre voie. La parole est si difficile encore, si incertaine pour lui. Je risque : « Si tu reprenais le dessin de l'île ?

— On l'a laissé hier à l'atelier.

— Allons le chercher ensemble. »

Il se recroqueville sur lui-même, il a peur. Il dit d'une voix faible : « Non, toi seule. »

Je me lève en vitesse et à travers le dédale des corridors j'arrive à la porte de l'atelier. Merde, elle est fermée ! Je reviens en hâte auprès d'Orion toujours tapi sur sa chaise. Je mets devant lui une feuille et des crayons de couleur.

« La porte est fermée, je vais essayer de trouver la clé. Commence un autre dessin en attendant. »

Les secrétaires n'ont pas la clé, je consulte l'emploi du temps, c'est le jour où Mme Darles, le professeur d'art, ne vient pas. Sans doute a-t-elle emporté la clé. Je reviens en hâte. Comme je le craignais, Orion présente déjà tous les symptômes d'une grande crise, ses yeux clignent, il bat des bras, il va sauter bientôt, puis viendra le reste.

« Tu n'as pas mon dessin ? Ils l'ont caché. Ils l'ont volé !

— Mais non, personne n'a pu le prendre, la porte est fermée et Mme Darles a emporté la clé. »

Je le fais s'asseoir : « Nous sommes tranquilles ici dans notre petit bureau. Commence un nouveau dessin.

— On ne sait pas quoi faire. Dans la tête on n'a rien. »

Il se lève à nouveau, repousse sa chaise qu'il fait tomber et se met à sauter sur place en me regardant sans me voir. Je n'ai pas l'habitude, je suis prise de panique, mais surtout je pense : quel début ! Dès le début une grande crise que tout le monde connaîtra. Certains penseront sans doute : quelle affaire elle en fait ! Mais ont-ils déjà fait face, seuls, à une crise pareille chez un jeune de cet âge ? Ont-ils senti peser sur leur travail la menace contenue dans la décision : nous faisons avec vous un essai d'un trimestre ?

Orion s'affole de plus en plus, moi aussi, c'est à ce moment que je me rappelle l'intérêt qu'il a manifesté pour des images de labyrinthes, que je lui ai montrées. Je crie presque : « Un labyrinthe, Orion, dessine un labyrinthe ! »

Ce mot semble l'atteindre de plein fouet. Il arrête de sauter, il me voit, ce qui l'apaise. Je ramasse sa chaise, il s'assied devant la table, voit son papier, ses crayons. Je n'ai plus peur, je répète : « Fais un labyrinthe !

— Comment ?

— Comme tu les aimes. Toi tu dessines les contours en noir et je t'aiderai à mettre les couleurs où tu me diras. »

Il regarde le rectangle blanc du papier, le mot labyrinthe le travaille, le fascine. Il prend un gros crayon noir, écrit le mot : ENTRÉE à gauche, puis se met à tracer très vite des voies complexes qui vont vers le centre ou d'un côté à l'autre de son dessin. Penché sur le papier, il est totalement absorbé par son travail et ne semble plus avoir conscience de ma présence. Pourtant, relevant les yeux, il me dit : « Tu mets du rouge, tout autour, comme un cadre. Ne déborde pas sur mon dessin ! »

C'est un ordre, c'est lui le maître maintenant et je suis son élève. Je prends un gros crayon et, en face de lui pour ne pas le gêner, je commence à faire un cadre rouge. Je suis étonnée de la rapidité et de la sûreté de son dessin pourtant très sinueux. Je vois naître sous mes yeux un vrai labyrinthe, encore obscur pour moi mais au parcours clair et assuré pour lui.

À droite du labyrinthe il écrit : SORTIE.

Je regarde l'heure, il a fait ce dessin en cinquante minutes. Je n'en reviens pas : « On peut aller de l'entrée à la sortie ?

— On doit encore placer les obstacles et l'autel.

— Les obstacles... ?

— Là où il y a deux ou plusieurs voies. La bonne et celles qui butent contre un mur.

— Qui t'a appris ça ?

— Toi. »

Je suis stupéfaite : « Moi ? »

Il dessine toujours sans mot dire. Brusquement : « Tu me l'as appris dans ma tête et l'autel aussi. »

Il me montre du doigt un carré resté blanc au centre du dessin : « L'autel est là ! »

Il le dessine en quelques traits. Il n'a plus rien du gamin apeuré, étriqué que je vois chaque jour. Je découvre en lui la même force, la même certitude que lorsqu'il soulève des pupitres et les lance en direction de ses camarades. Est-ce qu'il va s'écrouler ensuite comme alors ? Cela ne semble pas le cas. Il est calme, il me donne ses instructions :

« Tu mets les obstacles en rouge. Pas trop de rouge. L'autel en jaune et blanc pour faire doré. On va faire le bon parcours en bleu et toi tu feras les faux en vert là où on te dira. Le bleu et le vert, ça va ensemble ?

— Oui, ça va. Tu sais que l'interruption a sonné, tu ne veux pas t'arrêter un peu ?

— Non, madame, aujourd'hui on travaille jusqu'à la fin. »

Je mets du rouge sur une tête de mort qui indique un obstacle. J'en mets trop sans doute, il me lance un regard réprobateur et, prenant mon crayon, me montre comment faire pour les suivants. Avec un crayon bleu il souligne le chemin sacré, celui qui mène à la sortie, il est fort sinueux, il doit se tromper souvent.

Orion avance très vite et sans beaucoup de soin dans son tracé bleu, il semble cependant ne jamais heurter ni sauter un mur. Il m'indique des chemins à faire en vert, ils aboutissent tous à des culs-de-sac, tandis que son chemin vers la sortie se poursuit sans obstacles. Je ne pense pas qu'il pourra si vite, et à travers tant de circonvolutions, aller sans erreur de l'entrée à la sortie. C'est ce qu'il croit pourtant, car, quand il aboutit avec son crayon bleu à l'endroit où il a écrit : sortie, un sourire rusé, puis émerveillé apparaît sur ses lèvres et il me dit des yeux : Tu vois !

J'admire sa confiance, sans y croire.

« Montre-moi le parcours du doigt, tu as mis ton bleu si vite. »

Il suit du doigt sa voie bleue qui sinue dans tout le rectangle, tourne plusieurs fois autour de l'autel, va de l'avant, revient en arrière et finalement d'un trait irrésistible parvient à la sortie sans rencontrer d'obstacles ni franchir aucune des séparations qu'il a dessinées.

J'ai contrôlé son travail sur ma montre, il a mis cinquante minutes pour son premier tracé, environ une heure pour le reste.

« Magnifique, Orion, et tu as été si vite. »

Il est heureux : « On voyait le chemin.

— Sur le papier ou dans ta tête ? »

Il semble perdre l'assurance, la certitude qui l'animaient, il redevient le garçon effrayé qu'il est le plus souvent. « On ne sait pas. » Puis : « Il est l'heure, Madame. »

Il a congé l'après-midi, je demande : « Tu veux ramener le labyrinthe chez toi ?

— Non, c'est pour ici.

— Il est beau. Est-ce que je peux le montrer aux médecins et à M. Douai ? »

Il semble content de ma demande, il sourit, mais répond seulement : « On ne sait pas. »

Pendant qu'il enfile lentement un affreux blouson brun, je dis : « Demain, il faudra mieux faire ton bleu. »

Il me toise un instant du regard : « Et toi, ton vert ! Le rouge est bien. »

Il s'en va, déjà de profil et pressé comme toujours. Pressé par quoi ?

Dans l'après-midi, j'obtiens un rendez-vous des médecins, malheureusement Robert Douai ne sera pas là. Avant de leur apporter le Labyrinthe, je le regarde à nouveau et suis étonnée de le voir beaucoup plus barbare, plus sauvagement colorié que je ne l'avais vu quand j'y travaillais avec Orion. Je le montre aux médecins et leur dis ma stupéfaction devant la rapidité avec laquelle Orion l'a tracé, sans plan préalable, sans arrêt ni corrections.

« Est-ce qu'il va vraiment de l'entrée à la sortie sans erreur ? demande le médecin-chef.

— Suivez mon doigt sur le tracé bleu. Jamais Orion ne s'est égaré et pourtant constamment il y avait des choix à faire car toutes les autres voies aboutissent à un mur. Je ne puis m'expliquer cette rapidité, cette sûreté soudaine étant donné l'âge et les inhibitions d'Orion. »

Ils restent un moment à regarder le dessin. Le docteur Bruges dit : « C'est extraordinaire en effet. C'est sans doute le corps de la mère, Orion va vers la sortie, comme autrefois il est allé vers la naissance. » Cette remarque ne me convainc pas. Je voudrais interroger Bruges, mais il a un autre rendez-vous et doit partir.

« Vous savez, dit le médecin-chef, je suis très frappé par ce dessin et sa rapidité d'exécution. Bruges aussi, même s'il a voulu le masquer par sa tentative d'interprétation. Je ne peux rien vous en dire aujourd'hui, nous devons rester tous les deux étonnés et même stupéfaits devant ce labyrinthe. » Il sourit, me tend la main. À moi de jouer.

Je m'efforce donc de rester étonnée, stupéfaite, à travers la répétition et la banalité des jours. Se lever tôt, le petit-déjeuner en hâte, la route en voiture jusqu'à la station du RER ou à pied si Vasco a déjà dû partir. Le trajet, toujours debout, jusqu'à la Défense, parfois une place assise jusqu'à Auber. Les couloirs, les escaliers mécaniques, la sortie dans le tumulte et la cohue à l'Opéra. La ville où de plus en plus les voitures empiètent sur la vie des hommes. Les boulevards, la rue Drouot et le dôme blanc de Montmartre qui console un peu. Il faut donc être consolée ? C'est ton sort, celui que tu partages avec tous, même si vous ne savez plus très bien ce que c'est que partager. Trop serrés, trop pressés, chacun s'efforçant de préserver son petit espace de liberté.

Orion se presse aussi pour arriver de sa banlieue, attraper l'autobus, le métro et aboutir à l'hôpital de jour dans mon petit bureau. Si je vis ces trajets dans la fatigue du corps, la lassitude de l'esprit, lui les vit sans doute dans la peur écrasante des autres, la crainte de se dénoncer en laissant voir qu'il n'est pas conforme, pas comme les autres.

Le démon de Paris, Orion veut en parler ce matin tandis qu'il se libère péniblement de son blouson qu'il boutonne – ou bétonne – toujours jusqu'en haut.

« On a reçu des rayons aujourd'hui... à l'arrêt de l'autobus. Il avait cinq minutes de retard et le démon était déjà là, il profite de tout. Il voulait me faire sauter devant tout le monde. Mais heureusement il était fatigué, il n'avait pas trop de force, on sentait qu'il avait eu peur...

— Peur...

— Parce qu'il a été renversifié, coupé, roulotté par les chevaux de la nuit. Des nuits, la Vierge de Paris envoie ses trois cents chevaux blancs. Alors ils galopent dans les rues de Paris et ils chassent le démon. Il a peur d'eux, il court, il court, ça m'amuse, oui, ça m'amuse ça... ! »

Il rit très fort : « Le démon tente de s'envoler mais ses ailes se prennent dans les réverbères, se cognent contre les maisons. Il retombe et les trois cents chevaux blancs le piétinent, le mordent et il est obligé de s'enfuir en criant. Comme il crie, comme il crie dans ma tête ! On aime ça ! »

Je suis emportée dans son enthousiasme, trois cents chevaux blancs, est-ce que je les vois ? Oui, je les vois et je suis heureuse, je les entends galoper, je vois le démon détaler en hurlant devant eux.

« Trois cents chevaux blancs dans les rues de Paris. Que c'est beau, Orion ! Tu es capable de voir ce que les autres ne voient pas.

— On ne sait pas si on voit vraiment ou si c'est dans la tête.

— Le démon a peur, il s'enfuit en criant et tu aimes ça.

— On aime ça ! Mais papa, maman, les profs, ils ne croient pas au démon... Moi, on sent son odeur, ses rayons et il me fourgue son charabia dans la bouche quand on doit parler. »

Puis soudain : « Et la dictée, quand est-ce qu'on la fait ?

— C'est toi qui veux la faire ou le démon « que de fautes » ? »

Il rit : « Moi, on veut dessiner. Pas les chevaux blancs, c'est trop difficile. Peut-être quand on sera grand. »

Je lui donne une feuille, il commence un nouveau labyrinthe, très différent, toujours avec la même et surprenante rapidité. Attendant le moment où il me demandera peut-être d'intervenir, je me dis : Trois cents chevaux blancs qui poursuivent le démon de Paris, celui qui a vu cela a reçu un don, un rayon de douleur, un rayon de lumière. C'est peut-être un artiste ? C'est peut-être sa voie, s'il en a une ?

ON AIME ÇA

Une nuit, je rêve que je suis avec des voisins sur le chemin au bord de la Seine que j'emprunte souvent pour aller à la gare. Nous regardons avec anxiété descendre du ciel un fauteuil de télésiège suspendu à un parachute rouge. Sur le siège se trouve un garçon très pâle. En s'approchant du sol le parachute a des soubresauts, le garçon est bousculé, nous craignons qu'il ne s'écrase sur le sol ou n'aille tomber avec son parachute dans la Seine. Il parvient à atterrir sans trop de mal et nous nous précipitons vers lui, enthousiasmés. Il est si jeune, il est descendu de si haut, il est le héros de notre petite communauté banlieusarde.

Je m'éveille, il est tard déjà, il faut que je m'habille. Heureusement Vasco peut me conduire à la gare. J'arrive à temps pour le train. C'est seulement pendant le trajet que je repense au rêve. Le garçon pâle ressemble à Orion, le parachute rouge difficile à diriger me fait penser aux labyrinthes très colorés qu'il me fait entourer de rouge. Il est dans une position périlleuse, il a pris des risques, moi aussi en acceptant de m'occuper de lui. J'ai ressenti en le voyant atterrir le même enthousiasme que lorsque je l'ai vu dessiner avec une telle certitude son labyrinthe et parler des trois cents chevaux blancs. Orion, si exclu, si effrayé le plus souvent, semble parfois comme le garçon du parachute descendre du ciel. Quel ciel ? Il n'y a pas de ciel !

Je sors à Auber, je suis vomie avec les autres sur les boulevards, parmi les voitures en rangs serrés. Je pense au labyrinthe qui a été construit pour contenir le fruit monstrueux d'une femme et d'un taureau. Un être moitié homme, moitié bête, comme nous sommes tous en somme, mais nous nous le cachons bien. Là, se joue un drame avec de grands personnages : Minos et Pasiphaé, Thésée, Ariane et le Minotaure. Ceux des histoires que racontait mon père.

À peine suis-je arrivée à mon bureau que j'entends frapper. C'est Mme Beaumont, le professeur de maths d'Orion. Elle a toujours été distante mais aimable envers moi. Elle est en colère. « Savez-vous ce qui est arrivé hier après-midi ?

— Pas du tout, je n'avais qu'une élève et je suis partie tôt. C'est au sujet d'Orion ?

— Naturellement. On n'arrive plus à le tenir depuis qu'il est chez vous. Hier, je lui ai fait remarquer qu'il ne faisait que griffonner sur son banc, il m'a répondu : Je ne griffonne pas, je construis un labyrinthe. Cela a fait rire les autres. Je lui ai dit : Tu n'es pas ici pour ça. Il m'a brusquement lancé un coup de poing. En pleine figure. Regardez cette tache rouge sur ma joue.

— Je suis désolée. Vous semblez croire que j'y suis pour quelque chose ?

— Bien sûr. Vous l'excitez avec vos labyrinthes, vous le poussez trop ! C'est un début de transfert, vous aurez la régression ensuite. Soyez plus prudente, c'est un hôpital-école ici pas un cabinet de psychanalyste. Vous vous lancez dans des expériences sans vous soucier de vos collègues.

— Je suis d'accord avec vous pour demander une sanction. C'est une violence inadmissible.

— Que vous risquez de subir vous aussi. Prenez garde. Vis-à-vis des autres élèves une exclusion de deux jours suffira. D'ailleurs ce n'est plus mon affaire, puisque Orion ne semble vouloir travailler qu'avec vous, chargez-vous de lui aussi pour les maths. J'en ai parlé à Douai, je ne veux plus voir Orion à mon cours. »

Je vois qu'elle voudrait s'en aller en claquant la porte, mais elle a un peu pitié d'Orion et sans doute de moi.

Elle soupire : « Est-ce que ce pauvre garçon est encore à sa place ici ? Vous le croyez, vous ? »

Je me durcis : « Oui, je le crois. Je vais parler au directeur pour la sanction.

— Oh ! lui, il est encore plus intéressé que vous par ce qu'il appelle le cas Orion. J'étais fâchée contre vous, je ne le suis plus. C'est peut-être bien que quelqu'un d'entre nous se risque encore avec un élève si malade. Je vous plains, je ne vous en veux pas. » Elle referme la porte sans la claquer.

Les semaines passent, nous approchons de Noël et de l'évaluation de mon travail avec Orion. Parfois il me semble que nous avançons, son vocabulaire s'élargit peu à peu, il est moins tendu, ses dessins sont plus précis, il est plus calme. D'autres jours, au contraire, il régresse, il délire, il s'effraie de tout et semble enfermé, enserré dans une invisible prison transpercée de rayons. Est-ce que nous faisons trois pas en avant puis deux en arrière ou deux pas en avant annulés par trois en arrière ? Je parviens à espérer encore, mais tout juste.

Un après-midi assez calme à l'hôpital de jour, après une matinée chargée. On a donné congé aux élèves, j'attends un patient à la fin de l'après-midi, je suis tranquille dans mon bureau, je relis Freud. Comme une bonne étudiante, je prends des notes, je souligne certains passages. Je suis presque seule dans l'institution et suis surprise d'entendre un grand tumulte, des cris. Immédiatement s'élève en moi la crainte d'un danger pour Orion. Je sors du bureau, personne dans le corridor, mais j'entends quelqu'un crier et donner des coups de poing et des coups de pied dans la porte qui sépare les classes du hall d'entrée et du bureau de direction. Comme je le redoutais Orion est devant moi, mais quel Orion ! Les yeux fous, hurlant, écumant, les poings en sang et lançant de toutes ses forces des coups de pied dans tous les sens.

Je l'appelle par son nom, il ne me reconnaît pas, il ne m'entend pas. Je parviens à saisir sa main : « Orion...

Orion tu es ici à l'hôpital de jour, avec moi, tu es chez des amis.

— Des amis..., quels amis..., ils m'ont fait attendre deux heures... deux heures, tout seul devant la porte du gymnase. Personne n'est venu, personne sauf le démon de Paris. C'est lui qui casse tout. Après deux heures, il peut tout faire le démon ! C'est la faute à l'hôpital de jour ! »

Je tente de l'entraîner vers mon bureau, il semble se laisser faire et soudain m'échappe et d'un formidable coup de pied brise le bas de la porte de séparation. À ce moment, elle s'ouvre et je vois derrière elle Robert Douai, qui recule pour éviter le coup. Il est manifestement très ému par ce qu'il voit, je lui crie : « Laissez-moi faire... ! » Orion s'est fait mal en tapant, je vois qu'il est sur le point de pleurer, je parviens à l'entraîner. Il se débat encore. Je le pousse en avant, mais devant ma porte il se laisse tomber de tout son long en criant. Avec l'aide de Douai je réussis à le relever, il pousse encore quelques cris mais surtout il pleure à gros sanglots ce qui est bon signe. Je dis à Douai : « Ça va aller ! » Je soutiens Orion pour le faire entrer dans le bureau, je lui avance un fauteuil. À ce moment, d'une dernière détente, il donne un coup de pied dans la fenêtre dont on entend les carreaux dégringoler avec un bruit lugubre dans la cour. Heureusement il ne s'est pas blessé, il m'a donné quelques bons coups mais rien de grave en somme. Maintenant il pleure, il sanglote la tête sur mon bureau. Je lui donne un verre d'eau, du chocolat, il hésite puis les prend.

Douai pousse la porte, il voit le carreau brisé. « Vous n'êtes pas blessée ?

— Non, lui non plus. Une chance... Je vais aider Orion à se laver le visage et j'irai le reconduire au métro.

— Revenez ensuite un moment, que nous fassions le point. »

Au retour je vois qu'on a remis un peu les choses en ordre, mais la porte sur laquelle Orion s'est acharné est en piteux état. Tout le monde va voir les traces de sa violence. Douai me demande : « Qu'est-ce qui s'est passé ?

— Orion devait aller au gymnase à deux heures. Vous avez donné congé cet après-midi. Personne ne l'a prévenu. Il a attendu deux heures devant la porte, il a été fusillé de rayons pendant ce temps et il est revenu ici hors de lui.

— Il aura vécu cela comme une exclusion.

— Sans doute. Au lieu de frapper sur la porte du gymnase, il est revenu se déchaîner ici où il pouvait espérer que quelqu'un l'entende et le calme. Tout le monde verra les dégâts.

— Nous sommes habitués aux dégâts, nous sommes là aussi pour ça. Vous vous en êtes bien tirée. Vous n'avez pas eu trop peur ?

— Je n'ai pas eu le temps d'avoir peur. C'est maintenant que j'ai peur. Qu'est-ce qu'on dira de cela dans l'évaluation de fin de trimestre ?

— N'ayez pas peur, l'évaluation est faite. Orion fait des progrès inattendus. Vous ne vous en rendez pas compte ?

— Pas vraiment. Vous savez le quotidien est plutôt lourd, mais je suis heureuse de ce que vous me dites. »

Nous nous quittons, il est tard, je suis contente de ce que Douai m'a dit, mais dès que je suis dans le RER je sens combien j'ai été traumatisée.

Je m'aperçois le lendemain que la scène n'est pas restée inaperçue. Comme je passe devant la salle des profs, j'entends quelqu'un lancer à la cantonade : « Vous avez vu le dernier exploit d'Orion, le préceptorat continue à faire son effet ! »

Je devrais entrer, faire face, expliquer si c'est possible. Je n'en suis pas capable, je n'entre pas, est-ce que je la boucle ? Non, je n'ai rien à expliquer, je fais mon travail, c'est tout. Quand Orion arrive, il regarde avec un plaisir évident la vitre qu'il a brisée hier et que j'ai tenté de masquer par une feuille de papier à dessin et du sparadrap. Il ne dit mot des événements de la veille. Nous faisons la dictée, nous passons à l'histoire. Puis je demande : « Est-ce que tu vas demander aux moniteurs qu'ils te préviennent à l'avenir ?

— On ne sait pas.

— Tu as dit à tes parents ce qui est arrivé ?

— On ne sait pas. »

Il dessine ensuite à toute vitesse et d'une plume volontairement maladroite ce qu'il appelle le lac de Paris. L'eau a tout envahi, n'émergent du lac que la pointe de la tour Eiffel et le dôme de Montmartre. Il sait que je déteste ce dessin qui revient chaque fois que les choses vont mal.

Pendant plusieurs jours tout le travail que nous avons fait semble annulé. Orion est retourné dans la rigidité de sa vie habituelle et la banalité d'une pensée prisonnière. Qu'est devenu le garçon qui a dessiné avec feu et décision le premier labyrinthe ? Nous nous ennuyons ferme tous les deux et ça dure.

C'est au moment le plus obscur que Douai m'envoie Jean-Philippe. Il a abouti à l'hôpital de jour, après avoir été renvoyé de plusieurs collèges, à cause d'un symptôme : il écrit mal et lentement. Il est intelligent, malicieux, avec son allure de Gavroche. Il s'ennuie en classe. Il m'est tout de suite sympathique et me dit : « Je voudrais composer des chansons, comme mon père.

— Je n'ai jamais fait ça !

— On dit que vous écrivez, vous pouvez m'aider.

— Comment ?

— Je vous dis les chansons que je fais. Vous me corrigez et puis vous les écrivez.

— Tu veux que je sois ta secrétaire ?

— Non, nous apprenons ensemble, vous verrez on s'amusera et, un jour, quand je chanterai en public, je vous inviterai.

— Tu sais composer ?

— J'apprends avec mon père.

— Je croyais qu'il était parti.

— Il nous aime bien maman et moi, mais il aime encore mieux se barrer. Il revient toujours tous les deux ou trois ans.

— Bien, nous allons essayer. Tous les deux jours. Sois régulier. »

Je puis accepter, j'ai des moments libres et ce Jean-Philippe, si rapide et rieur, va peut-être alléger ce qui est devenu mon poids lourd, Orion.

Car nous continuons à grand-peine, Orion et moi, à nous enfoncer dans des labyrinthes qui deviennent des grottes préhistoriques. Il trace parfois sur leurs parois quelques signes superbes ou terrifiants, mais la lumière nous manque. Est-ce que l'air et l'eau vont nous manquer aussi ? Est-ce que nous ne découvrirons pas l'issue ? L'issue qui est en lui.

Pendant ce temps Jean-Philippe vient tous les deux jours et me dit des chansons ou des bribes de chansons, encore informes mais d'où jaillissent toujours des passages inattendus et futés. Je suggère des coupures, des liens entre les parties, puis il me les dicte. Ensuite, à voix presque basse, pour n'être entendu que de moi, il les chante. C'est inégal, mais il a un don. Nous prenons plaisir à ces séances, j'aime son esprit de titi parisien, sa façon dure et tendre de dire la vie comme elle est.

Sa mère vient me voir, c'est une infirmière, belle, blessée. Elle craint pour l'avenir de son fils : « Il est vif, intelligent, mais c'est un feu follet, comme son père. Un révolté qui se fait renvoyer de partout.

— Faites-lui confiance. Comptez sur les forces cachées en lui. »

Elle voudrait me croire, elle ne peut pas, bien qu'elle reparte plus heureuse. Le doute, toujours le poids paralysant de la peur et du doute.

Quelques jours plus tard Jean-Philippe arrive à une heure inhabituelle.

« Je peux vous dire une nouvelle chanson ?

— Je n'ai guère de temps et tu as cours.

— Le con de prof m'a jeté dehors. Vous voulez ou vous ne voulez pas ? »

Son beau sourire à demi suppliant me touche. « Vas-y ! »

Nous travaillons un moment puis, comme d'habitude, il me dicte son texte. On frappe à la porte, c'est Orion. En voyant Jean-Philippe, il est fâché : « C'est mon heure, Madame. »

Jean-Philippe aussi est mécontent d'être interrompu : « Tu peux bien attendre un instant, nous avons presque terminé. »

Orion commence à s'irriter : « Non, c'est mon heure. »

Jean-Philippe a-t-il conscience du trouble d'Orion ? En souriant il lui fait un petit signe des mains. Il s'avance vers lui, enserre son épaule du bras : « On est copain, Orion. »

Le mot copain agit sur Orion, il sourit, il est content, il s'assied près de nous. Je continue à noter la chanson de Jean-Philippe. Quand nous sommes à la fin, je dis : « Maintenant chante-la. » Il perd son assurance habituelle, son visage se contracte : « Pas devant quelqu'un, Madame. Même un copain. »

Et à Orion : « Tu comprends ? »

Il voit qu'Orion comprend très bien. Jean-Philippe me prend son texte des mains, pose encore la main sur l'épaule d'Orion, sourit et file. Orion s'installe à sa place, sort ses cahiers avec une lenteur crispante et soudain : « Qu'est-ce que tu fais avec Jean-Philippe ?

— Il compose des chansons, il les compose dans sa tête, il ne peut pas les écrire, il a des difficultés pour écrire.

— C'est un copain handicapé, comme moi. Il peut te dicter des chansons-poèmes, moi pas ?

— Tu peux aussi. Tu veux que je te lise une chanson de Jean-Philippe ? »

Il est content : « Oui. » Je lui lis une chanson. Il rit : « On aime ça. On voudrait dicter comme lui. » Je prends une feuille, ma plume, j'attends. Il cherche : « On ne peut pas chanter, on a peur comme lui. On veut essayer un poème, mais sur quoi ?

— Tu as dit du poème de Jean-Philippe : on aime ça, dicte-moi les choses que tu aimes. Tu vois, j'écris déjà le titre » :

On aime ça

Il hésite, puis il me dicte avec parfois de longs arrêts et d'autres moments où il va très vite.

Moi, on aime les chevaux blancs quand ils sont calmes
Et les îles, on aime beaucoup les îles pleines d'arbres et de fleurs
Sans ville, sans ceux qui font peur, avec des cabanes faites par soi-même

On aime les îles parce qu'elles sont calmes avec des girafes qui viennent boire
On aime les chevaux blancs comme dans les films
Les trois cents chevaux blancs qui galopent la nuit dans les rues de Paris
Et qui habitent dans ma tête
Parfois je monte dessus et on va à Sous-le-Bois
Ma grand-mère a un jardin et il y a un vieux tunnel où on peut jouer
Il y a des oiseaux, des moineaux, des merles, des oiseaux français
On aime aussi le labyrinthe, là on peut guider les autres
Le labyrinthe et les îles, on aime ça !

Il regarde son poème écrit, il est content, mais demande : « Pourquoi tu fais des phrases toutes séparées ?

— Comme tu ne dictais pas les séparations, je les ai mises en coupant les phrases en vers, comme on fait pour les poèmes et les chansons.

— Tu fais ça aussi pour Jean-Philippe ?

— Oui, mais tu peux tout changer si tu veux. C'est ton poème, pas le mien. »

Il ne répond pas, c'est l'heure, il s'en va. Il laisse le poème sur ma table.

Le surlendemain quand Jean-Philippe arrive, il est gai comme toujours, mais il n'a pas de chanson nouvelle. « Rien dans la tête, dit-il, ça ne va plus, qu'est-ce que je fous dans cet hôpital merdique ? » Il tombe en arrêt devant le premier labyrinthe d'Orion que je viens d'afficher sur le mur. « C'est beau ça ! C'est toi qui l'as fait ?

— Non, c'est Orion.

— Ça lui ressemble.

— Tu trouves ?

— Toutes ces couleurs écorchées, qui saignent. Ce chemin embrouillé mais où on ne se perd pas. Et puis vous avec lui.

— Moi... ?

— Naturellement, vous êtes dedans, avec votre portrait en blanc et noir sous les couleurs. Est-ce qu'entre l'entrée et la sortie il y a une histoire ?

— Peut-être celle de Thésée, du Minotaure et d'Ariane.

— La fusée *Ariane* ?

— Non, une autre Ariane.

— Tu me raconteras ? J'ai tellement besoin d'entendre des histoires d'avant la télévision.

— Je te la raconterai, si tu veux.

— Et à Orion aussi : c'est des histoires comme ça qu'il doit entendre, des merveilleuses. Pour lui les dictées et les maths c'est idiot. Zut, c'est l'heure, je file. »

Il s'éclipse, rieur et angoissé.

C'est la dernière fois que je l'ai vu. Peu de jours après, comme je m'inquiète de son absence, Douai me dit : « Il ne viendra plus. Il a été renvoyé.

— Sans me prévenir ?

— Vous n'étiez pour lui qu'un professeur temporaire. Je le trouvais sympa et doué moi aussi, mais il a proféré de telles grossièretés, des insultes et même des menaces vis-à-vis d'un professeur qu'il a été impossible de le garder. C'est fait, on ne peut plus y revenir et n'essayez pas, je vous en prie, de lui écrire ou de le revoir. Après le coup de poing d'Orion et vos nombreux billets d'excuse pour les retards de Jean-Philippe, vous avez fâché certains de vos collègues. Ne me compliquez pas la vie. Nous avons trouvé un collège qui a accepté Jean-Philippe. Cela n'a pas été facile. À lui de se débrouiller maintenant. »

PASIPHAÉ

Raconter à Orion des histoires, de vraies histoires d'avant la télévision, l'idée de Jean-Philippe me fait réfléchir. C'est peut-être une voie pour sortir de la banalité où trop souvent mes cours et nos séances s'enlisent. Il ne faut pas que je raconte seule, il faut qu'il raconte lui aussi. Si son vocabulaire est encore trop pauvre, il faut qu'il participe à l'histoire par le dessin.

Un jour après le départ d'Orion je fixe son premier labyrinthe sur un carton blanc qui forme autour de lui une sorte de cadre, avant de le remettre au mur. Le lendemain Orion, en arrivant, s'arrête stupéfait devant le dessin, comme s'il ne l'avait jamais vu.

En enlevant son blouson, il demande : « Tu l'aimes bien celui-là ?

— Oui je l'aime beaucoup, on sent qu'il y a une histoire qui se passe là. Il faut que nous la racontions.

— Moi, on ne connaît pas tout. Toi tu commences, Madame.

— Après tu diras ce que tu peux et tu continueras par un dessin ? »

L'idée lui plaît mais il hésite : « Et les devoirs ? Maman veut que je fasse d'abord les devoirs inscrits sur le cahier.

— Je marquerai le dessin comme un devoir. Un devoir à faire chaque semaine.

— Si c'est un devoir comme les autres, elle ne dira rien.

— Je commence par quoi, Orion ?

— Par une île, une île avec un labyrinthe. »

Je commence à lui parler des hommes du début de l'histoire, qui apprennent à naviguer sur la mer, à pêcher, à se risquer au large sur leurs petits bateaux à rames. Il y a beaucoup de naufrages, beaucoup de noyés mais peu à peu ils parviennent à manier la voile, à aller sur les îles et à les habiter. Une île, la Crète, est proche de l'Égypte, ils y vont en bateau, ils apprennent la science des Égyptiens et parviennent comme eux à fonder un royaume.

Orion m'écoute avec grande attention, on dirait que je suis entrée dans son monde. Si je ralentis ou m'arrête pour rassembler mes idées, il lève vers moi des yeux presque suppliants et dit : « Et après ? » Cela me rappelle mon père et ses histoires, il s'arrêtait toujours un peu pour préparer l'arrivée d'un événement ou annoncer le dénouement. Alors suspendue à ses lèvres, je disais, moi aussi : « Et après ? » Cela établit entre Orion et moi une étrange connivence, comme si j'étais mon père, le conteur, et lui, l'enfant que je suis toujours, avide d'histoires et de visions d'un autre monde. L'enfant, qui en naissant a fait mourir sa mère, celle qui me manquera toujours.

Orion m'interrompt : « La Crète, c'est une île, le démon de Paris ne peut pas y aller, il a peur de la mer. On est tranquille sur l'île, on est bien tous les deux. »

Je vois ou je sens tout à coup qu'il est en Crète et qu'il y est avec moi. Que nous sommes ensemble dans ce lieu où je n'ai jamais été et qui m'est soudain tout ouvert. Je suis électrisée et, comme faisait mon père, je m'élance.

« En Crète règnent le roi Minos, le juge et la reine Pasiphaé, la magnifique. Survient nageant dans la mer un taureau entouré d'écume, quand il aborde le rivage chacun voit sa beauté aveuglante. Il va sans hésiter vers la reine. Elle sort de son palais, elle est transportée par la beauté du taureau de la mer. Il s'établit entre eux une entente passionnée, irrésistible.

Le roi Minos comprend, car une voix intérieure lui parle, que cet amour n'aura que la durée d'un été enflammé. À l'automne, le taureau de la mer repart en traversant puissamment les flots. Pasiphaé oublie tout, un voile s'étend sur ces mois de foudre et de feu, elle est à nouveau la reine et la femme sublime.

La sagesse et la patience de Minos ont accompli leur œuvre, le palais est à nouveau habité par un couple royal dont le rayonnement s'étend sur le royaume, mais la reine porte en elle l'enfant du taureau étincelant. Que fera dans la Crète, que fera dans le monde l'être à venir qui n'aura de place ni parmi les hommes ni parmi les animaux ? Pasiphaé l'aime, elle contemple son ventre avec joie, elle le vénère. Quand il naîtra il lui faudra un lieu à sa mesure et tout à lui. »

Orion me regarde en souriant et je sens que je fais de même. Je sais qu'il ne comprend pas tout, mais ses yeux brillent, les miens doivent briller aussi. Je me sens épuisée, je me sens inspirée, je continue. Orion éteint la lampe de mon bureau, ce qu'il n'a jamais fait. Il pleut dehors, nous sommes dans une demi-pénombre douce.

« Le roi Minos fait venir Dédale le plus célèbre architecte de la Grèce. Il lui demande de bâtir un palais à l'image du corps et de l'esprit du Taureau de la mer et de Pasiphaé. Dédale appelle ce palais le Labyrinthe. Il travaille au plan avec son fils Icare. L'entrée doit en être visible, désirable, dangereuse, la sortie doit demeurer mystérieuse.

Minos pour construire le Labyrinthe fait appel à son peuple et aux esprits des profondeurs, chacun ne doit en connaître qu'une partie. Icare dessine les voies enchevêtrées, les os, les muscles, les artères des corps de Pasiphaé et du Taureau. Dédale se charge des intermittences et des miracles du désir, des chemins ardents de l'amour et de ses redoutables glaciations.

L'enfant de Pasiphaé grandit en elle, il devient énorme, elle l'aime de plus en plus mais redoute une épouvantable naissance. Un bateau, couleur de l'aube, aborde en Crète, il transporte le plus célèbre médecin du Pharaon, c'est le Taureau divinisé qui l'envoie pour secourir la reine.

Tandis que le Labyrinthe s'achève, le médecin prépare l'accouchement. Le jour venu, prenant une lame, il ouvre Pasiphaé et sort le terrible enfant qu'il est seul, avec la reine et Minos, à pouvoir regarder et soigner. Minos est épouvanté, Pasiphaé est heureuse, elle serre tendrement son petit, incroyablement grand. Après sept jours, Minos le baptise avec l'eau du Nil apportée par le médecin. Il le nomme le Minotaure. Je suis, dit-il, son père véritable car c'est mon désir qui a envoyé vers toi le Taureau divin et fait de toi une taure. Il sera la grande statue vivante de l'homme dans l'animal et de l'animal dans l'homme. Un témoignage indéchiffrable, face à nos présomptueuses pensées. »

Pendant que je parle, Orion se lève :

« C'est l'interruption, madame, on peut laisser le cartable ici ?

— Pourquoi arrêter, pour traîner à la porte de la salle des profs ?

— C'est l'heure, on doit. »

Il part, mais la voix qui sort de moi dans la pénombre ne veut pas s'arrêter.

« Minos ajoute : Il ne serait pas juste que notre fils demeure dans un monde où les deux parties de lui-même sont séparées, nous allons lui ouvrir le Labyrinthe que Dédale a élevé pour lui.

Il est si jeune encore, dit Pasiphaé.

L'heure est venue, répond Minos.

Et le petit Minotaure, fier et assuré sur ses quatre pattes, semble l'approuver de ses yeux brillants. Pasiphaé admire sa beauté, son courage, elle veut lui caresser la tête pour voir si commencent à apparaître les cornes puissantes du Taureau. Le Minotaure se détourne alors d'un mouvement preste et lance une première ruade qui effleure le corps de sa mère. »

Je vois la porte s'ouvrir à peine et Orion apparaître. M'a-t-il entendue continuer ? Écoutait-il derrière la porte ? Il la referme, se glisse vers son fauteuil et dit en levant les yeux vers moi : « Et après ?

— Le roi Minos veut garder Dédale et son fils prisonniers pour qu'ils ne puissent jamais dévoiler à personne le secret du Labyrinthe. Dédale l'avait prévu, il a fabriqué des ailes et s'est envolé avec son fils. Icare n'est pas arrivé en Grèce, car le soleil a décollé ses ailes et il est tombé dans la mer. Dédale, quand il s'aperçoit que son fils n'a pu le suivre, est inconsolable. »

La voix d'Orion s'élève : « Alors le démon de Paris commence à le mitrailler et il devient prisonnier des rayons, comme moi. »

Ma voix reprend : « Le roi Minos et Pasiphaé conduisent leur fils jusqu'au Labyrinthe. Pour y entrer il se dresse sur ses jambes, mais dès qu'il franchit le seuil il s'élance au galop sur ses sabots sonores. Tous les deux jours Pasiphaé lui fait descendre de la nourriture : un jour pour l'homme, un jour pour le taureau. Pour boire il a des sources très pures et pour se baigner une rivière. Une fois par mois Pasiphaé descend passer deux jours avec son Minotaure, elle emporte le luth dont elle joue d'une façon merveilleuse. Si le Minotaure est plutôt homme ce jour-là, elle chante et il l'accompagne de sa flûte. Alors on apporte des sièges et des boissons excellentes au roi Minos et à ses filles Ariane et Phèdre. Ils écoutent la voix de Pasiphaé s'élever comme si elle venait du ciel ou des profondeurs de la terre, soutenue par la flûte inouïe du Minotaure. Or, si Pasiphaé charmait tous les jours les habitants de l'île en jouant du luth sur le seuil du palais ou dans les marchés, personne jamais ne l'avait entendue chanter.

Parfois Pasiphaé ne chante pas et le Minotaure, la prenant sur son dos, l'emmène au galop dans les immensités du Labyrinthe. À son retour il faut la soutenir tant le grand voyage fait avec son fils l'a éprouvée.

Jamais, elle n'a dit à personne, même pas au roi Minos, qu'elle admirait tant ce qu'elle a vu dans le Labyrinthe ni comment, dans son enceinte, est né en elle le don du chant. Est-ce qu'elle parlait au Minotaure, est-ce qu'il lui répondait ? C'est un secret qu'elle a emporté quand, avec le roi Minos et le soleil du soir, elle est redescendue dans la mer. »

Le silence surgit entre nous, je rallume la lampe, il y a un échange de regards, animé par une confiance toute neuve. Nous retournons lentement dans une part moins éclairée de nous-mêmes. C'est bientôt l'heure de la fin des cours.

« Prends ton carnet, Orion. »

Il le sort. Je lui indique comme d'habitude un devoir et une leçon pour le lendemain. Puis je prends son carnet et j'écris moi-même : Pour la semaine prochaine, dessin en couleur, format moyen : L'entrée du Labyrinthe.

Il est content, c'est un devoir, sa mère le comprendra. Il referme son sac, il reboutonne son blouson avec la même lenteur méthodique que chaque jour. J'éprouve encore dans notre petit bureau un reste ténu de la présence du Minotaure et de Pasiphaé. Je vais avec Orion jusqu'à la porte et là il me tend tout naturellement son front comme il fait sans doute le soir avec ses parents pour qu'ils l'embrassent. Je suis sur le point de faire de même, puis brusquement je me ressaisis, je prends sa main et la serre dans les miennes. Il ne semble pas avoir eu conscience de son geste ni être blessé du mien et s'en va comme chaque jour.

Je m'interroge ensuite : Pourquoi ne l'ai-je pas embrassé ? Ce pauvre garçon est très jeune encore, il est lourdement handicapé, il souffre beaucoup, quelque chose a eu lieu. Du plus profond de moi-même un « non » surgit : Orion a un père, il a une mère. Tu n'es, tu ne dois jamais être que sa « psy ».

Il y a une grève, ce jour-là, un train sur trois seulement. J'arrive pourtant à me hisser dans le RER et à survivre comme les autres. Orion m'attend déjà, nous nous asseyons, il ne demande pas : « On fait la dictée ? » Car une autre dictée s'élabore avec, entre nous, la présence du Labyrinthe où, après des années de joie, le Minotaure s'ennuie. Le roi Minos a pouvoir sur Athènes qui commence seulement à grandir. Il exige que la cité lui envoie chaque année un tribut de dix jeunes filles et de dix jeunes hommes pour servir de compagnes et de compagnons au Minotaure et peupler l'immensité du Labyrinthe.

Orion me fait face, il semble plus grand, ses yeux brillent. Est-ce lui qui me fait dire : « Le bruit se répand dans Athènes que le Minotaure, après s'être servi des jeunes de la cité pour son plaisir, les dévore ensuite dans d'abominables festins. En Crète, le peuple, assuré que le Minotaure est herbivore, pense que ses compagnons athéniens ont développé avec lui des cités où poussent les plantes qui rendent la vie heureuse. Au Labyrinthe fleurissent les jeux, les combats rituels, le plaisir, la musique et la danse. Les jeunes gens d'Athènes qui y entrent parfois en pleurant n'en sortent jamais, retenus par la vie heureuse qu'ils y trouvent.

À Athènes, le roi Égée, qui fut jadis un héros verdoyant, a vieilli, il hésite à répondre au désir de son peuple qui veut refuser le tribut exigé par la Crète. Il a peur que Minos n'ordonne à sa flotte d'écraser celle d'Athènes et d'envahir la cité. C'est alors qu'intervient, au Conseil, son fils Thésée, demeuré silencieux jusque-là.

Le tribut exigé par Minos, dit-il, est intolérable, il est vrai cependant qu'Athènes n'est pas encore capable de résister à la Crète. Une seule solution : tuer le Minotaure. Fier de ses exploits, Thésée est sûr de pouvoir le faire. Il demande à partir avec le groupe de jeunes Athéniens envoyés cette année en Crète pour entrer dans le Labyrinthe. Transporté par le courage et la confiance de Thésée, le Conseil contraint le roi Égée à accepter son offre. Pendant qu'on prépare le bateau qui va emmener le tribut d'Athènes en Crète, le roi Égée tombe dans une profonde mélancolie comme s'il était sûr de ne jamais revoir son fils. »

Orion se lève : « On a sonné l'interruption, Madame. »

Je continue à penser, peut-être à écouter l'aventure de Thésée, à éprouver la présence proche et formidable du Minotaure.

J'entends sonner le retour en classe, Orion revient. Tout à l'heure je sentais en lui un peu de la fierté de Thésée, je le retrouve très pâle, diminué. « Qu'est-ce qu'on t'a fait dans les couloirs ?

— On ne sait pas, madame. »
J'attends, il finit par dire : « Et la dictée, on la fait ?
— Pourquoi ?
— On ne sait pas. On doit. »
J'ai prévu sa réponse, j'ai préparé une petite dictée sur l'arrivée de Thésée et de ses compagnons en Crète, sur la profonde impression que la beauté du prince fait sur Ariane et Phèdre, les filles de Minos, qui assistent au débarquement et échangent quelques paroles avec lui. Le sujet plaît à Orion, il écrit avec soin, il hésite et barre moins que d'habitude. Je corrige, il n'y a pas trop de fautes, je le félicite. Il dit : « Avec Thésée c'est plus facile, on dirait qu'il est comme le copain qu'on n'a pas.
— Et le dessin de l'entrée du Labyrinthe... ? »
Il semble surpris : « Il y a une femme sauvage... Elle rit... »

Le lundi suivant quand j'arrive, Orion m'attend déjà, serré, recroquevillé contre la porte du bureau. Je le fais entrer : « Montre-moi ton dessin.
— Pas la dictée avant ?
— Non, le dessin d'abord. »
Il me tend le carton, il contient deux dessins. Le premier représente un chemin bordé de deux hauts murs de pierres grises, un tournant empêche de voir vers où il va. Le tout est maladroitement dessiné, c'est un dessin beaucoup plus enfantin que ceux qu'Orion fait maintenant.
« C'est le chemin vers le Labyrinthe ? »
Sans doute n'en est-il pas content car il dit piteusement : « On ne sait pas. »
Je regarde le second et je suis saisie. Dans un grand mur de rocher, il y a de nombreuses ouvertures, au centre, une porte massive surmontée, comme à la proue des voiliers d'autrefois, par le buste d'une femme. Cette femme porte une robe rouge laissant voir ses seins. Elle a un collier d'or et une sorte de couronne sur la tête. Ses grands yeux vagues vous regardent mais peut-être ne vous voient pas. Elle rit, non pas d'un rire méchant ou amer ni parce qu'elle s'amuse. Elle rit parce qu'elle

sait. Elle sait que dans la vie sur la terre, comme dans la vie au Labyrinthe, il y a de quoi rire et s'effrayer.

Le dessin est dur, haché, très coloré par endroits, on pourrait même dire barbouillé, il brutalise, mais son efficacité saute au visage.

« Qu'est-ce que Jasmine a pensé de ça ?

— C'est affreux !

— Et ton père ?

— Il n'aime pas dire.

— Et toi ?

— C'est comme ça, avec ces grosses dents blanches en horreur ! »

C'est maintenant ma voix, peut-être suscitée par le dessin, qui dit :

« Ceux qui ont peur de la femme sauvage vont par là, c'est long, de plus en plus étroit, on trouve des ossements. Ceux qui parviennent à revenir sont devenus fous, les autres s'endorment au milieu des squelettes et ne se réveillent plus. On ne peut entrer que par la porte mais elle n'a pas de serrure ni de clé. Si vous tentez de la forcer, le rire de la femme sauvage vous tue. Seule la reine Pasiphaé connaît le secret de la porte et peut conduire les jeunes Athéniens jusqu'à elle. En s'approchant Pasiphaé chante, la porte s'ouvre, elle vous pousse en avant avec son chant. Brusquement le Labyrinthe est là. Vous êtes dedans. Le chant s'arrête. La porte se referme et la femme sauvage rit. »

Il y a une sorte de cri qui sort de nous : « Et après ? »

La réponse d'Orion est abrupte : « On ne sait pas. »

Nous nous regardons, nous ne connaissons pas la suite, c'est comme ça. Je vois la lèvre inférieure d'Orion qui tremble un peu.

Je lui propose de prendre un livre et de lire, il n'y parvient pas, il bafouille. Je reprends le passage, ma voix hésite, tremble un peu, je fais des erreurs qu'il remarque.

Je lui demande si je peux garder ses dessins au bureau. Il dit : « C'est pour ici. »

Puis : « Tu dois inscrire le dessin pour la semaine suivante sur le cahier. »

J'écris : Thésée entre dans le Labyrinthe avec le fil qu'Ariane lui a donné pour revenir. Dessin, même format. Date : lundi prochain.

Il regarde le sujet et referme le cahier sans mot dire. Il se prépare pour aller à la piscine rejoindre les moniteurs et ses camarades. Il ne nage pas encore. « Il sait, dit le moniteur, mais il n'ose pas se risquer en eau profonde. S'il y arrive, ce sera un tournant décisif. »

Je dis à Orion : « Risque-toi, va d'un côté à l'autre comme tu fais quand tu dessines un labyrinthe. » Il me regarde, il voudrait me croire, il ne peut pas.

« La piscine, c'est du vrai. Le labyrinthe c'est dans la tête.

— Dans la tête...

— On ne sait pas, Madame. C'est l'heure. » Il me tend la main. Il s'en va.

Une semaine plus tard, il m'amène un autre dessin, rehaussé de gouache dans des couleurs très claires. Thésée est grand, vigoureux, son visage ressemble un peu, sous ses cheveux noirs, à ceux qu'on voit dans les reproductions de fresques ou de vases grecs. Il déroule avec grand soin le fil d'Ariane et avance avec précaution dans les couloirs d'un palais. Devant lui des escaliers, des fontaines, l'entrée d'une vaste salle. Les murs de ce palais, peints en couleurs vives où dominent le rouge et un jaune lumineux, et son architecture mystérieuse font du bien. Ce sont eux qui importent, plus que le personnage de Thésée.

Je m'étonne de ressentir tant de plaisir devant ce dessin qui respire le bonheur mais où les maladresses ne manquent pas. Je m'interroge et je parviens à la source de mon enchantement. Les couleurs, les architectures, la solitude étrange du palais d'Orion m'évoquent celles des tableaux métaphysiques de la première période de De Chirico, que j'aime tant. Sans avoir l'invention, l'ampleur des œuvres de De Chirico, le dessin d'Orion me fait pénétrer, comme elles, dans l'univers onirique. Le Thésée d'Orion s'avance avec une décision non dépourvue de crainte dans un monde qui n'est plus le nôtre. Un monde d'incompréhensibles messages, de cauchemars, d'événements fracassés, le monde étranger, infini peut-être, qui est celui de l'humanité endormie.

Toute la semaine j'entends Thésée errer dans les vastes couloirs, les escaliers qui s'entrecroisent et les salles du Labyrinthe. Dans la salle centrale qu'il n'a pas encore trouvée, le Minotaure, debout, dans une solitude intense, écoute son pas tâtonner, s'éloigner et revenir.

Dans le dessin qu'Orion apporte ensuite Thésée s'avance dans le Labyrinthe avec force et circonspection, accroché à la pelote de fil magique qu'Icare, amoureux d'Ariane, lui a donnée en talisman avant de s'envoler. Il y a quelque chose de victorieux dans sa démarche qui me rappelle Orion quand il dessinait son premier labyrinthe. Il y a aussi une présence de la peur. Celle du Minotaure. Pourquoi a-t-il peur ?

Je ramène le soir les deux dessins chez nous, je les montre à Vasco. « Regarde, ils ressemblent à des rêves.

— C'est vrai, on dirait que Thésée rêve ce qu'il est en train de vivre. »

LE MINOTAURE ASSASSINÉ

Quand j'ai écrit sur le cahier d'Orion : Prochain dessin : La salle du Minotaure, Orion n'a pas réagi et ne semblait pas avoir peur du Minotaure. Le dessin qu'il m'apporte n'a plus les couleurs de joie des précédents, il représente une salle aux murs rouges et à l'atmosphère sombre. Adossé au mur principal il y a le trône du Minotaure, orné de petites têtes de taureau. Le Minotaure est assis sur ce trône, totalement seul, il a un corps d'homme curieusement rosé. Au bout de ses jambes et, chose affreuse, de ses bras, il y a des sabots de taureau. Il n'émane de lui aucun sentiment de puissance, mais plutôt une impression d'attente et de compassion. Il a le corps d'un homme très grand, mince, sans rien de formidable avec une tête de taureau qui m'évoque un visage.

« On dirait un père... »

Est-ce qu'Orion est aux aguets, est-ce qu'il s'attendait à ce mot ? Il répond tout de suite : « On ne sait pas. »

J'écris dans son cahier : Rencontre de Thésée et du Minotaure. Je le lui montre. Il dit : « Est-ce qu'ils vont se battre ? » Je ne réponds pas. Il a l'air soulagé et remet son cahier dans son sac.

Je ressens une certaine appréhension de lui avoir prescrit ce thème. Comment va-t-il réagir ? Jusqu'ici il s'est avancé dans les couleurs claires d'un rêve de Labyrinthe. Il y était heureux. La salle du Minotaure, par ses couleurs et son atmosphère, marque déjà un obscurcissement redouté. Maintenant il va mettre en présence le mystère un peu misérable du Minotaure, tel qu'il le voit, et la hardiesse effrayée de Thésée. Son intention de tuer.

La semaine est difficile, il finit par me dire : « On reçoit des rayons à cause du dessin. En Crète, le démon ne peut pas tout bazardifier. C'est une île, il ne peut pas traverser la mer. Thésée et le Minotaure sont bien tranquilles là-bas. C'est nous ici qu'on est dans les rayons de Paris.

— Tu es à l'abri quand tu dessines.

— On ne peut pas toujours dessiner. Souvent il vous prend par-derrière et quand on est plein de rayons on ne peut plus dessiner parce qu'il faut sauter ou donner des coups sur le mur et alors on a mal aux mains et aux pieds.

— Tu veux dire que tu ne peux pas terminer ton dessin pour lundi ?

— On ne sait pas, Madame...

— Bon, je mets sur ton cahier que tu as une semaine de plus pour le finir. »

Toute la semaine qui suit est très pénible. Orion gémit souvent : « Lourd, c'est lourd, les rayons ne brûlent pas encore mais ils sont tout autour. »

Un jour il soupire : « Il faut que tu sois derrière moi, pas loin. »

Orion peine, j'essaie de le soutenir, de rester à côté ou derrière lui sans rien vouloir, si c'est ça qu'il attend de moi. Si c'est Orion qui travaille et se débat le plus, nous devons affronter ensemble le monstrueux. Qu'est-ce qui est monstrueux ? Le Minotaure ou la domination en nous de l'homme sur l'animal, avec ses impérieuses limitations ?

Orion est inquiet le jour où il m'apporte son dessin. Il ne le sort pas de son sac, il s'assied, figé, en face de moi.

« Tu me donnes ton dessin ?

— Non, toi, Madame, prends-le ! Lis d'abord la rédaction qui est au-dessus.

— Tu as fait une rédaction en plus ?

— C'est le dessin qui voulait ça. »

Je prends la feuille, en grands caractères maladroits il y a un texte.

RÉDACTION : LA TÊTE GÉANTE

En entrant dans le Labyrinthe il y a une tête géante, elle est derrière mais on la voit toujours devant. Son rire rit comme le diable. Elle attire dans l'impasse. La tête est assez jeune, des gros yeux, des oreilles bien visibles et la bouche qui rit en montrant les grosses dents blanches en horreur.

Le Minotaure est sur son trône en train d'attendre les sacrifices de filles, il est au centre du Labyrinthe, au coin où il y a l'autel et où ça fait palais.

Thésée avec le fil d'Ariane rencontre le Minotaure, il sent qu'il est fort.

On vient pour te tuer car le roi Minos doit te donner Ariane en sacrifice. Ma fiancée.

Le combat commence et continue longtemps cette horreur. Thésée enfonce son épée dans le ventre du Minotaure où il y a le cœur. Le Minotaure tombe mort et Thésée a gagné le bagarrement. Il est triste. Il prend le fil d'Ariane, l'enroule et sort du Labyrinthe pas par la sortie mais par l'entrée où il y a Ariane qui l'attend et Thésée l'emmène, elle croit pour se marier.

Fin de rédaction.

Je retire de son sac le carton défraîchi qui protège peu ses dessins. Je l'ouvre, sors le dessin et le caractère dramatique de la scène me frappe. Elle a lieu dans la vaste salle où, dans le dessin précédent, le Minotaure siégeait sur son grand fauteuil. Le fauteuil est là devant le sombre mur rouge, mais le Minotaure n'y est plus, il est debout, très grand et sans défense, devant Thésée.

Thésée n'est plus le beau jeune homme costaud, aux cheveux noirs et au masque régulier qu'Orion a peint dans ses précédents dessins. C'est un garçon bien plus jeune, plus petit qui a les longs cheveux bouclés, le visage pâle et effrayé d'Orion. Ce nouveau Thésée tient à la main une sorte d'épée qu'il enfonce en criant, avec une résolution désespérée, dans le corps du Minotaure qui le domine de sa haute taille.

Le Minotaure, la tête penchée vers Thésée, semble contempler avec une profonde tristesse, mais sans esquisser un geste de défense, le forfait, l'assassinat, qui a lieu.

Mystérieusement avec sa tête de taureau, ses grandes cornes dont il ne se sert pas, et sans qu'aucun trait ne les rapproche l'un de l'autre, le Minotaure assassiné ressemble lui aussi à Orion. Je vis cette scène comme très cruelle et inéluctable : Orion, fasciné, dominé par l'image de Thésée, est, hurlant d'horreur, contraint à tuer le Minotaure. Préparé au crime, le Minotaure se laisse sacrifier sans défense, en penchant vers son garçon une tête pleine de douceur, de résignation et de pardon.

Je ne peux y croire, je vois dans cette scène que le Minotaure est, sur une scène ténébreuse, le Père qu'Orion, dans sa détresse, est condamné à tuer, comme il tue aussi une part de lui-même. Moi aussi, j'ai été contrainte de vivre cela, puisque j'ai tué ma mère à ma naissance. Avec Orion je le vis encore en contemplant cette image aux couleurs explosives et dont les nombreuses maladresses ne peuvent cacher la vérité ni la souffrance. Nous regardons longtemps le dessin, nous nous regardons en silence.

« Cela a été dur pour toi de faire ce dessin et pour ton Thésée de tuer le Minotaure.

— On a senti beaucoup de rayons et souvent l'odeur du démon empêchait de dessiner. Après on a été mieux parce que tu étais derrière moi.

— J'étais derrière toi ? Il n'y a rien sur le dessin.

— Tu es derrière moi, juste là où finit le dessin. Il n'y avait plus de place sur la feuille mais tu es là. »

Est-ce que j'étais derrière lui pour le pousser en avant... ou pour défendre son Minotaure ?

« J'étais là. Je suis là...

— Oui, tu es là. On est content que tu es là. Avec tous les gamins qui chahutent, qui font des croix sur mes cahiers ou sur le banc comme si on était déjà mort, comme parfois on voudrait. Quand ils me crient : Tu vas voir à la sortie, on t'aura ! À la poubelle, aux chiottes ! Ils me forcent à jeter des bancs sur eux, à foncer comme si on avait des cornes pour les courser. Si tu n'étais pas venue, pour être derrière moi, on aurait mis le feu à l'école. Le feu on aime ça, on aime beaucoup. Le démon de Paris aussi aime ça ! Sans toi l'école n'aurait pas été sauvée et on aurait été mis en prison.

— Dans ton dessin Thésée te ressemble.

— On ne sait pas. C'est toi qui vois ça. Tant que tu étais derrière moi on pouvait avancer même si on était aveugle.

— Aveugle...

— Pour attaquer le Minotaure on doit être aveugle, sinon on devient trop triste.

— Le Minotaure dans ton dessin a l'air très malheureux et toi...

— On est comment ?

— Dis-le toi-même.

— Non, toi. C'est toi qui étais derrière moi, dans ma tête, quand on faisait le dessin.

— Tu es comme quand tes camarades veulent que tu leur fasses peur, en jetant des bancs, en fonçant sur eux comme un taureau, ou en cassant des carreaux. »

Il éclate de rire : « Casser des carreaux on aime ça et puis après on pleure. »

Il demeure un instant silencieux puis : « Tuer le Minotaure, l'enfant bleu n'aurait jamais fait ça.

— L'enfant bleu... »

Il s'est déjà repris, il dit d'une voix neutre : « On ne sait pas. »

Il y a un silence que nous laissons vivre tous les deux. Il se penche sur son sac et je regarde encore le dessin qui m'émeut tant. Ce dessin où je suis sans y être. Orion, aveugle, surmonte à nouveau sa peur par la violence. Ce que n'aurait pas fait l'enfant bleu, cet enfant que je ne connais pas et dont, si je l'interroge, je ne saurai jamais rien.

Orion dit : « C'est l'heure pour la géo, madame.

— D'accord. Est-ce que je peux mettre ton dessin ici sur le mur, comme j'ai fait pour les autres ?

— Pas celui-là ! » Je ne demande pas pourquoi, je prends mon livre, lui le sien. Au lieu de commencer à lire, il dit avec colère : « On ne veut pas que les autres le voient... Ils feront des croix tout autour pour dire qu'on t'a tuée.

— Je ne suis pas le Minotaure... je suis derrière toi.

— Ça n'empêche pas, quand ils sont après moi en bande, ils savent beaucoup de choses que le démon de Paris leur a bombardées dans la tête. C'est l'enfant bleu qui savait faire ce qu'il faut pour ne pas être escarbarbouillé et seulement faire ce qui amuse. Moi, on était trop petit alors. » Il commence à lire. À la fin des cours je lui demande : « Est-ce que tu peux faire un autre dessin la semaine prochaine ?

— Dessiner c'est mieux que faire chier les parents. »

J'écris sur son cahier : Thésée sort du Labyrinthe. Rencontre avec Ariane.

Il soupire : « Le démon de Paris va faire encore une danse préhistorique de rayons comme les semaines passées.

— Tu as fait tout de même ton dessin...

— On l'a fait parce que tu étais derrière moi, comme le démon de Paris. »

Je ne réponds pas, parce que je suis déboussolée c'est vrai, mais surtout parce que je sens entre nous une présence insolite qu'Orion perçoit aussi. Il bat plusieurs fois des bras, je crois qu'il va sauter, il ne le fait pas. Il regarde avec plaisir la vitre qu'il a cassée et qu'un carton mal fixé remplace encore. Il rit : « Casser des vitres ça me fait rire, il le sait, il le sait bien, celui-là ! »

Il rassemble ses affaires, me tend la main et s'éclipse brusquement comme s'il fuyait. J'ai l'impression qu'il ne me laisse pas seule. Je me refuse à penser ça. Je prépare calmement la journée de demain et m'en vais cependant avec soulagement. Sur le boulevard il tombe une pluie très froide que je ressens sur mes épaules comme un fardeau injuste et trop lourd. Dans le train je trouve une place, je m'efforce de lire mais je n'y parviens pas. Orion et le Minotaure occupent ma vision. Je revois le visage douloureux et compatissant du père affligé par le désastre nécessaire. Je ne comprends pas, je ne cherche pas à comprendre mais, comme dit Orion, c'est lourd, lourd. Oui, un seul mot ne suffit pas pour dire cette pesanteur. À ce moment je repense aux trois cents chevaux blancs qui galopent dans les rues de la nuit. Ceux qu'il a découverts, qu'il a pu dire, qu'il m'a fait voir. Ceux qui me font penser qu'il est un artiste. Est-ce que j'y crois ? Je suis tentée de me persuader que non. Comment croire à trois cents chevaux blancs qui poursuivent le démon dans les rues de Paris ? Comment croire au démon de Paris ? Je ne peux pas y croire mais Orion a fait entrer le démon et les trois cents chevaux blancs dans mon existence. Ils y sont chaque jour, comme des images vitales qui nous incitent à poursuivre, pas à pas, notre chemin à travers les rafales de la psychose et notre vie grisaillonne et minutée de banlieusards.

Avec Orion, j'apprends, j'apprends beaucoup. Que recouvre cette étrange certitude ? Que j'apprends à ne pas savoir, à ne pas comprendre et pourtant à vivre. Que surtout j'apprends à attendre. Attendre quoi ? Est-ce Orion qui répond à ma place ? On ne sait pas.

Orion m'apporte un dessin où Thésée sort du Labyrinthe et rend sa pelote de fil à Ariane. Plus rien du caractère sauvage et dramatique du sacrifice du Minotaure. Thésée ne ressemble plus à Orion, horrifié et aveugle, se précipitant vers celui qui n'était pas son adversaire, et je ne me tiens pas derrière lui dans sa tête, invisible et hors de l'image.

Thésée, costaud et paisible, est pourvu d'une ample chevelure noire qui fait penser à Goliath. Il n'a pas l'air fort impressionné par Ariane, en robe blanche avec des fleurs dans ses cheveux. Du Labyrinthe on ne voit plus qu'un immense escalier, au bas duquel ils se tiennent, sur un fond de montagnes roses éclairées par un soleil dessiné à la hâte.

Orion n'est plus le Thésée qu'il a été pour un temps de combat désespéré. Le Minotaure a disparu. C'est Minos, le juge, c'est Pasiphaé, la mère sublime qui règnent invisibles dans le Labyrinthe.

Un matin, pendant que je travaille avec Orion, le docteur Lisors me fait appeler pour un renseignement. Il est dans la pièce à côté, qui sert pour l'ergothérapie, avec une longue table sur laquelle il a étalé quelques dossiers. Nous consultons l'un d'entre eux, quand soudain nous entendons un grand cri et Orion, affolé, battant des bras, les yeux révulsés, arrive en courant vers nous. Il crie quelque chose que nous ne pouvons comprendre, il est encore plus effrayé de nous voir, nous évite, s'arrête un instant et ne sachant que faire, sans élan, saute à pieds joints sur la table. Nous sommes bouleversés par son arrivée et ce bond stupéfiant.

Le médecin-chef est encore plus surpris que moi, il ne peut d'abord que dire : « Mais... mais... ! » Puis : « Qu'est-ce qu'il y a ?... Descends ! »

Orion ne sait que faire sur la table, terrorisé, il n'ose plus bouger. Peut-être ne nous voit-il pas ? Je dis : « Prenons-le chacun par une main et faisons-le descendre. »

Il saute, mais ses genoux ne le soutiennent plus qu'à moitié et, sans notre aide, il serait tombé. Lisors demande : « Mais qu'est-ce qu'il y a, Orion ? » Tout essoufflé, il crie : « Le téléphone... On a décroché mais le chahutement du démon était si fort qu'on a dû s'enfuir. »

Je vais voir dans le bureau, je reviens : « Le téléphone était décroché, mais la communication a été coupée. » Je vois qu'Orion est très pâle et encore commotionné et je dis à Lisors : « Je crois qu'il vaut mieux que nous sortions un peu tous les deux.

— Allez-y et revenez me voir tout à l'heure, il faut que nous parlions. »

Nous allons nous promener, l'air est vif, les couleurs reviennent sur les joues d'Orion. Je lui propose d'aller prendre un chocolat dans un café. À ma grande surprise il accepte.

Il a peur pourtant en entrant à ma suite dans le café. Il y a un peu de monde et je l'entraîne dans un coin tranquille. Le garçon, qui vient prendre les commandes, l'effraie et il tourne son visage vers le mur pour ne pas être vu de lui.

Je lui reparle de ce qui vient de se passer, il me dit : « On a décroché le téléphone parce que la sonnerie avait peur, alors avec sa voix le démon a sauté sur moi, il a serré ma gorge, il a fallu crier, crier et se sauver.

— Après...

— On ne sait pas, le docteur et toi vous avez pris mes mains et le démon n'était plus là.

— Tu avais sauté sur la table, sans élan.

— Ce n'est pas moi, c'est le démon qui a sauté avec ses rayons de géant dans mes jambes. »

Il boit lentement son chocolat. « Pourquoi est-ce que le démon me crie des choses que tu n'entends pas et le docteur non plus ? »

Je ne réponds pas, il finit son chocolat.

« Il crie le démon : On va te les couper, connard... Attends un peu et tu vas voir... Bon à rien, on va te vider... Et ton cartable, on va pisser dessus, tu ne le retrouveras plus jamais... Au feu, à la poubelle tes affaires... !

— Est-ce que ce ne sont pas les autres élèves qui disent ça ?

— Le démon les pousse. Et puis il me crie : Saute ! saute ! Fais du bazarbouillis partout. Casse, casse, casse... !

— Pourtant tu es toujours vivant et tu as envie d'un deuxième chocolat. Je le commande et je reviens. »

Il renifle et regarde avec méfiance autour de lui. Quand on lui apporte son chocolat :

« Il n'y a pas de démon ici parce que tu es là. Si on est seul, la peur commence à transpirer. Et si on ne pouvait plus payer le garçon, ils voudront me mettre en prison et alors on cassera tout. »

Il boit son second chocolat, il s'apaise, nous revenons sans nous presser à notre petit bureau.

« Je dois aller voir le docteur Lisors, voilà une feuille et de l'encre de Chine, fais un dessin pendant ce temps. Ce que tu veux. »

Lisors me reçoit avec son sourire habituel, un peu moqueur. Il est franchement surpris : « Quelle force de la pulsion ! Ce bond sur la table et, une fois là, il ne savait plus du tout où il était. Il a eu peur du téléphone ? Il est habitué pourtant.

— Il m'a dit : la voix du démon m'a sauté à la gorge. On a dû s'enfuir et crier.

— Que pensez-vous de cela ?

— Avec Orion quand c'est l'ouragan on ne peut pas penser, on essaie de rester présent c'est tout.

— Vous ne pensez pas que c'est le démon qui lui a sauté à la gorge... ?

— Je ne peux pas me permettre de refuser ce qu'il ressent. Si je nie son délire, qu'est-ce que je fais auprès de lui ? Au jour le jour, on travaille. Très pauvrement, je sais, mais on avance. Pour la cure comme pour les études. À tout petits pas, avec parfois des bonds en avant et parfois des bonds en arrière.

— Mais lui quand il vit ses pulsions, ses délires, c'est à grands pas ?

— À très grands pas et j'ai peine à suivre. Et parfois c'est l'ouragan et je suis emportée.

— C'est un cas très lourd, nous le savons. Vous vous en tirez bien, mais ne vous concernez pas trop, ce serait dangereux pour lui et pour vous.

— Je cherche à ne pas trop me concerner, ce n'est pas facile. Quand on est dans les petits pas, j'écoute, j'enseigne, je patiente. Mais dans les grands pas, dans la bourrasque, c'est plutôt lui qui guide et nous sommes dans les mots déchaînés, tous les deux.

— Dans les grands pas, vous et lui vous êtes un pluriel. »

Le mot me frappe de plein fouet : « Oui, dans ses crises nous sommes un pluriel. Bien malgré moi, mais alors il faut sans doute que je sois dépassée ! »

Il dit : « C'est vrai. » Puis avec une sorte de regret : « Mais, vous, vous soignez, vous soignez vraiment, même si vous ne savez pas toujours comment faire. C'est une chance. »

Il prend ma main dans les siennes et me dit avec une sorte d'affection : « Revenez me voir, quand ça ne va pas ! »

Je retourne au bureau, Orion est penché sur un dessin à la plume qu'il achève avec une surprenante rapidité. Je ne demande pas ce que c'est, je le sais déjà quand il m'annonce dans un éclat de rire cruel : « Le lac de Paris !

— Toujours le même. Tu aimes ça.

— On aime ça et c'est toujours différent. »

Son dessin représente un grand lac, d'où n'émergent que le haut de la tour Eiffel et le dôme de Montmartre. On voit aussi, sortant de l'eau, une fumée, c'est l'élément nouveau. Il a suivi mon regard. « On a mis le feu à l'hôpital de jour, il va devenir un volcan. On aime les volcans.

— Et les gens, où sont-ils maintenant ?

— On ne sait pas... C'est toi qui as dit qu'on pouvait dessiner ce qu'on voulait. »

Ce dessin représente donc ce qu'il veut secrètement. Oui, une part de lui désire la disparition de Paris, de l'hôpital de jour et de notre travail ensemble.

Je suis bien obligée de le constater, ce dessin qu'il ne cesse de répéter sous des formes et couleurs variées me blesse profondément tandis que, lui, ça le fait rire. Est-ce qu'il voit ce qui est presque ma détresse ? Il dit : « On a fait des bulles.

— Des bulles...

— Oui pour mettre notre petit bureau, la Sainte-Chapelle, et les choses que tu aimes. »

Je suis très touchée. Est-ce que je me méfie pourtant, puisque je dis :

« Les bulles ne sont pas sur le dessin.

— Elles sont sur le dessin dans ma tête... »

Il prend le dessin, me le tend : « Tu le gardes ? »

Comme je ne réponds pas, il dit : « Ma mère sera fâchée si elle le voit. Très fâchée.

— Je le suis peut-être aussi, Orion. »

Il me regarde : « Toi, tu peux... »

Comme j'ai pris le dessin, il me lance un petit regard suppliant et finit par murmurer :

« On ne sait pas, Madame. »

Puis de sa voix habituelle : « On doit partir, c'est l'heure. »

La porte refermée, je me trouve dans une soudaine et incompréhensible déréliction. Pourquoi ? Pourquoi pas ? Je sais qu'il y a, à côté de sa bonté native, beaucoup de haine en Orion, que cette haine lui est nécessaire pour avancer. Avancer... ? Avancer dans son art. Voilà je me suis formulé la chose. Et si je me trompe ? Et si je suis insuffisante ?

Il y a deux vers désolés de Verlaine qui surgissent dans ma mémoire. C'est dans *Gaspard Hauser chante* :

> *Suis-je né trop tôt ou trop tard*
> *Qu'est-ce que je fais en ce monde ?*

C'est bien l'interrogation fondamentale qu'Orion me force à partager avec lui et tout l'immense peuple des handicapés, qui est le nôtre. Oui, le mien aussi depuis la mort de ma mère à ma naissance. Comme vient de me le dire Lisors nous sommes maintenant un pluriel. Je ne voulais pas ça, mais quelque chose de net, de délimité. Lui, un patient, moi sa « psy ». Pas ce terrible partage, qu'il suscite dès qu'il est en crise, où nous sommes ensemble dans ce pluriel, sur ce même bateau que ni l'un ni l'autre, nous ne pouvons plus quitter.

En arrivant à Chatou, je vois que Vasco n'est pas là. Un surcroît de travail, imprévu comme toujours. Pas le moment, à la fin du mois, de prendre un taxi et avec la gêne du carton à dessin la route me semble interminable. Une camionnette s'arrête près de moi, une petite dame rondelette aux cheveux gris se penche et demande :

« Vous allez vers Montesson ?

— Oui.

— Montez, je tourne un peu avant, mais ça vous rapprochera. »

Je la remercie, je monte, je suis émue, c'est la première fois sur cette route que quelqu'un, le soir, me propose cela, sans aucun signe de ma part. Je le lui dis, elle rit, ses joues rouges se plissent de petites rides très gaies. « Les gens ont peur maintenant, vous savez, quand je reviens du marché, moi aussi, je ne prends que des femmes et des vieux. En voiture j'aime parler, mon mari n'est pas très causant. Comme vous, on dirait.

— Vous croyez ?

— Oui, vous êtes comme ça. Vous préférez écouter, non ?

— Peut-être.

— Quand j'étais jeune mon mari me disait : j'aime ta voix et je chantais souvent. Il ne me dit plus ça, alors je ne chante plus et je parle trop. Pourtant j'ai tiré un bon numéro avec lui. Voilà, ici je tourne, vous êtes tout de même plus près. Ne me remerciez pas. C'est naturel, vous aussi vous êtes un bon numéro, ça se voit. »

Je marche avec plaisir tout étonnée de la paix que m'a rendue cette petite femme énergique avec sa gaieté de pomme rouge. Comme je monte l'escalier, j'entends arriver la voiture de Vasco. Je me presse, je parviens à réchauffer de la soupe, à préparer des œufs à la coque.

Vasco me serre dans ses bras : « Tout est prêt et moi je n'ai pas pu aller te chercher. Encore un moteur qui résiste et, cette fois-ci, je n'ai pas réussi. »

J'ai mis le dessin d'Orion sur le piano de Vasco.

« Je voudrais que tu regardes ça.

— Ton Orion a fait mieux.

— Ne dis plus : ton Orion... Orion n'est à personne.

— C'est pour ça qu'il est malade.

— Tu vas trop vite. Mangeons d'abord. »

Nous sommes heureux d'être ensemble, nous avons faim, nous sommes fatigués tous les deux. Quand il a achevé son deuxième œuf à la coque avec un plaisir évident, Vasco se penche, reprend le dessin. « Qu'est-ce qu'il a voulu faire ?

— Comme souvent, le lac de Paris.

— Je vois le sommet de la tour Eiffel, le dôme de Montmartre et cette grande fumée qui sort de l'eau, qu'est-ce que c'est ?

— C'est l'hôpital de jour qui brûle et qui devient un volcan sous l'eau. »

Vasco est impressionné : « C'est lui qui l'a fait brûler ? Ça t'a fichu le cafard ? Est-ce qu'Orion n'a pas un sérieux ennemi en lui-même, qui voudrait le suicider ?... Dans son état, avec la vie qu'il mène, à part ses heures avec toi, ça peut se comprendre.

— Il ne connaît même pas le mot suicide.

— Il connaît la chose. Se tuer serait une entreprise trop difficile pour lui. Ce serait plus facile de mourir avec tout le monde. »

Je suis stupéfaite : « Tu as vu ça !

— Tu es trop concernée par ce garçon, comme moi par le moteur d'aujourd'hui...

— Tu trouveras demain pour ton moteur, moi pas. Dans la psychose on n'est plus dans notre univers, mais dans un autre...

— Orion n'a pas besoin que tu comprennes. Seulement que tu sois là et que tu l'écoutes.

— Et toi et moi nous avons besoin d'être payés à la fin du mois. C'est un fait qui compte, même si nous sublimons, si nous sublimons chacun de notre côté. »

Vasco rit : « Tu as raison. Je vais faire une tisane. »

Il l'apporte, avec des biscuits que j'aime et du miel.

Je demande : « Crois-tu que je vais devoir affronter son instinct de mort tout au long du traitement ? »

Il sourit : « Vous allez trop vite, Madame la psychothérapeute. Je ne sais pas vraiment ce qu'on appelle l'instinct de mort. Pour ma part, j'ai assez à faire à me débattre avec la vie, heureusement nous sommes deux pour cela. »

Au cours des semaines suivantes Orion m'apporte encore deux dessins de ce qui est devenu peu à peu l'histoire de Thésée. Sur le premier dessin Orion est avec Ariane dans une barque à voile blanche avec son air paumé des mauvais jours.

Plus d'Ariane dans le dessin suivant. Orion, caché par une voile noire, pilote seul le bateau à l'entrée d'un vaste golfe. Du haut d'une falaise, un personnage étrange se précipite, tête la première, dans la mer. Est-ce le roi Égée dont je lui ai parlé la veille, qui, voyant la voile noire, croit à la mort de son fils et se tue ?

« Si Égée s'est jeté dans la mer, Orion, Thésée est roi.

— Thésée n'est pas comme nous. Il fait ce qu'il veut.

— Nous ne faisons pas ce que nous voulons... ?

— Non, personne ne fait ça, les enfants doivent obéir et aller à l'école. Les parents doivent travailler, gagner des sous et faire la cuisine. Toi non plus, tu ne fais pas ce que tu veux, personne ne peut être content de s'occuper tous les jours d'un garçon bousillé par le démon.

— Je suis contente de m'occuper de toi, Orion. Tu es malade mais on travaille ensemble pour que ça aille mieux dans l'avenir.

— Qu'est-ce que c'est l'avenir, Madame, quand on ne peut pas avoir de copine ?

— Pourquoi ne pourrais-tu pas ?

— Tu vois bien, tu aimes qu'on parle de ses désirs, du sexe, de l'amour, de ce qu'on connaît et de ce qu'on ne connaît pas. Mais on ne dit rien, il y a quelqu'un qui ne veut pas, qui dit que tu es une obsédée sexuelle.

— Qui dit ça ? »

La question m'a échappé, la réponse inévitable suit : « On ne sait pas... On ne sait même pas si quelqu'un le dit ou si c'est dans la tête que c'est écrit. Et ça fait un gros bouchon que jamais on ne pourra déboucher. » Il a son rire cruel : « C'est un bouchon qui parle souvent, qui dit : On ne sait pas. On ne sait pas ! Souvent aussi c'est un bouchon qui crie. Qui crie : Des rayons, tu en auras et le démon de Paris, toute la vie, il t'en foutra de plus en plus. Petit crétin, on te connaît, bon à rien. On va le voir, tout le monde va savoir que tu es un bon à rien, à rien, à rien ! Sans copine, sans métier, à sauter tout seul dans un hôpital de jour. C'est ça qu'il gueule le bouchon et après il demande : Pourquoi tu as tué le Minotaure, l'enfant bleu ne l'aurait pas fait ? »

Il laisse tomber sa tête sur ses dessins étalés sur la table. Il attend. Il attend quoi ? Heureusement que j'apporte toujours un jus d'orange. Dans le tiroir, il y a un verre et du chocolat, je remplis le verre. « Relève-toi, prends ton verre. »

Il le prend, boit un peu, demande : « Est-ce qu'il y a encore du chocolat ? »

Il sait très bien qu'il y en a, mais il faut qu'il fasse entendre ce ton de doute, de reproche informulé. Il mange son chocolat lentement pour en savourer tout le goût. Ce n'est pas le bonheur, si rare et incertain chez lui, mais il a retrouvé le calme, le bien-être. Ce n'est pas peu.

Il commence à rassembler ses dessins, il me les donne : « Tu les gardes avec les autres. »

Puis : « On n'a pas fait la dictée, rien que des parleries.

— C'est important les parleries, c'est ce qui te fait avancer.

— On ne sait pas, Madame. Il est l'heure. »

Après son départ je me sens préoccupée mais de quoi ? Du petit personnage qui se précipite dans la mer Égée, du désir de mort que je sens en travail chez Orion. Contre lequel je n'ai pour lutter que bien peu de choses : des soins, des dessins, de l'affect, beaucoup d'affect et nos parleries comme dit sa mère. Nos parleries, dont le vocabulaire s'élargit peu à peu, mais qui butent toujours sur son éternel : on ne sait pas. Il faudra des années, oui des années de parleries et de dessins. Eh bien, il y faudra des années !

Orion m'apporte le dessin que je lui avais demandé : Thésée roi. Arrivé au bout de son périple, son Thésée semble voir qu'il n'est pas devenu un vrai roi et ne porte qu'un masque dérisoire. Le vrai pouvoir réside toujours dans les mains du passé. Le Thésée d'Orion est entré dans le Labyrinthe attaché à un cordon ombilical, il n'a pas affronté son Minotaure, il a seulement tué une de ses images fantasmatiques. Orion a seulement fait avec Thésée le début du périple, pas plus, et nous nous retrouvons paumés tous les deux. Eh bien c'est ainsi, cela nous arrivera sans doute encore souvent. Je regarde à nouveau le dessin, Orion aussi et nous nous mettons à rire. Nous ne savons pas très bien pourquoi, mais nous sentons ensemble qu'une période de notre aventure vient de finir. Orion dit : « Est-ce qu'on fait la dictée, aujourd'hui ? » Nous la faisons tant bien que mal. Il sort pour l'interruption et en revenant demande : « Est-ce qu'on peut te dicter un poème du Minotaure ?

— Bien sûr. »

Je prends des feuilles. Il dicte avec peine, l'air très absorbé, avec des arrêts, des retours en arrière, des moments où il dit : « Ça tu effaces ! »

Quand il s'arrête, je lis :

En face du grand Minotaure
Il y a deux Thésée dans les dessins
On est le plus petit jeune
Tu entres avec moi dans le Labyrinthe
Est-ce qu'on est un peu Thésée ?
Pas tout à fait, pas le vrai de vrai
On est devant, tu suis derrière
Là, hors du dessin, tu es là.
Est-ce qu'on gagne, est-ce qu'on est le roi Thésée ?
Le plus petit des deux ?
On ne sait pas. Toujours on doit dire ça !
On aime Thésée et le Minotaure
Dans le Labyrinthe, il est fort Thésée
À Athènes on est un roi paumé
Celui qui pissait souvent dans sa culotte
À quatre ans à l'hôpital Broussais
Dans le service infantile de chirurgie.
On n'a pas entendu Pasiphaé, la reine
Quand elle chante, divine, comme tu as dit
Et le grand Minotaure, il danse, il joue de la flûte
Seulement si nous écoutons, les deux.

Cette dictée est pour lui un grand effort, il soupire, il transpire, il se contracte et brusquement se tait. Alors je lui souffle : « Respire, Orion, respire à fond. » Il le fait, essaie de sourire. Il fait très chaud, il transpire vraiment beaucoup, ça ne m'est pas agréable et nous ressentons tous les deux un grand soulagement quand il dit : « C'est la fin. »

Il me regarde : « C'est bien ?

— C'est vraiment toi. J'aime beaucoup.

— Toi, Jean-Philippe disait que tu as fait de vrais poèmes. En livre.

— Toi, tu es peintre.

— On ne sait pas, Madame, on dit qu'on est un handicapé, on reçoit une pension de handicapé pas de peintre.

— Si tu travailles, tu seras peintre. »

C'est sorti de moi comme une certitude, il est content, il ne me croit pas tout à fait, mais il est content. C'est l'heure. Après son petit rituel de départ, il s'en va.

Est-ce que j'avais le droit de lui dire : tu seras peintre ? De lui indiquer ainsi une voie peut-être trop dure pour lui ? Si j'ai dit ça, c'est que... c'est que je l'espère. Peut-être que j'ai dit mon désir alors que c'est le sien que je dois écouter.

C'est la chaleur, c'est aussi la fin de l'année scolaire. Orion m'apporte encore un dessin : c'est une salle vide du palais de Thésée. Posées sur le sol, plusieurs têtes qui semblent abandonnées au hasard le long des murs. Elles sont les seules présences dans ce palais déserté. Où sont les corps ? On ne sait pas. Ce dessin est le reste d'une tragédie qui n'aura pas de fin. L'histoire de Thésée a cessé d'inspirer Orion.

Son imagination, quand je parviens à le faire parler, est partie ailleurs, vers les îles, parmi lesquelles commence à apparaître l'île Paradis numéro 2 qui, dans l'océan Atlantique, se construit lentement dans sa tête.

Le hasard me fait découvrir dans un grand magasin des cahiers recouverts de similicuir dans lesquels on peut glisser, entre des plastiques de protection, les dessins. J'en choisis un, d'un bleu superbe, et quand Orion arrive le lendemain je lui propose d'y insérer ses dessins et son poème. Côte à côte, nous regardons longuement chaque dessin avant qu'il ne les glisse lui-même dans les feuillets du cahier bleu. Quand c'est terminé le cahier a grossi, est devenu une sorte de livre. Je le lui donne : « Voilà l'histoire de Thésée par Orion. C'est un vrai livre et dorénavant il faut que tu signes tes dessins et un jour tes tableaux. »

Il me regarde, il est surpris, ému, très heureux. Il a peur de ne pas comprendre et ne prend pas le cahier : « C'est pour qui le cahier ?

— C'est ton œuvre, c'est pour toi.

— On a fait seulement les dessins, le cahier n'est pas à moi.

— Il est à toi, je l'ai acheté pour toi et je t'en fais cadeau. »

Il le prend, le tourne dans ses mains, l'ouvre, le ferme comme s'il n'en croyait pas ses yeux. Jamais je ne l'ai vu ému de bonheur comme ça. Ses yeux clignent très vite, est-ce qu'il va s'agiter ? Je lui dis : « Si tu as envie de sauter parce que tu es content, saute !

— On ne veut pas sauter, Madame, on veut rentrer à la maison. Montrer le cadeau aux parents et à Jasmine.

— Eh bien, pars vite.

— Est-ce qu'il y a encore un peu de chocolat pour me calmer ? »

Je lui en donne, il le mange très vite, pressé de partir.

C'est le dernier jour de classe. Il me dit : « Bonnes vacances. Est-ce que tu m'écriras ?

— Oui et je continuerai si tu me réponds.

— On répondra. Au revoir, Madame, à septembre. »

Il me tend une main que la chaleur rend moite et s'en va avec le cahier bleu soigneusement enfermé dans son sac.

L'hôpital de jour est fermé et nous avons des journées d'étude. Je reçois un appel téléphonique du père d'Orion. « Orion voudrait vous voir avant que nous partions demain à la campagne. Il a été si heureux de votre beau cadeau qu'il veut vous apporter quelque chose. Peut-il venir ?

— Oui, à six heures, quand la réunion ici sera finie. »

À l'heure dite, Orion est là, il m'apporte dans un carton tout neuf un dessin du même format que ceux de Thésée. J'ouvre le carton. Pour la première fois, le dessin est exécuté à l'encre de Chine avec une précision toute nouvelle.

Ce dessin suscite en moi une sensation de vigueur et de promesse. C'est le carrefour de deux chemins dans une forêt de jeunes arbres. La forêt s'étend en profondeur, les arbres ont la même taille et appartiennent à la même espèce, celle du rêve. Le blanc domine, le noir fait les contours. Les deux chemins se croisent – comme Orion et moi – on ne sait ni d'où ils viennent ni où ils vont.

Les branches des arbres sont encore presque dénudées, de petites feuilles à demi ouvertes s'apprêtent à grandir. Beaucoup d'hiver encore dans cette forêt mais le printemps est proche.

Au premier plan trois arbres aux troncs clairs, aux branches vigoureuses. Il y a beaucoup de force et d'espoir dans ce dessin, une douleur aussi. On ne l'aperçoit pas tout de suite, c'est peu à peu qu'on voit avec étonnement que dans cette plantation d'arbres jeunes certains ont déjà été abattus et qu'il ne reste d'eux que des souches, tronçonnées à ras de terre. Pourtant les arbres vigoureux sont de loin plus nombreux. De la souche la plus proche deux branches nouvelles s'élèvent. Tout près, pour la première fois, une tentative de signature, un O parfait.

« Ton dessin est beau, Orion, je suis très touchée par ce cadeau. Tous ces jeunes arbres c'est toi et ton œuvre. Vous allez ensemble donner beaucoup de feuilles. Et je te remercie aussi pour cette signature. »

Je n'ai pas besoin d'en dire plus, il voit bien que je suis heureuse, très heureuse de ce dessin et il en est content : « On l'a fait hier après-midi, le soir tard et ce matin. Ça n'est pas devenu beau tout de suite, on a eu peur.

— C'est ton plus beau dessin.

— C'est seulement pour toi. Merci pour ton cadeau. On doit rentrer, bonnes vacances, Madame. »

Il me tend tout naturellement son front comme il l'a déjà fait une fois. J'aimerais l'embrasser, mais je me contente de prendre ses mains dans les miennes. Je regarde ses yeux très clairs que j'ai rarement vus heureux comme aujourd'hui. Il s'en va content. Moi aussi je suis contente en emportant ce dessin qui me remplit d'espoir. Il y a les troncs castrés, leur douleur. Ne jamais oublier cette menace. On peut espérer, pas plus.

À la maison, je montre à Vasco le dessin que j'ai reçu. Il le regarde longuement, puis soudain :

« Quelque chose de beau est en train d'apparaître là. De beau et de très pesant. Est-ce que tu te rends compte de la pression que tu exerces sur Orion pour qu'il devienne un artiste ? »

Sa question éclaire d'un jour nouveau un problème qui ne cesse de m'interroger et que pourtant je laisse toujours dans l'ombre. Je réponds un peu mollement : « Il est doué, je pense que l'art est sa voie.

— Pour guérir ?

— Il n'est pas sûr qu'il puisse guérir...

— Alors, tu espères quoi ?

— Qu'il ne se vive plus comme un handicapé, qu'il existe à ses propres yeux et à ceux des autres comme quelqu'un qui a un métier, comme un artiste.

— Tu crois qu'il pourra supporter un destin si lourd, une telle exigence ?

— Orion dirait : On ne sait pas.

— Qui est ce « on », ce fameux « on » qui te fait souffrir avec lui, presque chaque jour ?

— Ni Orion, ni moi, ni « on » ne savent ce qu'il est, Vasco. Il existe, c'est tout. Ça au moins, c'est sûr.

— Et si « on » ne supporte pas le « je » d'un artiste ?

— Je ne sais pas, avec Orion tout est si obscur, si imprévisible.

— C'est cette obscurité qui t'attire ? »

Il voit que je ne puis répondre. Il sourit, je ne suis pas seule, nous sommes deux.

LE MONSTRE

Assassin du Minotaure, héritier du trône, le Thésée d'Orion à Athènes n'est plus qu'un roi paumé : Orion de même à son retour de vacances. Il a été à Sous-le-Bois, il a pêché des truites dans la Césère avec son père. Il est allé aussi à la mer chez ses nombreux tontons et tatas, il s'est baigné dans l'océan, il a sauté dans les rouleaux mais quelque chose de démon l'a obligé à garder toujours un pied au fond et à ne pas nager dans la mer ni dans la vie.

C'est avec Thésée que quelque chose a peut-être fourché dans l'histoire, en tout cas dans notre traitement. Dans les labyrinthes qu'il a faits auparavant, Orion, au milieu des difficultés de la traversée, se dirigeait impérieusement vers la sortie.

Thésée n'a pas fait cela. Son meurtre accompli, il a pu grâce au faux cordon ombilical revenir à l'entrée du Labyrinthe. C'est depuis lors qu'il y a en nous de moins en moins de Minotaure et de plus en plus de monstre humain. Orion n'a pas pu, comme le Minotaure, se séparer de Pasiphaé d'une brusque ruade et se risquer dans l'exploration de son Labyrinthe.

La route sera longue encore, sans doute très longue, et, pour éviter que notre travail ne tombe dans la médiocrité, je lui propose que nous discutions ensemble de notre plan pour cette année. Ensuite il me dictera ce qu'il en aura retenu. Ce projet lui plaît, nous en discutons pendant plusieurs jours. Il entreprend ensuite, avec beaucoup de peine, des moments de plaisir, presque d'enthousiasme et d'autres de découragement, de me dicter ce dont nous avons parlé ensemble. Ce qu'il espère, peut-être.

NOTRE PROJET

Nous continuons ensemble à étudier comme à l'école et aussi à faire, tous les deux ensemble, le docteur un peu psychothéraprof. Ça sert à me rendre plus calme quand on devient nerveux, si le démon de Paris attaque de loin avec ses rayons ou de tout près avec son odeur, qui force à danser la Saint-Guy. Tu travailles pour qu'on soit plus intelligent et moins malheureux. Moi, on veut être heureux, et toi ? Cette année on veut travailler avec toi parce qu'on te connaît et qu'on a moins peur dans les grosses crises. Si on parle d'une jeune fille, comme Paule, tu trouves que c'est bien pour moi. Tu t'intéresses, même presque beaucoup aux jeunes filles qu'on connaît et à mes dessins. Une prof comme toi, madame, ça sert à enlever le démon de la tête et à penser aux belles filles. Paule est à l'hôpital de jour parce qu'elle est aussi un peu nerveuse, elle est gentille sauf quand elle est parfois du côté de ceux qui font des mauvais coups.

Quand on sera grand... On aime peindre et siffler des airs d'opéra. Ce n'est pas un métier ça... Les autres métiers, ceux pour gagner des sous, on ne sait pas, on ne sait pas comment faire ? Et si on sent le démon de Paris, qu'on casse les outils et les machines ? Gagner des sous comme on doit faire, ça fait peur. On ne sait pas ce qu'on pourrait faire quand on sera un vraiment grand. Toi, tu le sais ? On aime dessiner seulement ce qu'on a dans la tête. Faire du réel pas réel. On ne veut pas que ça devienne du moderne comme souvent toi tu aimes. Maman dit que c'est du gribouillage. Comme si c'était fait par un détracté. Pour enlever le détractement, il faut faire des choses agréables : aller dans les bois, planter des arbres, faire des squares et des manèges pour les enfants, aller à la piscine, avoir des copains, des cousins de son âge, oser parler aux belles filles. Nous deux, on est bien tous les deux dans ton bureau, tu as toujours du chocolat. On a envie de faire des choses agréables : aller en dessin à l'île Paradis numéro 2.

Parce que, sur l'île Paradis qu'on ne doit pas dire, on dirait que ça s'est terminé dans le catastrophié. Nous deux, on lutte contre la folie débile, ça serait plus facile si Paule, la belle fille, prenait le même métro que moi ou Supergénie de la télé, l'autobus.

Tu es prof mais parfois tu es aussi un peu docteur, une dame qui soigne le détractement, pas avec des remèdes pour des pas-normaux, qui font peur. Nous deux, on est des normaux parce qu'on travaille ensemble. Moi, on est un peu un pas-normal parce que le démon de Paris, il saute sur mon dos, il me bousille la gueule, il me détractouille mais moins quand nous on est à deux. Voilà, fin du projet.

« Il est l'heure, Madame, on doit partir. Est-ce qu'il y a encore du chocolat ? »

Il mange son chocolat, je lui donne des mouchoirs en papier car il a beaucoup transpiré. Il est très fatigué mais content. Il dit ce qu'il fait rarement : « À demain », en refermant la porte.

Je reste seule, je relis ce qu'il a dicté et je commence à voir pourquoi je suis si attachée à lui. Pourquoi à son transfert si lourd je réponds par un tel contre-transfert. Il est le déshérité, c'est vrai, il a sans doute été choisi, au fond du ténébreux inconscient familial pour être le symptôme de son mal. Il est aussi un produit d'une certaine pensée que façonnent à travers le monde la télévision et la publicité. Pourtant cela n'altère pas le fond natif, originel qui apparaît chaque fois que l'événement, la douleur ou la joie percent l'écran d'opinions ou de pensées toutes faites dans lesquelles l'époque et son milieu le tiennent enfermé.

Son malheur, ses handicaps bouleversent en moi la femme profonde, car il y a dans notre commune aventure quelque chose de fondamental. Quoi ? C'est ce que je ne parviens pas à me formuler quand soudain une certitude surgit : Orion et moi, nous sommes du même peuple. Quel peuple ? Le peuple du désastre. Qu'est-ce que ça veut dire le peuple du désastre ? La réponse, imparable, avec la voix d'Orion dit : « On ne sait pas. »

« On » rassemble ses affaires et prend son parapluie

car il risque de pleuvoir. « On » a trop attendu, perdue dans ses pensées, c'est l'heure de pointe, toutes les rames sont bondées, plus une place assise. « On » est serrée de tous les côtés, « on » peut seulement respirer encore. C'est ainsi. Et intérieurement je me dicte : « Ce n'est pas une réponse, c'est mon peuple. Point. »

Les jours, les semaines, les mois se suivent. L'automne, le terrible hiver parisien, la pluie, le ciel plombé, le métro et le RER encombrés, la cohue de Noël. Le temps qui manque à Vasco pour composer ou jouer sa musique, le temps qui me manque à moi, celle qui n'ose pas vraiment se prendre pour un poète, pour un écrivain.

Le dimanche Vasco me joue ce qu'il a composé pendant la semaine, je suis heureuse, j'aime, il a un grand talent c'est sûr, mais Vasco n'est pas fait pour le talent. Je lui dis combien j'aime ce qu'il fait mais il voit bien que ce n'est pas encore ce que j'espère, ce que j'attends de lui. Il dit : « Pas encore ? » Je ne réponds pas, il souffre, nous souffrons ensemble. Il me dit un jour : « Toi, dans tes trop rares poèmes et avec Orion, tu te risques tout entière. Moi, je freine.

— Mais je freine aussi, Vasco, dans la vie on doit souvent freiner.

— Toi, tu as fait sauter le bouchon de merde. Moi, j'appuie dessus. Je ne sais pas comment, mais j'appuie. »

Il éclate de rire : « C'est même mon point d'appui. »

Quand il est comme ça, nous faisons l'amour pour nous consoler. Je pense : Il ne faut pas se consoler, la vérité c'est d'être inconsolable et heureux. Pas facile, pas facile non plus d'être plus âgée que son homme qui a dix ans de moins que vous et qui est inconsolé parce que sa musique, la vraie, celle qui doit sortir de son corps, est toujours souterraine.

Pendant ce temps, Orion et moi, nous avançons ou nous reculons sur des chemins souvent arides ou trempés de boue. Nous consolidons pas à pas notre voie piétonnière pour ne pas sombrer trop souvent dans les abîmes ou les trous d'obus de la banalité invaincue. La belle histoire des labyrinthes, du Minotaure et de Thésée semble tarie.

Je me dis dans les moments de lassitude : il est moins souvent violent, les cours qu'il fallait arrêter après un quart d'heure peuvent durer vingt-cinq minutes, le vocabulaire réellement compris s'élargit chaque jour et il ose parfois poser des questions quand il ne comprend pas. Ce n'est pas rien. Non, ce n'est pas rien, mais les progrès souvent ralentissent ou se cachent. Il y a l'échec quotidien des dictées sur lesquelles insiste sa mère. Quand je lui remets sa dictée corrigée, il éclate toujours de son rire de gamin fou et, quand les fautes sont particulièrement nombreuses, il prononce la sentence impitoyable : « Que de fautes ! Que de fautes ! »

Parfois je pense : C'est par l'orthographe qu'« on » le tient ! Un jour quand Orion me dit : « Est-ce qu'on fait la dictée ? » je laisse déborder ma colère : « Pas de dictée aujourd'hui ! Je ne peux plus supporter tes cris : que de fautes ! Des fautes, tout le monde en fait, ça n'empêche pas de vivre et d'être heureux. Tu peux vivre avec une mauvaise orthographe. Ce qui est important pour toi c'est de dessiner, d'apprendre de nouveaux mots. De vivre en liberté. »

C'est la première fois que je me mets en opposition avec les désirs de sa mère. Il devient très pâle, il se lève. Est-ce qu'il va s'en aller, est-ce qu'il va sauter ? Il n'en a pas la force. Il se laisse glisser sur le sol.

Je ne veux pas me laisser manipuler, je le fais s'étendre, j'ouvre la fenêtre, il pleut et l'air frais lui fera du bien. J'entends l'ergothérapeute dans la salle à côté. L'appeler ? Non, je peux m'en sortir seule. Je le fais détendre ses bras, ses mains, ses jambes. Je dis : « Respire ! » Il gémit : « Ne respirez plus ! » Je reprends : « Respire ! » Peu à peu sa respiration se rythme. Il reprend des couleurs, il veut se lever. « Non, reste encore un peu couché. Respire, respire, n'arrête plus de respirer. C'est ça l'ordre.

— L'ordre de qui ?

— L'ordre de personne, le tien ! L'ordre de la respiration qui se fait sans qu'on y pense. Tu peux te lever maintenant, on va faire une dictée d'une autre sorte. C'est toi qui dicteras et moi j'écrirai. »

Il se lève, il respire bien, s'assied avec calme sur sa chaise pendant que je prends une feuille et un stylo. Il réfléchit quelques instants puis dit à ma grande surprise :

« DICTÉE D'ANGOISSE NUMÉRO UN »

J'admire. Quel titre ! Jamais je n'aurais pu formuler cela de façon aussi juste. Déjà il reprend :

« En partant ce matin on a tout de suite été bazardé, l'autobus n'était pas à l'heure et quand il arrivait il s'arrêtait tout près de moi en aboyant comme s'il allait mordre. On a pensé que papa aurait dit qu'il ne peut pas aboyer car c'est un autobus et pas un chien... Tout de même, il aboyait et même il voulait me mordre, mais il ne l'a pas fait. Alors on a pensé qu'on allait mettre le feu au Centre pour ne plus devoir attendre l'autobus et prendre le métro... Puis on a vu qu'on ne pourrait pas l'incendier à cause de toi et de notre petit bureau et on a eu envie un petit peu de te mordre. Parfois on aimerait aussi être ton chien, on ferait seulement des promenades, on pourrait faire pipi partout et sentir les filles qui passent. On n'aime pas d'avoir un collier, pour l'arracher on doit retrouver ses mains et, toi, tu aides pour ça... Pour ne pas incendier il vaut mieux qu'on parte en dessin sur une île. Toi, tu peux rester ici puisque tu ne sens pas l'odeur du démon, même si on voit que tu sais un peu qu'il existe... On ne peut plus partir à l'île Paradis qu'on ne doit pas dire car là il y a eu du malheurifié. On part avec Bernadette, c'est une fille gentille de l'ancien centre où on était avant. On ne la rencontre plus mais on aime la voir dans la tête. On aime mieux Paule, souvent elle est copine... et parfois elle est avec ceux qui écrivent sur des feuilles de papier : On t'aura, connard ! Avec Bernadette, on passe le mors à deux chevaux blancs. On aime ça : passer le mors. Quand on est à cheval on met la ceinture de sécurité et, hop, on part au galop, comme dans les films. On va jusqu'au port et là on loue un bateau pas trop grand. Moi, on tient le gouvernail et Bernadette elle tient l'écoute, on pense que ça s'appelle comme ça... L'écoute, ça rappelle toi dans le petit bureau, pour ne pas avoir peur et pas s'énerver.

Quand on ne sait plus où on en est au milieu de l'océan, Bernadette prend le livre de commandant de navire et elle lit des passages. Avec bon vent et pas de naufrage, car le démon a peur de traverser la mer, on arrive à l'île Paradis numéro 2. C'est une île qui est dans le réel de la tête mais pas encore dans le dessin. Une île déserte avec plein de fruits, des grottes, des palmiers et une rivière où on peut pêcher des truites naturelles. Fin de dictée d'angoisse, sinon on va dépasser l'heure. »

« C'est très intéressant, Orion. Prends le texte que j'ai écrit et corrige-le, il y a sûrement des fautes car tu dictes trop vite. Pendant ce temps je marque sur ton carnet : Premier dessin de l'île Paradis numéro 2, pour la semaine prochaine. »

Il lit la dictée, remarque quelques fautes et les souligne à l'encre rouge.

« Tu vois, moi aussi j'ai fait des fautes. Tout le monde en fait. »

Il sourit, indulgent : « Toi, tu en fais moins. C'est l'heure pour le gymnase, madame, on doit partir. »

Quand il m'apporte son premier dessin de l'île, je suis très déçue. Le dessin, traité de façon sommaire aux feutres et aux crayons de couleur, représente une grande fille aux cheveux jaunes, debout, et un garçon plus petit, assis, qui pêchent à la ligne sur le bord d'une médiocre rivière. Le garçon et la fille ont l'air d'avoir traversé l'océan et abordé sur l'île pour une partie de campagne et un pique-nique des plus conventionnels.

Je ne peux m'empêcher de dire : « Ça n'a pas l'air de t'avoir inspiré. Tu n'aimes pas le sujet ?

— On aime beaucoup l'île Paradis numéro 2.

— Tu as fait Orion plus petit que Bernadette. »

Il me reprend le dessin. Il semble un instant étonné de ce qu'il a fait. Suit l'inévitable : « On ne sait pas. Est-ce qu'on fait la dictée ou pas, Madame ? »

Je l'ai blessé sans doute. Nous faisons la dictée, nous travaillons un peu la biologie, c'est une matière qu'il aime. Il s'en va, il y a eu un froid entre nous. De ma faute, parce que j'ai été si déçue par la pauvreté de son dessin. J'ai été injuste, le dessin est faible, sans doute bazardé par une imagination du démon, mais, toute maigrichonne qu'elle soit dans cette première apparition, l'île Paradis numéro 2 existe. Existe en Orion, existe en moi et dans une sorte de réalité de papier et de couleurs maladroites. Elle est un lieu que nous allons habiter, chacun à notre façon, pour une nouvelle étape dans l'imagination profonde.

Le soir, je parle avec Vasco de l'île Paradis numéro 2. Je le sens charmé par ce nom, secrètement épris de ce projet qu'il appelle l'aventure d'Orion. « Nous vivons toi et moi, me dit-il, la vie soucieuse et agitée des Parisiens. Nous y ajoutons quelque chose, toi par l'écriture, moi par la musique. Orion c'est bien autre chose, il veut sortir du cadre et t'emmener avec lui en plein océan, sur une île où ne passe aucun bateau, qu'aucun avion ne survole. Il y part avec l'idée de mener là son petit train de vie banlieusard, mais il sera emmené beaucoup plus loin qu'il ne l'imagine par le désir de l'île et de l'océan.

— Tu crois que je peux l'aider à vivre ça ? Avec le Labyrinthe il a été emporté plus loin qu'il ne voulait. Il est revenu en arrière avec Thésée et s'est retrouvé paumé.

— Dans la partie de nous qu'on cache, on est tous paumés. Orion, lui, ne peut pas le cacher, c'est pour ça qu'il doit jeter des pupitres contre les murs et casser des vitres.

— Tu penses que c'est avec ça qu'il fera des dessins ? »

Vasco ne répond pas et je pense : On ne sait pas.

Orion continue à faire marche arrière dans le second dessin. Il est maintenant un peu plus grand que Bernadette, ils pique-niquent tous les deux comme s'ils faisaient une excursion. Rien ne manque à l'attirail, mais la fille a toujours l'air aussi sotte avec ses cheveux jaunes et le paysage est vague ou inexistant. Je me risque à dire : « Elle n'est pas belle ton île. Une rivière mal dessinée, quelques rochers, des palmiers et des cactus, le soleil entouré de rayons comme font les enfants. On ne voit même pas la mer. Traverser l'océan pour arriver sur une île si moche, est-ce que ça vaut la peine ? » Orion ne répond pas mais ma réflexion fait son chemin, peut-être, car le lundi suivant il m'apporte un dessin bien différent.

Un cap verdoyant terminé par de hautes falaises s'avance dans l'océan à l'est, il se prolonge au sud par un large golfe bordé de plages de sable et de forêts. L'océan est d'un bleu profond, les soleils enfantins des dessins précédents ont disparu, partout règne une chaude et vive lumière. On voit enfin comme l'île est belle et que cela valait la peine d'y aborder par les voies océanes et les abîmes de sa belle imagination naïve. Mon regard, rebuté jusque-là, s'éclaire, enfin je respire avec la mer et les arbres, j'ai envie de marcher, de courir, de nager, de me confier au soleil, à l'ombre et aux odeurs salines. Pas de bruit, pas de regards voyeurs, personne pour prendre l'espace. L'île est là, elle existe sur une feuille de papier, sortie des mains qui l'ont rêvée, des yeux qui ont su la voir tout originelle. Je ne cherche pas à cacher ma joie à Orion. Il semble content, sans plus, de mon approbation. A-t-il compris ce que j'aime en ce dessin ? Ce n'est pas sûr car survient un dessin où son oncle et sa tante, tonton Alain et tata Line, après avoir laissé leur bateau à l'ancre, s'approchent de l'île dans un canot, accompagnés par deux petites cousines.

Ma déception est grande en voyant Orion et Bernadette accablés de ce considérable apport qui va banaliser ce qui promettait d'être leur aventure. Orion attend ma réaction car il a dit en me donnant le dessin : « Tu n'aimeras pas. »

Je n'aime pas en effet et cela semble lui causer un plaisir égal à celui de ma joie devant le dessin précédent. Je pense : Je suis vraiment cloche, quelle piètre analyste ! Par mes réactions je semble choisir entre deux Orion, alors qu'il n'y en a qu'un, celui qui a produit ces deux dessins que je ressens comme contradictoires. On a le droit d'être plusieurs.

Il me dit, comme on explique à un enfant : « À deux, on est trop peu pour jouer. On aime tonton Alain et tata

Line. Avec les cousines on est six, c'est plus amusant pour jouer. »

Il a raison, il a besoin de jouer, après son enfance solitaire et souvent terrifiée, c'est un grand manque. Je le pousse en avant vers la parole, le dessin, l'effort. Il doit aussi jouer et l'art n'est pas encore le jeu de sa vie. Patience, peut-être un jour ou peut-être jamais ? On ne sait pas.

C'est à ce moment qu'Orion dit : « Il y a un autre dessin, plus grand, pas un devoir. C'est pour ça que j'ai apporté le carton à dessin. Papa me l'a acheté hier. Le dessin, c'est un monstre... »

Je pense : Enfin ! Et je dis : « C'est mieux de mettre tes monstres en dessins que de les garder dans ta tête. »

Il rit : « C'est un brouillon, si c'est bien, je le referai sur une belle feuille. »

Le dessin qu'il pose devant moi est plus grand que les autres et exécuté uniquement à la mine de plomb. C'est un brouillon mais le contraste entre le corps clair du monstre, les ombres et le fond sombre du dessin révèlent une maîtrise tout à fait inattendue du noir et du blanc.

« Raconte, comment tu as fait ce monstre ?

— On ne peut pas, Madame, tu fais la dictée de français et après on fera la dictée d'angoisse... »

Je lui fais sa dictée, en contemplant le dessin qui provoque en moi espoir et compassion. Quand j'ai terminé, je prends ma plume, des feuilles et Orion déclare : « On dicte, moi, maintenant :

DICTÉE D'ANGOISSE NUMÉRO DEUX

Vendredi, quand on est reparti on avait déjà peur car on ne te verrait pas pendant trois jours à cause de la fête. Dans le métro le démon de Paris s'est pas risqué, dans l'autobus il commençait à me voir et il devinait que les parents étaient partis hors du territoire hanté. Tout devenait un labyrinthe inextricable... Inextricable, c'est un des mots qu'on avait étudiés le matin. On le comprend pas encore bien et le mot s'est mis à siffler qu'à Paris, avec les autos et les gens partout, pour ne pas se perdre, on doit toujours prendre le même métro, le même autobus et que ça fait de la peur et de l'ennuiable... À la maison on a d'abord sonné, comme si on espérait que les parents étaient encore là. Ils étaient partis et les rayons surnaturels traversaient la porte et entraient par le ventre. On a pris la clé et la porte s'ouvrait... C'est alors qu'on a pensé à un monstre avec des cornes partout qui feraient défense au démon... Maman avait dit : À deux heures tu mangeras si Jasmine n'est pas là. C'est elle qui vient quand les parents partent. Il n'était qu'une heure et elle n'était pas arrivée... Pendant une heure on faisait la petite danse de Saint-Guy. On ne pouvait pas s'asseoir sauf quand on pensait à l'île Paradis numéro 2, mais elle n'était pas assez dans la tête pour arrêter la danse... On a repensé au monstre à cornes, un monstre gentil avec moi et pas apprivoisé et on pouvait arracher des morceaux de la tapisserie et sauter dessus. C'était comme si on arrachait la peau du démon surnaturel. À deux heures Jasmine n'arrivait pas, on devait manger des tomates, du saucisson, du pain et du fromage. Alors le démon attaquait vraiment et c'était la grosse, grosse danse de Saint-Guy, pareil que si on était un sauvage. On frappait sur les murs et les carreaux, on se faisait mal, mais on ne cassait rien, sauf un peu sa main gauche. Et on devait manger ce qu'il y avait, ça prenait une heure et demie car la danse faisait qu'on était comme un singe dans une cage, qui mange en recevant des flèches... Vers quatre heures le démon est devenu fatigué, il est retourné à Paris faire des accidents et des maladies et la danse s'est calmée. On a cherché dans le dictionnaire les mots que tu avais marqués. Quand Jasmine est arrivée on ne voulait pas la mordre, son copain avait voulu l'emmener au cinéma. Elle ne voulait pas, elle a dit : Avec celui-là on ne fait pas ce qu'on veut. Il en fera une tête, car on va le débarquer. Alors on a ri en pensant à la tête du mec, c'est comme passer le mors à un cheval, on aime ça ! Elle a mis un disque et m'a dit : Tu peux dessiner. On a demandé : Le monstre ? Elle a dit : Oui, fais-le. Tu en as de la chance de pouvoir dessiner, moi on pouvait seulement quand on était petite... On a d'abord dessiné la tête et le corps ensuite se dessinait presque tout seul.

Les cornes et les défenses servent à se défendre contre le démon de Paris et les mauvais coups. Elles servent aussi à être gentil avec le copain... Le copain, c'est moi, mais pas pour commander comme celui de Jasmine.

Jasmine regardait le dessin, on voyait qu'elle aimait. Elle a dit qu'avec les hommes c'est pas si tant facile et que c'est bien d'avoir des défenses. Vers sept heures on a dîné les deux, on a mangé du lapin, après de la glace, on aime ça. On voulait regarder la télé mais elle a dit : Non, continue ! On faisait la tête du monstre comme celle d'un éléphant... Les éléphants sont forts, ils n'ont pas besoin d'anges gardiens, ils ne connaissent pas encore le démon surnaturel, mais il va les attraper et les enfermer dans des parcs.

Le monstre a de grandes oreilles... c'est pour effrayer, c'est aussi pour bien écouter comme toi. Il a des défenses sur le dos, quand il y a des avalanches ou des ovnis, il les coupe en deux. Le monstre peut se tenir à quatre pattes ou sur deux, pour être plus fort il s'appuie sur sa queue de crocodile... Si on reçoit des rayons surnaturels dans la tête, il me met sur son dos entre deux cornes et il me protège. Si une de ses défenses casse, elle repousse. On a achevé tout le contour du monstre et on est allé dormir. Le matin Jasmine a dit : Finis ton brouillon, comme ça tu pourras le montrer à ta psychololo. On répond : Moque-toi pas du monstre, il aime pas ça ! Quand les parents sont revenus, Jasmine a montré le monstre... On a vu que ça ne plaisait pas tant à maman, mais Jasmine a dit que c'était très bien. Elle a son bac, Jasmine, et maman seulement le certificat et Jasmine pense qu'elle comprend mieux l'art que maman et papa pense cela aussi, mais il préfère pas trop rien dire... Il n'est pas trop pour la discute, papa. Toi, on était sûr que tu allais aimer le monstre. C'est presque comme s'il y a un téléphone entre toi et moi. Un téléphone sans se parler.

Fin de dictée d'angoisse. »

Je lui passe le texte de sa dictée, mais il ne veut pas la lire ni la corriger. Il veut que nous regardions ensemble le dessin. La grande tête grise n'a pas du tout l'assurance majestueuse d'une tête d'éléphant. L'innocence de ses grands yeux implore et ses multiples cornes et ses défenses paraissent bien fragiles. Le corps est humain, agenouillé sur les jambes de devant. Les jambes arrière repliées sur elles-mêmes auront-elles la force de soulever la tête énorme et le dos arrondi, hérissé de cornes ? Comment peut-il se lever, marcher, courir ? Il ne peut pas, c'est clair, il ne peut se déplacer que dans un espace restreint, il ne peut que se défendre, mais si ses défenses cassent elles repoussent.

Le monstre est surpris d'être au monde, dans le monde tel qu'on dit qu'il est. Ce n'est pas celui dans lequel il vit, ni celui dans lequel il peut vivre. Comment ne serait-il pas effrayé de ce gouffre, de cette énorme faille entre ces deux mondes où pourtant il lui faut tenter d'exister ? Comment s'étonner qu'il soit surchargé de toutes ces défenses dont il faudra qu'il se délivre, si un jour il en a moins besoin ? Il faut qu'il marche, qu'il prenne la route, mais il est clair qu'il ne pourra vraiment marcher, courir et même voler que dans le domaine imaginaire qui est le sien. Vasco me dirait peut-être que je veux mener Orion plus loin qu'il ne peut, mais ce dessin, si lucide en somme, dément cette crainte qui est aussi la mienne. Je sens avec force que la voie où nous sommes est bien celle d'Orion. Certes, demain je douterai de nouveau, mais la certitude que j'éprouve en cet instant est juste.

Les grandes oreilles du monstre sont dessinées avec beaucoup plus de douceur et de précision que le reste. Elles ressemblent à trois feuilles superposées, la feuille blanche séparant celle d'un gris très fort d'une autre feuille au gris adouci. Pour Orion, ces oreilles sont les miennes quand je l'écoute. Il perçoit donc obscurément que je ne puis pas l'écouter tout le temps dans la profondeur analytique. Je ne peux l'écouter ainsi que par instants. Ceux où nous sommes, comme maintenant, deux enfants qui regardent et découvrent ensemble la même image intérieure.

C'est un instant de bonheur. Il sourit, nous sourions en regardant le dessin, nous l'aimons pour ce qu'il est dans le présent, pour ce qu'il promet d'être dans l'incertain futur et nous nous écoutons être heureux, dans ce qu'il a appelé notre téléphone sans parler.

Il est temps de me rappeler l'heure, d'inscrire sur son cahier les devoirs et les leçons pour la semaine. Avant de mettre le dessin dans le carton qu'il a apporté et qu'il veut manifestement laisser ici, il touche du doigt avec douceur les grandes oreilles du monstre et dit : « Elles sont belles celles-là ! »

Il accomplit avec sa minutie habituelle toutes les formalités du départ. Nous enfermons chacun dans notre boîte personnelle le téléphone sans parler. Il pousse la porte et les deux enfants, qui étaient là, disparaissent.

Je vais voir si le docteur Lisors est là pour lui montrer le dessin du monstre. Il est dans le bureau de Robert Douai et tous deux ont un peu de temps. Je pose le dessin d'Orion sur une chaise.

Lisors dit : « Ça marche votre travail, Orion montre ses résistances.

— Orion m'a dit : Si elles cassent, elles repoussent.

— Son dessin devance de loin sa pensée, dit Douai. Ce sera ainsi longtemps. Il faudrait lui proposer d'exposer. »

Exposer, cette idée soudaine m'enthousiasme, je sens qu'elle va donner à Orion une perspective qui lui manque, mais déjà la difficulté m'effraie. Les deux hommes rient en voyant les sentiments contradictoires que ce projet provoque en moi.

« De toute façon vous avez le temps et Orion aussi », dit Lisors en s'en allant.

« Le monstre est étonnant, dit Douai. Il mêle effroi et douceur. Je suis frappé de la bonté de ses deux grandes oreilles. Est-ce que ce ne serait pas aux vôtres, si patientes, qu'il a pensé ? »

Je suis touchée par ce qu'il me dit et m'aperçois que cet homme, qui approche seulement de la quarantaine, m'a toujours plu sans que j'en prenne conscience. Tout à coup dans la femme que je suis réapparaît celle que j'ai été, qui plaisait aux hommes et qui aimait ça. Celle que j'étais avant les années graves qui sont venues. Nous rions et plaisantons comme une femme et un homme qui se plaisent, bien résolus à ne pas aller plus loin.

Ce sont les belles et larges oreilles du monstre qui ont suscité l'instant inattendu, que nous vivons. Orion a vu en moi la beauté de l'écoute, une beauté à l'écoute comme dit Vasco, et c'est ce qui m'a rendu la confiance que je ressens à nouveau. Je sais que je peux plaire encore, c'est à la surface que ma confiance s'était fanée. Est-ce Orion qui vient de me la rendre ?

Il est tard, le RER sera bondé si j'attends encore, je quitte Douai, je vois que notre petit échange lui a plu et que nos rapports à l'avenir en seront transformés. Il ne sera plus jamais avec moi le directeur en face d'un membre de son personnel. Grâce à Orion je ne serai plus seulement une des psys du Centre qu'il dirige mais aussi une femme. Je ne m'engouffre pas dans le métro ce soir, j'y descends comme autrefois, sûre de plaire, avec la certitude de pouvoir d'un sourire provoquer – si je le veux, mais je ne le veux pas – un autre sourire en réponse.

L'ÎLE PARADIS NUMÉRO 2

Orion et Bernadette en ont marre des excursions et des jeux en famille. Tonton, tata et cousines sont réembarqués en vitesse, on espère qu'ils auront bon vent et surtout qu'ils ne reviendront plus nous gêner dans notre île.

Ensuite apparaît un objet insolite : une roulotte sur une plage de l'île. Une vraie roulotte en bois de gens du voyage d'autrefois, avec des brancards pour deux chevaux. Est-elle sortie de la mer ? Orion m'explique que Bernadette et lui l'ont faite avec des épaves apportées par les marées. Il faut qu'on retrouve les chevaux blancs qui sont venus avec nous sur l'île.

« On va leur passer le mors. »

Il rit d'abord à cette idée puis son visage s'assombrit : « On a mis le mors... à moi... quand on était petit et on n'est plus comme tout le monde. Alors on a souvent envie de partir aux Roches Noires et d'aller dans la mer loin, toujours plus loin. On ne peut pas puisqu'on ne sait même pas nager. On a peur des Roches Noires, alors on nage avec un pied au fond... On préfère être vivant, moi !

— C'est bien...

— Avec toi, tout est toujours bien, on pense que c'est pas souvent comme ça dans la vie. Jasmine elle dit que tu es une vraie savante, mais que tu n'es pas assez sévère. Toi, tu passes pas le mors.

— Mais tu n'es pas un cheval, Orion, tu n'as pas besoin de mors.

— Jasmine, parfois, elle défend son demi-frère,

maman a peur de Jasmine. Papa a peur de maman, mais pas de Jasmine. Et moi, on a peur de tout le monde sauf de papa et toi. Est-ce que tu vois ?

— Je vois que ce n'est pas toujours drôle. »

Il rit, nous rions tous les deux. Il est peut-être content d'avoir parlé, je suis contente de la roulotte née des marées de l'océan. Elles apporteront encore des choses nouvelles, ces choses que j'espère avec patience.

Le temps défile, le temps coule à travers les séances avec Orion, celles avec mes autres patients, les réunions qu'on appelle synthèses au Centre et qu'Orion, comme sa mère, appelle parleries.

Tous les jours j'arrive ou je repars de l'Opéra par Auber, ses escaliers roulants souvent en panne, ses couloirs rouges, sa foule incessante. Après ou avant c'est le boulevard Haussmann dont je connais pas à pas les boutiques, les trottoirs et les lieux d'encombrements habituels.

Dès le 20 du mois je suis effrayée par le peu d'argent qui nous reste. Je devrais demander une augmentation, mais je n'ose pas. Pourtant j'étais bien hardie autrefois, je ne le suis plus. Les Trente Glorieuses sont finies depuis longtemps et, comme les autres, je ne pense qu'à garder ma place.

Vasco a sa musique et moi. Moi j'ai sa musique, rarement mes poèmes, et lui. En outre, j'ai Orion. Je sais que Vasco le sait et qu'avec courage il accepte ce poids supplémentaire. Ce n'est pas dans le monde qui gagne que j'ai ma place, je suis avec Orion et sa roulotte sur la plage de l'île Paradis numéro 2. Nous pouvons vivre sans doute et espérer mais nous avons, Orion et moi, subi une défaite insurmontée. Il ne faut pas que j'y entraîne Vasco. Sa musique devient plus belle mais il sait, nous savons que ce n'est pas encore sa musique, celle qui viendra un jour. Vasco n'a pas encore découvert sa vraie musique, mais il m'a moi, son unique auditrice, comme il dit, et il ne perd pas pied. Tandis qu'Orion n'a jamais eu qu'un pied dans ce monde et c'est pour cela qu'il n'ose pas nager.

Chose étrange, on dirait à voir le dessin qu'il m'apporte ce matin que par contre il peut très bien voler. Voler entre les arbres en se balançant aux longues lianes des forêts de l'île Paradis numéro 2. En voyant le dessin qu'il me dévoile avec son habituelle lenteur, je ris de plaisir. C'est un enchantement.

Ils sont six, au milieu de grands arbres aux larges frondaisons. Ils y grimpent en se cramponnant aux lianes. Ils se balancent d'un arbre à l'autre avec une folle et exubérante liberté... Lui, avec ses longs cheveux et de larges épaules, est le plus habile, l'initiateur, celui qui s'est risqué le premier, qui grimpe le plus haut et va d'une branche à l'autre avec le plus de hardiesse. Il est Tarzan, il pousse son cri sonore et se laisse filer au bout d'une liane du sommet vertigineux d'un arbre géant jusqu'à l'arbre d'en face où il retrouve, sur une forte branche, Bernadette émerveillée.

Bernadette est plus souple, plus blonde que dans les dessins précédents. Les cousines, l'oncle et la tante sont gais, vêtus de couleurs vives et s'amusent de grand cœur dans les arbres au pied desquels fleurissent des fleurs merveilleuses.

Orion est le chef de la bande, il est plus que Tarzan, il est Mowgli. Protégé par la panthère noire, il grimpe, joue, triomphe de tous les obstacles, dans la république enfantine et rêvante des lianes de sa jungle.

Par ce dessin, Orion libère les trésors enfouis des rêves de l'enfance et démontre qu'il est déjà un peu celui que je souhaite qu'il devienne. Son maniement de la gouache est loin d'être parfait, son dessin des personnages comporte toujours des gaucheries mais il est capable de nous transporter malgré cela dans un autre univers : l'antimonde de l'espérance et du désir où je me retrouve avec lui dans les récits du soir de mon père et, plus tard, dans ses lectures des deux *Livre de la jungle*, sans fin ni limites. Il me persuade que Mowgli vit toujours, qu'il ne peut pas mourir et qu'il est bien présent dans le dessin d'Orion, dans la chaleur enveloppante et douce de ses couleurs, dans les formes en mouvement de ses personnages, et dans son rêve aérien d'adolescent aux lianes.

J'entends ma voix qui semble lui sourire : « C'est très beau, Orion, c'est joyeux, c'est libre, ça donne envie de s'amuser toute la vie dans les arbres avec toi, quand tous les jours sont des jours de congé. »

Il ne répond pas, mais sa figure tout entière s'éclaire peu à peu de la naïveté un peu tremblante qui apparaît parfois dans son regard et qui lui a attaché le cœur de l'équipe de l'hôpital de jour et le mien. Il traverse lui aussi un instant d'émerveillement où il découvre ce qu'il est, ce qu'il deviendra peut-être. Il ne peut y croire encore, moi non plus, mais cela nous permet d'espérer.

Peu à peu, je sors de la jungle, des grands bonds en liane à travers les arbres, je reviens au dessin sous mes yeux, je m'étonne : « Vous êtes six, je croyais que tonton Alain était reparti.

— Ils sont repartis, le dessin c'est avant, on avait besoin d'être nombreux pour s'amuser dans les arbres. On recommencera quand les copains viendront. Et puis on se fera une maison dans l'arbre.

— Les copains viendront...

— ... On ne sait pas encore comment, sauf le cousin Hugo qui viendra en sous-marin. Un moins grand que celui du capitaine Nemo. On l'a déjà dessiné dans la tête et parfois on pourra le conduire. »

Le dessin nous a retenus si longtemps que l'heure de la dictée est passée. Il ne la réclame pas mais, quand l'interruption sonne, il s'en va comme d'habitude se cacher à l'entrée de la salle des professeurs. Est-ce qu'il veut faire face à l'épreuve ou, comme je le crains, est-ce le besoin de se faire sadiser ?

Comme d'habitude il revient un peu diminué.

Nous effectuons le travail du jour. Je lui demande : « Et les rêves... ?

— On ne se rappelle jamais ça. »

Il éclate de rire : « Si, un... Il y avait un docteur tout en blanc qui disait : La voie royale vers rien du tout... Tu étais là et on sentait que tu n'étais pas d'accord.

— Je t'ai dit l'autre jour que le docteur Freud a écrit : Le rêve est la voie royale vers l'inconscient. Ton rêve rappelle peut-être ça ?

— C'est quoi l'inconscient ?... Ce qui bouillonnise et bazardifie dans la tête ? Maman et Jasmine elles disent qu'on ne doit pas regarder là, que toi tu tripotises souvent dans ma tête et que ce n'est pas sûr que ça serve, puisqu'on est toujours malade.

— Elles voudraient que tu partes d'ici ?

— Pas maintenant, après. Elles trouvent que tu sers pour l'orthographe, le français, ça c'est maman. Jasmine elle pense surtout aux maths et à la biologie, elle dit : ça c'est utile. Le dessin elle dit que c'est bien pour se calmer et s'amuser. Que, toi, tu es une psycho-docteur gentille, mais ce n'est pas comme ça qu'on apprend un métier.

— Être peintre, c'est un métier.

— Pas tant vraiment. Pour être prof de dessin comme Madame Darles, oui. Mais on aurait peur des élèves et s'ils faisaient du chahut on leur lancerait des bancs et on perdrait sa place. Un vrai métier, comme papa, c'est mieux, on gagne plus. Un peintre, un vrai, il doit pas s'exciter et parler charabia et il faut des relations et avoir une bonne orthographe.

— Regarde comme ton dessin est gai, on s'amuse à le regarder, on a envie de sauter, de danser d'un arbre à l'autre avec les lianes. C'est aussi ton désir de mettre des monstres sur papier. Le désir de ta maman et de Jasmine c'est d'avoir une bonne orthographe, un métier et de l'argent. C'est leur désir à elles, pas le tien. Ton désir c'est l'aventure, l'île Paradis numéro 2, les grands arbres avec des fleurs autour et la roulotte. C'est aussi les trois cents chevaux blancs qui poursuivent le démon dans les rues de Paris. »

Ses yeux brillent, il rit, il a un nouveau moment de bonheur. Ensemble nous sommes pour quelques instants plus haut que terre, là où il peut vivre heureux. Il voit que ce monde, le sien, le nôtre existe. Cela ne va pas durer, pas plus que moi il ne pourra s'y maintenir. Ce monde-là, le vrai peut-être, on ne peut y vivre que par intermittence. Il le voit en cet instant, il l'aura vu, il ne l'oubliera plus, pour le meilleur et pour le pire. Je sens le sourire quitter ses lèvres et les miennes, la vision fugitive déserte nos regards. Il revient, nous revenons dans ce que Vasco appelle le monde en prose et en bruit.

Il y revient si brutalement qu'il perd pied, il transpire beaucoup, il se met à sauter en me regardant. Je souffre mais je parviens à lui sourire, il saute moins haut, il se calme, il soupire :

« Pourtant on n'est pas fou, n'est-ce pas, Madame ?

— Non, tu n'es pas fou, Orion, et tu le sais. »

Il y a un silence et puis : « Sans maman il n'y aurait plus de maison et, quand on perd sa carte orange ou la clé, c'est Jasmine qui la retrouve... Et c'est papa qui gagne les sous.

— Avec tes tableaux tu en gagneras un jour. »

C'est sorti de moi, d'un coup, sans que je le veuille et trop vite. Est-ce vraiment ce que j'espère ? Lui ne me croit pas, je le vois bien. D'ailleurs c'est l'heure, il rassemble ses affaires.

« Est-ce que je peux montrer ton dessin à mon mari ?

— Tu peux, Madame. À demain. »

Il est redevenu le garçon de seize ans qui a peur de presque tout, pressé d'aller s'abriter à la maison. Le bonheur, l'enthousiasme de tout à l'heure l'ont quitté.

Je retiens un peu sa main dans la mienne : « Courage, Orion ! »

Il a un pauvre sourire : « On essaie, Madame, on essaie les deux, mais c'est pas tant souvent qu'on y arrive. »

Il s'en va, j'ai un moment libre, j'ai envie de pleurer. J'ai bien le droit, non ? Je pleure, plus longtemps qu'« on » ne me l'a permis. De tristesse, avec un peu de joie qui fait pleurer aussi.

En fin de journée j'emporte le dessin. À son retour je le montre à Vasco. Il le regarde longuement, à sa manière, sans rien dire, puis avec un soupir :

« Si je l'osais, quelle musique je pourrais composer là-dessus. C'est le rêve de toutes les enfances.

— Est-ce que c'est vraiment ce que tu penses ? Tu ne le dis pas pour me faire plaisir ? » Je ne peux m'empêcher d'élever le ton en disant cela. Je sens que je crie presque :

« Le malheur d'Orion je dois le vivre avec lui, Vasco, je n'ai pas à le guider, pas à espérer qu'il devienne ceci ou cela. C'est son affaire. Ah, que c'est difficile ! Je suis une petite machine à espérer. Il ne faut pas. Ils me disent tous que je me concerne trop. Trop pour Orion. Trop pour toi. Tu devrais espérer dans la musique tout seul comme un grand.

— Je croyais que tu parlais d'Orion et maintenant c'est de moi. »

Pourquoi ai-je dit ça ?... Je cours vers Vasco, il me serre dans ses bras et me murmure à l'oreille un vers de Villon : « Âme ne te doulouse point. » L'âme croit qu'elle existe en ce moment et ne se doulouse plus. Il ne faut pas craindre pour l'âme enfantine souvent martyrisée d'Orion. Personne ne doit la sauver. Elle est vivante, disent les lianes de l'île et ceux qui s'amusent avec elles à s'élancer dans les arbres.

Nous passons une nuit heureuse, au petit matin je fais un rêve, Vasco dort encore et je parviens à le noter succinctement sans l'éveiller : Je marche avec des amis sur un chemin plein de lumière. Ils parlent gaiement et beaucoup. Je me sens moins proche d'eux que je ne croyais. Nous arrivons à une rivière, le chemin continue, longeant la rive. Il y a là un ruisseau qui se jette dans la rivière et que franchit un pont étroit et branlant. Je dis : C'est par ici, faites attention on ne peut passer qu'un par un sur ce pont. Occupés par leur conversation les amis ne m'entendent pas et continuent le long de la rivière. J'hésite, je voudrais les suivre, pourtant c'est bien par ce pont qu'il faut passer. Je le traverse avec précaution, quand je me retourne pour appeler les amis, je ne les vois plus. Le pont aussi a disparu, le ruisseau est devenu un torrent qui se précipite en bouillonnant dans la rivière dont le cours s'est immensément élargi. Heureusement il y a un sentier, il est très boueux, je n'ai pas de bottes, la marche est pénible. Le sentier rétrécit, des arbustes et des ronces me griffent et me retiennent, je glisse dans des flaques, je manque à chaque pas de tomber. Pourtant je ne tombe pas.

Le parcours devient plus dur, je monte et redescends sans cesse, malgré l'extrême fatigue je ressens une petite allégresse. Le défilé s'élargit, le nuage lentement se déchire, le ciel est là. Quel paysage de bonheur apparaît, de quelle profondeur est le bleu du ciel. Les pentes des montagnes, couvertes d'arbres dorés au sommet, rayonnent au soleil, un peu de neige est tombée sur les cimes mais, dans la vallée, les forêts et les prairies sont encore vertes. Au loin un troupeau doit descendre des alpages car on entend le bruit sourd et entrecoupé des clarines.

D'une brèche entre deux montagnes la cascade tombe, solitaire, sauvage, tout entourée de nuées blanches et de cascatelles que le vent fait trembler. Sa beauté me transperce, elle fait penser à la musique future de Vasco, tandis que les pentes chevelues et les colorations infinies des forêts évoquent Orion et l'univers fulgurant de ses tableaux à venir. À ce moment je perçois en moi une lutte. Une sorte de publicité géante tente d'occuper mon regard et de m'éveiller. Je résiste, je défends mon bonheur, je finis par entendre les mots de mon angoisse : Est-ce qu'Électricité de France va capter cette chute ?

C'est un jour de congé, nous prenons le petit-déjeuner lentement en écoutant un disque. Puis Vasco se met à composer, en jouant parfois quelques notes au piano. Par la fenêtre je vois les premières feuilles menues sur les arbres, des chalands descendent et remontent la Seine, la brume se dissipe, ce sera peut-être une belle journée. Je note mon rêve en détail, je ne cherche pas les associations. Non, je veux seulement le revoir. Tout à l'heure Vasco ira courir sur l'île, je lui apporte le café qu'il aime et lui demande de lire mon rêve. Il prend mon cahier et lit : « Tu l'interprètes comment ?

— Je ne l'interprète pas, ce n'est pas ce qu'il veut. Il veut qu'on le contemple. »

Il me reprend le cahier : « Tu as raison, c'est un objet de contemplation, un poème. Mais à la fin, pourquoi la crainte qu'EDF ne capte la chute ?

— Est-ce que ce danger n'existe pas ? C'est pour cela qu'il faut aider Orion... sans lui enlever son malheur... ce qu'on appelle sa folie, car ce sont eux qui un jour veilleront sur lui. »

Vasco me regarde, surpris : « C'est une de tes fusées, une des pensées de mon intrépide épouse qui se jette toujours en avant. »

Il prend ma main dans la sienne, il l'embrasse. Je suis contente, contente sans savoir pourquoi, je me serre un peu contre lui, puis plus fort. Ça, c'est trop ! Son café est devenu froid, je file lui en faire un autre pour pouvoir un peu respirer toute seule.

Quand je reviens, il s'est mis en tenue pour aller courir, il dit en savourant son café :

« Hier, tu étais si émue que je n'ai pas pu te dire la nouvelle. Le patron est venu comme chaque semaine il m'a dit : Le directeur nous quitte, il a trouvé mieux ailleurs. Dommage pour la vente et la finance, là il est très fort mais ce n'est pas un homme de la mécanique comme vous. Est-ce que vous voulez le remplacer ? »

L'angoisse me prend : « Tu vas accepter ?

— Non bien sûr. J'ai dit : je continuerai à travailler, à affiner des moteurs pour vous, peut-être à en inventer, mais, diriger une entreprise, ce n'est plus mon affaire. »

Je me sens déchargée d'un poids immense : « Qu'est-ce qu'il a dit ?

— Vous ne retrouverez plus une occasion comme ça. C'est à cause de la musique que vous refusez ? J'ai dit : oui. Il a ajouté : Et à cause de votre femme ? J'ai encore dit oui. Il a murmuré : Elle en a du courage, celle-là. Et en riant : Vous êtes bien payé mais ça passe encore à vos dettes. Vous travaillez très bien, pour vous en tirer je vais vous donner des primes. C'est ce que je voulais te dire. »

Le dessin qu'Orion m'apporte quelques jours plus tard n'a plus rien de la folle exubérance du grand jeu aux lianes et de sa danse d'arbre en arbre. Un cheval blanc est attelé à la roulotte et Bernadette est en train d'en caresser un autre, fort maigre, avant de lui passer le mors. Il y a des palmiers, sur la mer au loin, de beaux oiseaux volent dans le ciel. Bernadette, vêtue de rose avec des chaussures à talons, détonne un peu dans cet ensemble, elle est plus jolie et moins gauche que dans les premiers dessins mais où est la place d'Orion ?

« Il y a quelqu'un qui manque ?

— Oui, hier il y a eu des rayons, dit Orion, on ne peut dire ça que par dictée. » Et sans hésiter il commence :

« *DICTÉE D'ANGOISSE NUMÉRO TROIS*

Il y a eu des rayons, des forts, alors on sautait à cause de l'absence des parents et on tapait sur les meubles. Jasmine est venue voir, elle cherchait à me calmer mais ça faisait des rayons en plus. Elle a crié, alors on a tapé un peu sur sa main. Elle a cru qu'on allait la taper plus fort... Si elle avait continué à crier le démon l'aurait fait. C'est bien qu'elle soit partie. Elle s'est sauvée en claquant la porte.

Après les rayons se sont calmés, on s'est laissé tomber par terre, on pleurait et on sifflait un air d'opéra. On voulait aller aux Roches Noires pour nager et devenir noyé. Heureusement on n'avait pas de billet... Avant de se coucher on est allé prendre la croix qui est dans l'armoire de maman, on l'a mise sur son ventre et on a pu s'endormir. Le matin elle était par terre, pas cassée, on l'a remise dans l'armoire et on a pris le petit-déjeuner... Alors l'île Paradis numéro 2 existait de nouveau et on a dit à Bernadette de m'enfermer dans la roulotte, pour pas qu'on aille aux Roches Noires, comme on avait envie un peu trop... On ne veut pas, comme on ne sait pas nager, me noyer tout près du bord et que des enfants me trouvent sur la plage.

Fin de dictée d'angoisse. »

LA MORSURE

Il y a de bons moments dans notre travail, d'autres très longs ou qui sombrent dans une écrasante banalité. Il y a les bonds en avant, les régressions les jours où sentant qu'il est trop agité je l'emmène promener. Parfois nous allons voir des musées, des expositions ou des magasins qui ne l'effraient pas. Chaque fois il va avec une sûreté singulière vers les objets, les scènes, les tableaux qui le concernent intérieurement. Dans les musées il passe, sans y jeter un coup d'œil, devant des œuvres que j'admire et dont je lui parle, mais quand il s'attarde devant d'autres c'est toujours qu'elles ont un rapport secret avec ses constellations, le démon de Paris et les labyrinthes. L'île Paradis numéro 2 est sans nul doute le labyrinthe qui fait suite à celui où Thésée a reculé trop vite et je vois que nous n'en avons exploré qu'une faible partie.

À une exposition, dès l'entrée il dit : « C'est du moderne, maman n'aimerait pas et Jasmine pas sûr. » Il ne regarde rien et soudain tombe en arrêt devant un petit tableau surréaliste. D'une porte légèrement entrouverte on voit une vipère descendre un médiocre escalier de bois. On sent qu'elle le fait sans bruit en déroulant souplement ses anneaux. Une lumière grise tombe d'un vitrage du toit. Il y a un curieux silence dans ce tableau et une sourde menace.

Orion le regarde, fasciné, après un moment je le quitte et vais voir le reste de l'exposition. Un peu inquiète, je reviens, il est toujours là, complètement perdu dans le tableau qui lui évoque sans doute quelque grand spectacle intérieur. Je lui touche légèrement l'épaule, il sursaute comme si je l'avais éveillé. Il bégaie : « On... on... on veut sortir ! » Nous sortons.

Est-ce que la vipère qui descend l'escalier est le sexe – le Sexe Terrible – qui, ayant enfin trouvé la porte entrouverte, descend vers la liberté ? Bien d'autres images ont pu encore traverser ses sens et son esprit pendant la demi-heure qu'il a passée devant ce tableau tandis que moi j'en regardais tant d'autres mais sans les vivre aussi intensément que lui.

Il demeure troublé jusqu'à la station de métro. Qu'est-ce que ça veut dire ? Il ne m'en parle pas et je ne puis l'interroger.

Chaque semaine Orion va à la piscine et M. Dante, un moniteur de sport très patient, s'occupe de lui seul, un moment. Il vient me voir et me dit : « Hier, Orion a fait en eau profonde trois brasses impeccables, soudain il a pris peur et est revenu à toute vitesse s'accrocher au bord. Je lui ai dit : Tu vois, tu sais nager. Recommence et traverse le bassin. Je lui ai dit cela tranquillement, sans le toucher ni rien, car je le connais. Il s'est mis à trembler et brusquement, avec une rapidité incroyable, il m'a mordu la main. Et pas un peu, regardez la trace. Sur le coup, j'ai crié de surprise, je me suis vite repris et lui, en sortant de l'eau, il avait l'air plutôt fier. Pourtant ce garçon m'aime bien. Ah ! celui-là ! Mais nous arriverons à le faire nager, j'en fais mon affaire. »

Ainsi, dans le noir, dans le gris, avec parfois de brillantes, de brèves éclaircies, j'enfile les semaines, les mois, je tourne les pages du livre du temps et de l'oubli. Des gens, en général plutôt fauchés, me demandent de les prendre en traitement, ils ne peuvent venir en banlieue. Douai, qui sait que je gagne trop peu, mais n'y peut rien cette année, m'autorise à les recevoir quand il n'y a plus personne au Centre. Ça me fait gagner un peu plus, cela me créera peut-être une petite clientèle, mais je rentre plus tard.

Ce matin Orion revient, agité, après l'interruption. « On voudrait dessiner à l'encre de Chine, sur une grande feuille, un orage... Sur l'océan, pas loin de l'île Paradis numéro 2, il y a un bateau que la foudre casse en trois...

— Et alors ?

— Presque tous les voyageurs partent en barques de sauvetage, le commandant a appelé par radio, des bateaux arrivent et les sauvent. Il y a quelqu'un qu'on n'a pas éveillé et qui dort dans l'arrière du bateau. On appelle ça comment ?

— La poupe.

— On ne peut pas dire qui est là ni où va aller s'échouer la poupe, tant qu'on n'a pas oragé et coupé à la foudre le bateau. Tu vois ce qu'on veut dire ?

— Je vois que tu veux commencer tout de suite. J'ai justement une belle feuille de bristol. La voilà avec de l'encre et une plume. »

Il commence par l'éclair avec lequel il coupe en deux avec force le centre de sa feuille. Très vite il est absorbé par son travail, je me lève doucement pour aller remettre un papier au secrétariat. Quand j'ouvre la porte, il tourne vers moi un visage angoissé : « Reste, Madame, ça orage et c'est foudroyé partout, sans toi on va brûler. »

Je referme la porte, je reviens, un peu contrariée, m'asseoir en face de lui. Plongé à nouveau dans son travail, il ne me voit plus, mais je sens qu'il a besoin que, par ma présence, je participe à son dessin. Quand notre temps de séance est fini, il se prépare à partir avec son rituel habituel. Il me tend sa feuille.

« Tu ne l'emportes pas pour travailler chez toi ?

— Non, Madame, sans toi ça peut brûler, on ne veut pas être brigandoragé dans la tête. »

Lors des séances suivantes, une grande partie du temps est consacrée au nouveau dessin. Sous l'éclair, l'océan en tumulte et un bateau que la foudre brise en trois morceaux apparaissent. Le dessin est très ténébreux, les noirs l'emportent de beaucoup sur les blancs.

La seule lumière vient des éclairs. Quand Orion dessine le moment où la foudre brise le navire il rit très sauvagement et marmonne : « Ah, il est fort celui-là ! » Puis il siffle le passage sur l'orage de la *Sixième Symphonie* qu'il aime tant.

Je rapporte ce trait à Vasco, il me dit : « Il aime la musique ce garçon, il faut qu'il en joue lui-même, ça le consolera. Il doit apprendre.

— Apprendre quoi ?

— À lire la musique, à jouer d'un instrument. La guitare, c'est dans le vent, il apprendra vite. Et l'hôpital de jour trouvera bien un bel Espagnol guitariste. »

L'idée me plaît, j'en parle à Orion, qui veut d'abord voir le monsieur, avant de se décider. L'idée plaît à plusieurs professeurs, Douai décide de faire un essai à la rentrée de septembre.

Chaque semaine Orion m'apporte un dessin de l'île Paradis numéro 2, mais son centre d'intérêt principal est devenu le dessin du bateau foudroyé.

Nous entrons dans l'été, juin est là tout en feuilles, tout en fleurs avec déjà une atmosphère de vacances qui semble lui faire peur. Ce n'était pas comme ça les autres années. Pourtant comme d'habitude, il va partir dans la maison familiale de son cher Sous-le-Bois. Il ira aussi au bord de la mer : « Sauter dans les vagues, on aime ça, alors on rit beaucoup, à Paris c'est rare de rire. On a peur des vacances cette année, parce qu'on va partir loin de toi.

— Je reviendrai comme toi, fin août.

— Parfois on ne revient pas, comme l'enfant bleu. Si tu ne reviens pas, Madame, on risque de mettre le feu à l'hôpital de jour et alors on deviendra un incendiaire en prison.

— Qui est le « on » qui mettrait le feu ?

— On ne sait pas, Madame ! »

J'entends bien le ton déjà menaçant de sa voix, pourtant je risque :

« « On » c'est Orion avec une dose de démon de Paris. Si Orion disait « je », le démon de Paris ne pourrait peut-être plus entrer si facilement dans la tête. « Je » est plus mince que « on », le démon n'y trouverait pas de place.

— Tu es comme Monsieur Dante, Madame, tu crois qu'on peut nager mais on ne peut pas. Le pied qui veut toucher le fond est plus fort, on a dû mordre Monsieur Dante. Est-ce qu'on peut te mordre ?

— Je vais crier... »

Il se baisse très fort et comme un chien, sans se servir de ses mains, il saisit ma main gauche. Il mord, pas trop fort, mais je suis si surprise que je crie. Il se redresse en faisant tomber sa chaise, il saute en regardant ma main que je cache. Je me suis levée sans le savoir, je me force à me rasseoir. Il saute d'un air effrayé, de plus en plus haut, il me fixe sans me voir. Il a de plus en plus peur, il va devenir violent. Je me lève, je lui dis : « Calme-toi Orion, tu es ici au Centre, dans notre bureau. Il n'y a que nous deux. »

Il donne deux grands coups de pied dans la porte, heureusement elle est solide.

« Pourquoi tu as crié ? Ils vont venir ! »

Je mets mon doigt sur mes lèvres et je parviens à dire : « Personne ne viendra. Personne n'a rien entendu.

— Ton Vasco mari va voir qu'on t'a mordue.

— Je mettrai une bande.

— S'il me tape, ce sera le grand bagarrement, et alors gare à lui.

— Ce n'est pas un homme qui tape sur les jeunes.

— Mon père non plus, maman parfois quand elle est en colère mais si le démon m'a trop rayonné on tape sa main. Après on l'embrasse et on pleure. »

Il voudrait se laisser tomber sur le sol comme il fait dans ses grandes crises et pleurer longtemps pour que je le console. Je ne me sens pas capable de supporter cela aujourd'hui, j'ouvre la porte : « Viens sortons, ça nous fera du bien. » Il se laisse faire, après le couloir je l'entraîne à la porte des visiteurs et le fais sortir le premier.

À ce moment Robert Douai entre, il ne voit qu'Orion et lui dit mécontent : « Tu n'as pas le droit de sortir par ici Orion, va par la porte des élèves. » Orion agite ses bras fébrilement et donne des coups de pied dans la porte.

« Orion n'est pas bien, Monsieur, je l'emmène promener. Je l'ai fait passer par ici pour aller plus vite. »

Le directeur s'efface, je pousse doucement Orion en avant. Nous descendons les premières marches, il a toujours l'air égaré, il bat des bras. Douai le voit et me demande : « Voulez-vous que je vous aide ? »

Orion crie à tue-tête : « On veut pas... On veut pas ! »

Je fais signe à Douai : Non, ne venez pas.

Orion ne crie plus, mais un râle léger sort de sa gorge, il pleure, son nez coule, je lui tends des mouchoirs en papier qu'il refuse. Il continue à descendre.

Nous arrivons sur le palier du premier, je lui essuie le visage, il sursaute mais me laisse faire. Malheureusement la porte de l'ascenseur s'ouvre. Surpris il se met à sauter. Une dame sort et s'arrête effrayée.

Je lui dis : « N'ayez pas peur. » Et à Orion : « Prenons l'ascenseur. »

J'ai tort car il voit peut-être le démon dans cette porte ouverte. Il hésite, la porte se referme, il se presse contre moi en battant des bras. Douai, qui a suivi de haut la scène, descend les marches. Il dit : « Orion, calme-toi !

— C'est lui qui ne veut pas se calmer, Monsieur. » Et il veut foncer sur Robert. Il me bouscule, son épaule cogne la mienne, il fait tomber mes lunettes. Je crie : « Mes lunettes... mes lunettes ! » Et je pense : Elles sont si chères !

Orion en m'entendant se penche, les ramasse et les tend à Douai en gémissant :

« On l'a mordue... on l'a cognée. »

Il se met à pleurer. La dame sort ses clés, entre à demi chez elle et me dit : « Je vous plains ! »

Cela me blesse, je réponds très vite : « Ce n'est pas mon fils, Madame. Je fais mon métier. »

La dame ferme la porte, je prends Orion par le bras, il se laisse faire, nous descendons quelques marches, il pleure. Douai nous rejoint : « Et vos lunettes ? » Je les prends, je lui dis d'une voix troublée : « Laissez-nous, ça va aller. »

Nous croisons des gens dans la cour, Orion pleure toujours et se laisse pousser en avant. Que doivent penser les gens ? Une voix barbote dans ma tête : Bourreau d'enfant, bourreau d'enfant ! Une autre proteste : Orion n'est plus un enfant. La première voix reprend : Si, c'est un enfant et le pire c'est que tu le sais. Console-le, c'est ton métier ! Je cesse de le pousser en avant, instinctivement j'ai pris son bras, ce geste semble le consoler. Je lui tends un mouchoir en papier. « Essuie tes yeux ! » Il sort de sa poche un vrai mouchoir bien propre, essuie son visage, se mouche. Quand nous avons traversé le boulevard, il n'est plus triste et se met à rire très fort en disant : « On est comme un grand fils avec sa mère. Qui se donnent le bras. »

Je me sens blessée comme je l'ai été par la dame, cette fois je vois un peu pourquoi. Mon enfant est mort avant de naître et je ne veux mettre personne à sa place. Surtout ne pas usurper celle des parents d'Orion. Ce n'est pas le moment d'en parler, je dis seulement : « Allons nous promener au jardin du Palais-Royal. »

Quand nous y sommes, sous les arbres, dans la présence des fleurs et le bruit du jet d'eau, je dis : « Orion, tu as une maman, un papa, tu es leur grand fils. Moi je suis seulement Mme Vasco, ta psycho-prof-un-peu-docteur, comme tu dis. Je suis payée par le Centre pour ça et je ne peux rien être de plus pour toi. Je t'aime beaucoup mais je ne suis pas ta maman, tu n'es pas mon grand fils. Il faut bien le comprendre. »

Il m'écoute, il ne répond rien, il regarde les fleurs. Je ne retire pas encore mon bras du sien. Je le fais quand nous nous asseyons à la terrasse d'un café que j'aime. Il est intimidé. « Tu veux quoi ?

— Un jus d'orange. »

Il hésite, puis sourit à sa façon désarmante : « Avec toi, on peut ?

— Tu peux.

— Alors deux. »

Je commande ses deux jus d'orange et au lieu de mon thé habituel je prends un café. Il boit ses jus en veillant à ne pas en laisser perdre une goutte. J'ai du travail l'après-midi, j'ai encore une heure devant moi, je voudrais rester dans le jardin au soleil.

« Il est l'heure pour toi, Orion. Est-ce que tu peux aller seul jusqu'au métro ? »

Son visage se trouble : « Aujourd'hui on ne peut pas, Madame, on est trop loin de la station. Il va me tourbillonner si on est seul dans les rues. »

Je me laisse faire, je paie, je dis même : « On va faire encore une fois le tour du jardin.

— Toi aussi, tu as dit on.

— C'est vrai. Tu peux me donner le bras dans le jardin, mais pas dans la rue. »

Il prend mon bras d'autorité, il me soutient même un peu et je me rends compte que je suis très fatiguée et que sa morsure me fait mal.

Douceur du jardin du Palais-Royal qui par ce beau jour de juin berce ma fatigue, détend ma détresse, celle d'Orion et notre crainte commune de son avenir. Que doivent penser les gens en me voyant avec mon tailleur jadis élégant mais défraîchi et démodé, donnant le bras à ce garçon aux beaux yeux un peu fous, qui se serre contre moi avec ces gouttes de sueur que la chaleur et l'angoisse font glisser sur son visage. Oui, qu'en pensent-ils ? Je concentre mes forces pour penser : Je m'en fous. Je n'y parviens pas, inutile de me jouer la comédie. Quelle faiblesse, je ne serai jamais indifférente à ce que les gens pensent de moi.

Orion quitte mon bras quand nous nous retrouvons dans la rue, c'est un soulagement et pourtant je deviens un peu triste. À la station de métro, il me tend poliment la main : « Au revoir, Madame, à demain. » Son attitude change, lui qui marchait à côté de moi, bien droit, faisant face aux passants, semble rétrécir. Il descend l'escalier, comme s'il craignait de prendre trop de place, le regard aux aguets.

Je retourne à mon bureau, j'ouvre ma bouteille d'eau et m'apprête à manger mon pique-nique quand Robert Douai arrive. « Ça s'est bien terminé ?

— Je l'ai emmené au Palais-Royal, il a pris deux jus d'orange, il s'est calmé. Je l'ai ramené à son métro.

— J'ai eu peur pour vous.

— Moi, j'ai eu peur pour mes lunettes. »

Il rit, puis avec cet esprit concret qui me plaît chez cet homme qui sait aussi manier les idées :

« S'il finit par vous les casser, vous faites une note de frais, on a un budget pour ça, de même pour les consommations. Cependant ne prenez pas trop de risques, il peut devenir dangereux.

— Je sais, la difficulté c'est que dans notre psychanalyse, si on peut appeler ça une psychanalyse, il me met constamment en position maternelle. Cette position que Freud trouvait si difficile à assumer. Il n'y a pas que moi qu'il met dans cette position, il y a aussi M. Dante et vous parfois...

— Je n'y avais jamais pensé... c'est vrai. Pourtant tout à l'heure, quand Orion était si menaçant, vous avez refusé mon aide et vous avez dit à la dame : C'est mon métier. C'est exagéré, risquer de vous faire casser la figure, cela ne fait pas partie de votre métier.

— Pas de mon métier de psy mais... ça m'étonne de vous le dire... de mon métier d'infirmière.

— Vous vous considérez comme son infirmière ?

— Un peu ça... Pour lui c'est nécessaire.

— Et vous là-dedans ?

— Pour moi aussi c'est peut-être nécessaire. Mon enfant est mort avant de naître... À cause de ça je dois soigner. Est-ce que je peux manger ? Vous voulez un verre d'eau... un peu tiède ? »

Il accepte un verre d'eau. Je mange ma tartine avec une pomme comme d'habitude.

« Reprenons, me dit-il, pourquoi voulez-vous être aussi son infirmière ?

— Je ne veux pas, je dois. Une partie de moi est faite pour ça. Et lui, il est un des soixante malades caractériels, névrosés, *borderline* et psychotiques dont l'ensemble des travailleurs du Centre s'occupe. Vous, le directeur, vous pourriez ne lui accorder qu'un soixantième de votre attention et, étant donné ses crises de violence, vous auriez des raisons sérieuses de le renvoyer. Vous ne le faites pas, et moi j'accepte d'être sa psycho-prof-un-peu-docteur et infirmière. Pourquoi ? C'est parce que je crois que comme l'albatros de Baudelaire il a de grandes ailes qui l'empêchent de marcher. C'est loin d'être sûr, je sais, mais c'est ce que je ressens. La psycho-prof fait son métier, aussi bien qu'elle peut, mais l'infirmière qui est en moi ne peut s'empêcher de soigner ces grandes ailes, qui peut-être n'existent pas, mais qu'elle sent se débattre constamment autour d'elle. »

Douai se verse encore un verre d'eau : « Vous y allez fort. Revenons un peu à la situation réelle. Pour le Centre, pour vous, pour moi, Orion est d'abord un malade, un grand malade, c'est vous qui assumez la part la plus large de la tâche, pourtant vous n'êtes pas seule. Que penseraient la plupart de vos collègues qui se sont occupés d'Orion pendant trois ans, que penseraient les moniteurs, les médecins et moi qui le soignons encore avec vous, si vous nous parliez en assemblée générale ou en synthèse des ailes de géant d'Orion qui l'empêchent de marcher ?

— Ils riraient et je crois qu'ils auraient raison mais vous ne feriez pas de même, parce que au-delà du train-train nécessaire à la marche du Centre vous savez que je vois juste, mais vous ne pouvez pas le dire. Je ne le dis d'ailleurs pas à mon directeur, je confie mes folles pensées à un ami.

— Et si la voie que vous envisagez échoue ?

— Ce sera un jour l'hôpital psychiatrique et le corset bien serré des médicaments.

— Vous allez trop fort et trop vite à nouveau.

— Si vous préférez me retirer Orion, je serai triste mais j'accepterai et je resterai avec vous car j'ai besoin de gagner ma vie.

— Ce n'est plus possible, vous le savez, il fait un transfert massif sur vous. Ce n'est pas cela qui m'inquiète mais le contre-transfert considérable que vous faites. Vous risquez ainsi de perdre votre lucidité et de mettre en danger votre sécurité. »

Nous nous regardons, je fixe calmement ses yeux honnêtes : « Vous avez raison, il y a un risque. Est-ce qu'Orion n'en vaut pas la peine ? Si je ne m'engage plus comme je le fais, il ne se passera rien. » Il hausse les épaules : « Je ne peux pas vous approuver, je n'ai jamais pensé qu'on pouvait soigner ainsi. Mais personne ne pourrait soutenir que vous ne soignez pas. »

Il se lève : « Je vais être très en retard, on m'attend pour déjeuner. Nous en reparlerons. »

Je n'ai que deux séances l'après-midi, j'arrive trop tôt à la gare de Chatou, je téléphone à Vasco que je rentre seule. Il me dit : « J'entends que tu es bien trop fatiguée pour ça. Prends un taxi !

— C'est une folie, Vasco !

— Il faut faire des folies, prends un taxi, j'y tiens absolument.

— Tu es gentil. »

Et je vais prendre un taxi.

À la maison je ne sais si c'est la main qu'Orion a mordue plus fort que je ne croyais ou la surprise que j'ai ressentie devant cet acte inattendu, mais j'ai mal. Je me fais un pansement, je m'étends sur le lit et, sans m'en rendre compte, je m'endors.

Je suis en prison, ma condamnation est si longue que je ne sortirai plus jamais du gris. J'éprouve la douceur d'une caresse sur mon bras, est-ce que les anges peuvent entrer librement par la fenêtre des prisonniers comme dans le dessin que Sigmund Freud aimait ? Ils le peuvent, puisque Vasco, revenu sans bruit, embrasse ma main autour du pansement qui recouvre la morsure. Mon Dieu, il fait presque nuit déjà, il doit être très tard et je n'ai rien préparé.

« Tu dormais si bien, tu dois avoir mal à la main. J'ai un bon médicament pour cela. J'ai préparé un plat et une crème que tu aimeras.

— J'ai oublié d'acheter du pain...

— Trop tard maintenant, on s'en passera. »

Nous mangeons. Il regarde mon bandage : « C'est un nouveau chapitre de ta grande aventure ?

— De ma petite aventure, un petit succès par-ci, un petit échec par-là. Et aujourd'hui un nouveau chapitre : « On »... m'a mordue. »

Il embrasse ma main, s'assied au piano et joue quelques notes très sombres, quelques autres qu'on dirait en chute libre. Puis quelques sons s'élèvent, qui tentent une amoureuse et incertaine action.

Je dis : « Orion... Vasco..., chacun avec son trop grand ciel encombré de nuages. »

Il rit doucement : « Va vite te coucher tu es si fatiguée. Je note ce que j'ai joué et te rejoins. »

Je me couche, j'ai besoin de prier, je me rappelle un passage d'une épître de saint Paul :

« Quand j'aurais le don de prophétie, la connaissance de tous les mystères... de toute la science... Quand j'aurais la foi... celle..., celle qui soulève quoi ? Qui soulève les montagnes... si l'amour me manque... je... pourquoi toujours je ?... Je ne suis rien... »

Je pense confusément : C'est dur... très dur ça !... Je ne trouve pas la suite, je m'endors déjà... L'amour prend... patience... l'amour rend service... J'entends encore de très loin les dernières notes de Vasco.

Quand Orion entre dans mon bureau, revenant un peu énervé du gymnase, il regarde mon bandage : « Tu as mal ?

— Un peu.

— Monsieur Dante au gymnase m'a dit : Tu m'as marqué. Est-ce qu'on t'a aussi marquée ? »

J'entends une nuance de plaisir et de menace dans sa question, il a ce matin ses yeux de cheval effaré. Je réponds : « Ceux qui font des mauvais coups, qui te disent : on va t'avoir, qui font des croix de cimetière sur tes feuilles et tes affaires, ils ne veulent pas te tuer. Ils veulent seulement t'enfermer dans le territoire de leurs petites idées et t'empêcher d'être libre. Et, toi, tu crois devoir leur lancer des bancs à la tête, mais ce n'est pas la bonne réponse. »

Il s'est assis, il n'a pas enlevé son blouson, il fouille avec son doigt dans son nez. Je le supporte, je lui tends un mouchoir en papier, il continue sans le prendre. Il affirme avec force : « On ne t'a pas mordue, c'est Lui.

— Lui, avec tes dents. Ce sont elles qui m'ont marquée.

— Celui-là quand il bombardifie, Madame, on ne sait plus à qui sont les dents... On a essayé de le retenir, on avait trop mal dans la gueule. On ne savait plus ce qu'on faisait. C'est l'enfant bleu qui aurait su, du temps de l'hôpital Broussais. »

Il éclate de rire : « À quatre ans le démon est descendu pisser dans mon lit. L'enfant bleu savait ce qu'il faut faire alors et le démon et l'ange crient... Ils crient... quoi ? On ne sait pas. »

Il se lève, se tient sur un pied, jette par terre son précieux blouson. Est-ce qu'il va sauter ? Je suis tout à l'écoute. Il reprend : « Les deux ils disaient, l'ange noir et le blanc : Tu ne peux pas, tu es petit, tout est défendu... du... du... du... Saute plutôt ! Agite tes bras ! L'enfant bleu ne disait rien, mais il faisait comprendre avec ses mains et ses yeux qu'il pensait : C'est pas défendu. Un jour tu seras grand ! Chaque jour tu seras plus grand contre le défendu... du... du. Avec ça, il vous marquait aussi, à sa façon, sans mordre, sans faire mal, sans mots volcans qui gueulent : Que de fautes, que de fautes ! »

Le téléphone sonne. D'un mouvement rapide je coupe la communication. Orion avait reposé le pied sur le sol. La sonnerie lui a fait peur, il le relève et ressemble à un échassier en attente.

« Le démon, Madame, il me marque avec les rayons de ses dents, alors moi aussi je marque avec ses dents. On a marqué Monsieur Dante. On l'a fait crier, toi aussi on t'a marquée, on t'a fait crier. Il vous a fait crier pas trop fort, parce que vous êtes gentils. Alors on n'a pas eu de crise. Une fois on a mordu la main de maman en colère. Après on a eu une crise et on a pleuré si dur et si longtemps qu'elle a eu peur et n'a plus senti qu'elle avait mal.

Une fois on a voulu mordre Jasmine mais elle va si vite que le démon n'a pas pu attraper son bras. Les dents ont claqué sur rien. Le démon a été bien attrapé, il a fait une si drôle de tête que Jasmine a éclaté de rire. Alors on a ri tous les deux, Jasmine était fière, elle a fait du chocolat, on l'a bu en mangeant de la tarte.

— Jasmine a été plus forte que le démon...

— Elle va plus vite. Parfois, elle est de son côté, comme Paule. Parfois elle est du mien. On ne peut pas savoir avec elles. Avec Monsieur Dante et toi on sait. »

Il a reposé sa jambe, il ramasse son blouson, l'accroche au portemanteau, je crois qu'il va redescendre dans notre monde. Mais non, il s'assied, il dit : « Prends tes feuilles... » Sa voix change :

« DICTÉE D'ANGOISSE NUMÉRO QUATRE

Après avoir marqué lundi Monsieur Dante, jeudi le démon a marqué Madame avec mes dents. On était malheurifié car c'est une dame gentille avec Orion. Jasmine dit : Elle se donne de la peine, celle-là, ce n'est pas moi qui serais patiente à se crever comme elle. Moi en tout cas, Orion ne m'a jamais mordue, car il sait qu'on mordrait aussi et qu'on serait bagarré-mordus tous les deux.

On était tout de même un peu content d'avoir marqué Madame car on avait ce désir dans les dents... Est-ce qu'on a toujours du désir dans les dents quand on fait des choses défendues ?... L'enfant bleu était gentil, les infirmières l'aimaient. Les grandes personnes font tout le temps des choses défendues, l'enfant bleu aussi. Quand on disait des choses qu'il fallait obéir il ne disait pas non, il ne pleurait pas, il savait comment on peut ne pas faire ce qu'on n'a pas envie. Avec lui on comprenait ça, on faisait comme lui. Après, il est resté à l'hôpital et moi on ne comprenait plus rien... Comme avant.

Avec Madame on comprend un peu ce qu'elle comprend. Dans la crise elle a compris qu'on devait sortir et on sortait malgré l'escalier qui criait et l'ascenseur qui voulait mordre. Dans la rue on sautait encore, elle était gênée mais elle restait près de moi comme si on était son grand fils qu'on n'est pas. Elle dit qu'on a maman et papa, qu'elle est seulement une psychothéraprof. Que le Centre lui donne des sous pour ça... Personne ne croit au démon de Paris que moi. Madame, elle est payée pour ne pas y croire mais depuis que les dents l'ont mordue on voit qu'elle y croit plus fort. N'est-ce pas, Madame ? Elle rit aussi et dit : C'est toi qui dictes, Orion... C'est moi qui dicte mais plus souvent, c'est le démon qui parle, alors on rit en charabia de quoi on devrait pleurer et on saute en roulant des yeux comme un déconné et les autres m'appellent Orion le fou. On a lu que des rois de l'histoire avaient des fous. Papa dit : Encore un métier de foutu, un de plus. S'il n'y a plus pour moi que des métiers de foutus, qui est-ce qui gagnera des sous ? Peut-être ce serait mieux que le démon me cercueille avant ? »

Puis avec autorité : « Fin de dictée d'angoisse. »

Il me regarde écrire en hâte le mot fin, mettre la date. L'interruption sonne. Je propose : « Reste ici, Orion, on regardera un livre. » Il ne veut pas, c'est l'heure, il sort.

J'en profite pour passer au secrétariat, je le vois en passant, tapi à l'entrée de la salle des profs. Derrière la porte de séparation que le surveillant vient de fermer, un groupe d'élèves chante en chœur :

Don, Don,
Dindon blond
Orion, Orion
Et sa blonde Mme Vascon

Orion n'a pas l'air de me voir quand je passe devant lui, il écoute le chant comme s'il était chargé de menaces. Je demande au surveillant : « Ils chantent souvent comme ça ?

— Oh vous savez, tous les profs y passent.

— Et lui ?

— Orion, c'est fréquent, ils cherchent à le sadiser pour le voir en bagarre. Alors ils ont peur et ça les excite.

— Pourquoi vient-il ? Je lui propose de rester avec moi.

— Il aime un peu être leur cible, puis il y a Paule.

— Il est amoureux d'elle ?

— On peut voir ça comme ça. »

Quand Orion me rejoint au bureau, il chantonne comme ses camarades :

Don, Don,
Dindon blond
Orion, Orion
Et sa blonde Mme Vascon

Il s'assied, me regarde attendant ma réaction. Elle ne vient pas, il dit comme s'il répondait à la question que je ne poserai pas : « On ne sait pas. »

Je ris, nous rions, il y a un instant de complicité entre nous.

LA HARPE ÉOLIENNE

Un nouveau dessin représente la poupe du grand navire foudroyé d'Orion. Blanche et rouge cette fois, avec les traînées noires de la foudre, la poupe s'est échouée sur la rive de l'île Paradis numéro 2. Au milieu des débris et des ferrailles, évanouie ou endormie sur un lit d'algues : Paule. Paule toute plate, sans volume, en jeans et chemise verte, avec aux pieds des souliers à talons hauts.

Alors que Paule est déjà presque belle, son visage dans le dessin est sans grâce, ses traits sont pâles, à peine esquissés. Sur la plage de nombreuses tortues se hâtent vers la mer et, au bout d'une lourde chaîne, une ancre noire s'enfonce à demi dans le sable.

C'est un dessin naïf mais dont tous les détails sont traités avec réalisme, sauf le corps de Paule qui ressemble à une grande poupée, aplatie par un rouleau. Je dis : « Paule est plus belle en vrai. »

Et Orion : « Comment tu sais que c'est Paule ? »

Je suis surprise, la fille évanouie sur la plage ne ressemble pas à Paule, pourtant je sais que c'est elle.

« Je l'ai seulement deviné, Orion, mais j'ai dû deviner juste puisque Paule doit venir dans l'île. Maintenant il faut la soigner.

— Bernadette est allée chercher le remède et dans la cale on a trouvé de l'eau de Vittel. C'est l'eau que Paule préfère.

— Continue l'histoire.

— Bernadette lui lave le visage et les mains. On voit qu'elle respire bien, on lui donne le remède, elle ouvre les yeux, elle dit : On est contente que tu sois là, Orion, on est enfin sur ton île, elle est belle, on aime les tortues. Elle embrasse Bernadette, puis moi et continue : On a cru qu'on allait couler et elle boit de l'eau de Vittel. Ses mains ne sont plus froides, nous la soutenons, on marche les trois jusqu'à la maison dans l'arbre. On monte tous les trois, avec toi ça fait quatre.

On arrive en haut, Paule est contente de voir une vraie maison avec une porte et des fenêtres et dit : Une maison dans un arbre, on a toujours voulu ça, c'est mieux qu'à Montrouge chez les parents.

Elle a faim, nous aussi, toi madame tu as préparé le poisson qu'on a pêché hier, Bernadette a chauffé les haricots en boîte qu'on a trouvés dans la cale du bateau cassé. Moi, on a cueilli des fraises dans notre potager. »

Il s'arrête, il me regarde : « Il y a un autre dessin, est-ce qu'on le montre ? Il est venu tout vite dans le désir de la main, mais il n'est pas fini fini car dimanche on est allé à la foire avec papa et on a tiré des pipes en terre.

— Montre et raconte encore l'histoire de l'île Paradis numéro 2. »

Pendant qu'il prend son sac, l'ouvre, tire le dessin, referme le sac, pose le dessin sur le bureau, je perçois que, comme lui, je ne suis plus seulement dans le petit bureau. Je suis, moi aussi, dans la maison dans l'arbre et me rends compte qu'elle est trop petite – une sorte de pavillon de banlieue miniature – pour que nous puissions tous les quatre y vivre en liberté. Il faut que, comme les trois autres, je puisse dans le nouveau monde qui s'ouvre sur l'île prendre toute ma place. Pourquoi ? Pour vivre dans cette liberté qu'Orion désire et dont il a si peur. Puisqu'il a choisi d'être sur l'île, je dois y être avec lui, un peu derrière, comme dans la marge du dessin où, par une douloureuse erreur, il a tué son Minotaure.

Le dessin est sur la table, nous le regardons ensemble, c'est bien un dessin du monde magique de l'île Paradis numéro 2. Sur une colline, dominant la mer toute proche, il y a un grand arbre mort tout hérissé encore de branches noires à demi brisées. Au sommet il se divise en deux têtes dépouillées, au centre de la fourche est fixé le squelette d'un très grand oiseau dont la tête est remplacée par un crâne humain. Les ailes énormes sont ouvertes et fixées à d'autres branches du chêne. Les plumes qui restent demeurent accrochées à une peau grise très tendue. Au centre, sous la tête de mort, sont fixées les cordes d'un sommaire instrument de musique.

Il y a des vols d'oiseau de mer dans le ciel, des arbres verts entourent, à quelque distance, le géant mort mais toujours debout. Tout le bas du dessin est inachevé, sauf quelques taches bleues qui doivent signifier l'océan Atlantique.

« Pour que je comprenne ton dessin, Orion, il faut que tu racontes ce qui est arrivé avant.

— Quand on a eu fini de manger, Madame, Paule a ouvert son sac à dos pour faire sécher ses affaires. Elle a fouillé dans son sac, puis elle a tout mis par terre et, comme elle ne trouvait pas, elle a pleuré très fort en disant : Ma petite radio est perdue, elle est tombée dans la mer. Sur cette île, comment entendre de la musique sans radio ? On ne peut pas vivre sans musique et sans danser. On ne danse pas pour devenir danseuse dans un ballet mais pour passer le bac et danser un jour avec mon mari et mes enfants.

Bernadette a répondu : Orion te sifflera de la musique, il connaît quatre symphonies par cœur et des airs de danse. Moi on connaît des chansons.

Ce n'est pas suffisant, elle a dit Paule, toujours entendre des symphonies et seulement sifflées. Il faut une musique qui danse, sinon l'île sera l'hôpital de jour numéro 2 et on préfère retourner à Montrouge.

Madame dit : Orion, tu te rappelles le livre qu'on a lu l'année dernière. Un livre de Michel Tournier, il s'appelait comment ?

Vendredi ou la Vie sauvage, Madame, roman pour les jeunes.

Dans ce livre il y avait une harpe éolienne qui faisait de la musique avec le vent.

On peut en construire une, Madame, car en se promenant en roulotte on a vu tous les trois un oiseau mort avec de grandes ailes, un condor...

Bernadette demande : Vous croyez qu'Orion peut faire une harpe éolienne entre les branches du chêne pour que Paule ait une sorte de radio avec le vent ?

Oui, avec les pastels gras et la gouache, il peut.

Paule est heureuse, elle chante avec Bernadette et puis on dort tous les quatre, les deux fenêtres ouvertes car on n'a pas beaucoup de place.

— Et après, Orion ?

— Après on a d'abord fait l'arbre mort avec les pastels gras. On a grimpé dans le chêne avec les lianes à la gouache. On a fixé les ailes du condor à l'encre de Chine, parfois un peu diluée et on les a tendues pour que le vent les fasse musiquer comme les orgues de Bach. C'est juste ce nom ? Pour la tête, on ne sait pas comment sont les têtes de condor, on a mis à la place la tête de mort de l'autre livre qu'on a lu : *L'Île au trésor*. Ça rit ces têtes-là et quand le vent passe dedans ça fait une musique, une musique douce, qui plaît aux filles. Bernadette et Paule dansent. On danse un peu tout seul, parce qu'on ne sait pas encore danser avec une copine. Madame s'est assise, elle écrit un poème. Moi aussi, on écrit des poèmes. Le sien elle ne le lit pas parce qu'elle est avec les filles dans la partie du dessin qu'on n'a pas terminée.

Le lendemain on remonte en lianes sur le grand chêne, papa m'a donné les cordes d'un vieux violon et on sculpte en bois dans ma tête un instrument dans lequel le vent peut jouer une autre musique que celle des ailes du condor ou de la tête de mort qui rit. On redescend en lianes, Madame est là et elle dit que les trois musiques du vent sont belles. On est content, avec Bernadette et Paule on va se laver et se baigner dans la rivière, Madame ne vient pas, le démon de Paris l'a marquée avec ses dents et sa main n'est pas guérie.

Les filles nagent, moi on est toujours attaché par le pied au fond, Paule se moque de moi, les dents ont envie de mordre sa main, elle le voit et reste dans la profondeur où on ne peut pas l'attraper à cause du pied au fond. Les filles crient : Bisou, les dents se calment et on reçoit d'elles deux bisous. On n'en reçoit pas de Madame. Quand on est payé pour son travail, il n'y a pas de bisou en plus.

Le vent se lève, il amène des bombes de pluviage et la harpe éolienne hennit. Vers le soir le vent tourne à la tempête, la pluie cesse, on sent qu'on ne peut plus retenir ses chevaux blancs. On descend de la maison de l'arbre, les filles ne veulent pas, elles ont peur, mais elles ont plus peur encore de rester seules. On court comme un taureau vers l'arbre, car sa musique est comme la blessure que faisaient les docteurs, quand on était un petit de quatre ans à l'hôpital Broussais.

Heureusement tu étais là, Madame, tu te mettais entre le tronc et les cornes qu'on avait dans la tête. Tu chantais, on préfère quand tu chantes mais c'est pas souvent. Tu chantes :

Orion, Orion tu n'es pas un taureau,
tu n'es pas un Minotaure, Orion
il n'y a pas de démon ici,
tu es dans la tempête sur une île
sur ton île Paradis numéro 2.

L'arbre chante ça avec toi, Madame. Ça fait du bien, même ça fait rire, car la tempête on connaît.

Tu dis : Écoute, Orion, comme c'est beau. On se calme, on entend que c'est beau et que le condor chante plus haut et plus profond qu'on ne pourrait jamais siffler. Bernadette commence à avoir peur et elle s'accroche à ton bras, Madame, moi on aime cette musique. L'océan tropical Atlantique et les volcans sous la mer au lieu de crier : Que de fautes ! Que de fautes ! font ensemble un concert qui fait hennir, et galoper mes chevaux blancs.

On saute un peu, mais Madame dit : Écoute, Orion... Écoute comme c'est beau cette harpe éolienne dans ta tête.

Tu me retiens de sauter et de taper avec les cornes qu'on n'a pas contre les arbres, en faisant une petite musique d'enfant bleu. Comment tu connais cette musique puisque tu n'es jamais allée dans l'île Paradis numéro qu'on ne doit pas dire ?

Madame dit : On ne connaît pas cette musique mais parfois on sent ce qui est dans ta tête pour te calmer.

Paule chantait avec le condor, la tempête faisait tomber des branches du vieux chêne, tu emmenais plus loin Bernadette et Paule. Tu es venue me chercher, on ne voulait pas, alors tu m'as pris par le bras, comme si on était ton grand fils qu'on n'est pas. On était content, Bernadette s'est mise à danser avec le vent. On faisait comme elle, puis on dansait les deux. Paule chantait très haut, dans la tête qui riait. Toi et Bernadette vous chantiez avec l'enfant bleu dans les ailes de l'oiseau et moi tout en bas dans le ventre du condor.

La voix de Paule montait si haut que Madame devait lui dire : C'est beau, c'est beau ! Arrête, tu vas casser ta voix ! Elle ne s'arrêtait pas, on croyait que Paule allait s'envoler, elle ne s'envolait pas.

Après, on est tombé dans l'herbe, on riait, Bernadette aussi, on ne pouvait plus s'arrêter. Paule ne pouvait plus que courir vers la mer qui criait des grosses vagues. Tu disais : Cours vite, et les trois on courait derrière Paule. On la rattrapait juste avant les vagues et on revenait vers la maison de l'arbre. Paule ne pouvait plus parler et Bernadette claquait des dents. Il y avait un homme très grand en bottes noires, qui chantait toujours et ses branches mortes tombaient tout autour.

Dans la maison de l'arbre, Bernadette ferme la porte et les fenêtres, on est presque content de sortir du trop beau. Bernadette fait réchauffer la soupe, toi, Madame, tu fais du pain grillé et on met la table. Paule est comme une endormie qui rit. On la soigne pour sa gorge et elle peut manger. Après la vaisselle, les deux filles se sont couchées et toi tu es partie dans une grotte. On veut entendre encore la tempête, on ouvre la fenêtre et on entend la musique de la harpe éolienne. C'est comme une femme sauvage qui a froid. Les filles se réveillent, elles ont peur, elles crient : Ferme la fenêtre, on ne peut plus supporter ton condor fou. On est fâché, on veut courir dans l'île, grimper dans les arbres et se balancer en lianes dans le noir. Bernadette crie : Tu es dingue, tu vas te casser la jambe

Elle saute de son lit en vitesse, ferme la porte à clé. Les filles se rendorment, on saute un peu pour se calmer, puis par l'échelle on monte dans son lit, celui du dessus. On est bien dans le lit, avec un peu de démon dans l'air, comme partout. On se berce doux en pensant à des choses de l'île Paradis numéro qu'on ne doit pas dire. »

À ce moment le téléphone sonne avec un bruit de tonnerre. Je décroche : « Occupée, rappelez ce soir chez moi, s'il vous plaît. » Je suis stupéfaite de me retrouver, le matin, à l'hôpital de jour et plus la nuit dans la maison de l'arbre. Orion continue :

« Pendant la nuit, Madame, on entendait un peu de musique d'enfant bleu, mais les filles ne l'ont pas entendue. C'est quand on était petit qu'on a entendu cette musique. Après on a été à l'école, on a été jeté et on ne l'entendait plus. Avant la harpe éolienne et la musique de l'homme tué qui rit dans le condor on ne savait même plus qu'elle existait cette musique bleue. Maintenant on ne sait plus que siffler des airs de disque ou de radio. Pourquoi ? Pourquoi Madame ? »

Son visage reprend son expression habituelle, je vois naître sur son front autour de ses yeux les tressaillements qui le font ressembler si souvent à un cheval effrayé. Comme je ne réponds pas, il répète plusieurs fois au bord du cri :

« On ne sait pas... on ne sait pas, Madame ! »

Il regarde sa montre, moi aussi, l'heure de la fin des cours est passée, nous n'avons pas entendu la sonnerie. Il est effrayé de voir qu'il est si tard. Il ne sera pas à l'heure chez lui, on va lui poser des questions. Il rassemble ses affaires avec une prestesse qui ne lui est pas habituelle, il dit : « Au revoir, Madame. » Il laisse la porte ouverte et s'en va en courant.

Je suis, moi aussi, bouleversée par ce qui a eu lieu. Je ferme la porte, je me rassois, je me force à respirer longuement. J'ai été emportée dans son délire. J'ai aimé sa violence, son malheur, son allégresse déchirante. J'y ai participé car il ne lui suffisait pas de pouvoir délirer librement, il avait besoin que nous délirions ensemble, comme nous l'avons fait déjà. Était-ce une faute professionnelle de ma part ? Orion a répondu pour moi : On ne sait pas. Puis pour me remettre à distance : On ne sait pas, Madame. Et il est parti à toutes jambes afin de garder un pied au fond et ne pas se risquer plus longtemps dans les eaux profondes. Reste un « on » insondable. D'où vient ce flot d'images et de sons, la voix follement haute de Paule et la musique barbare du grand condor ? Où vont-ils ? On ne sait pas.

Respirer, respirer encore, attendre durement devant la grande porte qui peut-être n'existe pas, demeurer immobile dans la chaleur étouffante du petit bureau. Ne pas croire que je vois le sens de ce qui a eu lieu, ni que j'ai l'obligation de le chercher. Il y a eu une présence, une musique, une danse inouïe des mots et puis Orion a revêtu à nouveau son masque apeuré pour aller prendre le métro, le bus et retourner chez lui.

Si sa mère lui demande : « Tu as fait une bonne dictée aujourd'hui ? », il ne répondra pas. Si elle insiste, il lui opposera : « On ne sait pas » pour protéger sa vie.

Je me lève, il fait très chaud, je transpire. Ne pas penser, vivre, patienter, faire attention. Encore plus attention, car déjà je ne sais comment j'ai quitté l'hôpital de jour et me retrouve dans la foule. À Auber, j'achète un journal, je paie, heureusement personne ne sait que je reviens de l'île Paradis. Je trouve une place assise, je tourne les pages du journal mais je ne peux rien comprendre.

Malgré mes efforts je me suis trompée de train, celui-ci ne s'arrête pas à Chatou, je dois descendre à Rueil-Malmaison. La chaleur, le bruit, le passage en trombe des voitures, tout accable la pauvre piétonne qui se retrouve presque seule sur le pont. En dessous la Seine, muselée de partout, coule entre l'espoir et le désespoir du monde comme il est.

Je reviens tôt mais épuisée à la maison. Cinq heures, encore deux heures ou trois avant le retour de Vasco. Je devrais noter ce qui s'est passé avec Orion, quand nous étions oragés, tous les deux. Il fait trop chaud ;

d'abord prendre une douche, me faire une tasse de thé. Après je m'étends un peu, je m'endors.

Je suis embarquée dans un rêve redoutable avec Moby Dick, la baleine blanche. Dans le tumulte des vagues, j'entends, comme un cri, le nom terrible du capitaine Achab. Tout glisse dans la sauvagerie. Le téléphone sonne à l'étage en dessous, il m'éveille et sauve mon rêve de l'oubli.

Je le note vite et prépare le dîner. J'entends Vasco ouvrir la grille en bas et me retrouve en train de dévaler l'escalier. Il est sur le palier du premier. Ses yeux s'éclairent, je me jette dans ses bras. Nous remontons l'escalier ensemble. Il dit : « J'ai une bonne nouvelle. » Il me regarde : « Toi, il t'est arrivé quelque chose aussi. »

Quand nous sommes à table, Vasco dit : « D'abord toi, raconte... »

Je m'efforce de lui raconter le délire d'Orion, notre délire et la tempête sur l'île Paradis numéro 2. Comme si c'était la suite je lui raconte aussi le rêve de Moby Dick et de la voix qui criait, dans la terreur, le nom d'Achab.

Il remarque quand j'ai terminé : « La baleine blanche, Achab et les grandes vagues du Pacifique sortent de ta merveilleuse séance avec Orion.

— Tu penses que c'était une séance ?

— Sans doute et qui me fait penser à une phrase de Giono que nous avons aimée ensemble.

— Redis-la.

— « L'homme a toujours le désir de quelque monstrueux objet... »

— « Et sa vie n'a de valeur que s'il la met entièrement à sa poursuite. » Cette phrase a été écrite pour toi, Vasco.

— En face de Moby Dick, ma musique n'existe pas encore.

— Tu te trompes, tu manques de patience comme Achab. Le monstrueux objet est fait pour être entendu et contemplé. Pas pour être capturé... Je n'ai pas envie de parler de cela maintenant, je suis si fatiguée. Allons plutôt nous promener au bord de la Seine. »

Nous sortons, le soir est doux le long de l'eau, du côté

de Paris le voile lumineux qui surplombe la ville empêche de voir les étoiles. Vasco se penche vers moi : « Je dois te dire enfin la bonne nouvelle. Le nouveau moteur qui m'a donné tant de travail est au point. Je vais toucher une prime, le solde de mes dettes sera remboursé d'un coup. Je vais disposer à nouveau de mes samedis. Si nous retournions régulièrement courir sur l'île ? Cela nous ferait du bien et j'aime tant te voir courir.

— D'accord, j'aime courir avec toi...

— Alors samedi ?

— Samedi, oui, quelle chance ! »

Soudain je pense à Orion qui ne fait pas assez de sport. Qui n'ose pas courir seul, car alors le démon peut lui sauter dessus par-derrière.

« On pourrait emmener Orion... »

J'entends Vasco rire dans l'obscurité. Il me serre contre lui, prend ma main dans la sienne : « Un de tes monstrueux objets vient de percer le mur du son... Orion, pourquoi pas ! Orion bien sûr ! »

LA STATUE EN BOIS D'ARBRE

Je dis à Orion que Vasco et moi souhaitons l'emmener courir avec nous sur une île.

« Quelle île ?

— Une île de la Seine.

— On doit venir chez toi ?

— Nous irons te chercher à la gare en voiture, après la course tu viendras manger et dessiner chez nous.

— On aime les îles, si tu es là. On aime courir. On viendra après les vacances. »

Nous tentons de travailler, je sens son esprit ailleurs. « Où es-tu Orion ?

— On est avec la statue, on pense à sa longue jupe, la même que toi, madame. »

À cause de la chaleur, je porte depuis quelques jours de longues jupes en coton. Il l'a remarqué, cela m'étonne car le plus souvent j'ai l'impression qu'il ne voit – et encore pas toujours – que mon visage.

« Tu es avec quelle statue ?

— La statue qui est dans le dessin... qui est dans le sac.

— Montre ! »

Il sort son carton du sac et soupire sans l'ouvrir. « C'est que le dessin n'est pas bien fini fini, de nouveau. Seulement la statue. »

Le dessin inachevé qu'il me tend représente un cap de l'île Paradis numéro 2 au moment où le soleil du matin sort des eaux. Au sommet d'une falaise, entourée de quelques arbres qu'elle écrase de sa hauteur, une immense statue de femme fait face au levant. La statue est revêtue d'une jupe longue et d'un chemisier semblable à celui que je porte depuis le début de la canicule. C'est la longue jupe qui lui confère cette présence monumentale avec laquelle Orion cherche à affronter l'océan intérieur, ses démons et, chaque matin, la dangereuse naissance d'un nouveau jour.

Le corps de la statue, c'est moi sans aucun doute, avec une sorte de majesté que je n'ai heureusement pas dans la réalité mais qui existe peut-être pour Orion. Ce qui me terrifie, c'est que la tête de la statue n'est pas la mienne. Figée dans l'ébauche d'un sourire ou le début d'un cri, c'est la tête de Paule. Paule, dans la vie, porte toujours des pantalons ou des minijupes, elle est très mince, la statue a une force, une solidité qu'elle ne possède pas. Est-ce que mon corps est devenu comme ça ? Je fais glisser une main le long du corps de la statue, de l'autre je suis la ligne de mon corps. Est-ce qu'Orion le voit ? Peut-être, car il dit : « C'est ta jupe, mais c'est une statue en bois d'arbre, c'est pas toi. Parfois des choses viennent, la jupe aussi on ne savait pas qu'on la faisait en dessinant.

— Ta statue en bois d'arbre est très belle. Peut-être qu'un jour tu feras aussi des sculptures.

— C'est trop petit chez nous et puis ça salit.

— Jasmine n'a pas de place, non plus ?

— Quand sa maman est morte, elle a hérité d'un pavillon. On pourrait y faire des statues mais Jasmine veut toujours que ça ressemble et, moi, on peut seulement faire ce qu'on voit dans sa tête. »

Il caresse la statue du doigt et soupire : « Elle est grande, elle est grande celle-là.

— C'est ton imagination qui est grande... »

Il me regarde, il n'est pas convaincu. Nous faisons la dictée du jour. Après l'interruption nous lisons en alternance une histoire du *Livre de la jungle*. Il l'aime et quand elle est finie : « Puisque tu fais des écritures d'écrivain, tu devrais écrire une histoire de Mowgli. Celle-là, quand on la lisait, on pensait que c'était toi qui l'avais écrite. L'imagination est dans la tête, le démon aussi, c'est tout mêlé. »

La fin des cours sonne, c'est la fin de l'année scolaire, il rassemble ses affaires.

« Demain, on part en vacances, Madame. Ça va être long...

— Si tu m'écris je te répondrai. »

Il ouvre la porte, tend instinctivement son front vers moi pour que je l'embrasse. Je réagis :

« Tu es trop grand, pour qu'on t'embrasse, Orion. »

Je vois ses yeux ciller, se mouiller, je dis très vite : « Ne sois pas triste, Orion, je t'aime beaucoup et tu le sais. Bonnes vacances. Chaque jour je penserai à toi. »

Nous nous serrons la main, il s'en va. En me retournant je vois Douai dans la salle d'ergologie, dont la porte est ouverte, en train de tirer des textes à la photocopieuse. Il me regarde en riant :

« Dites, c'était presque une scène d'amour avec Orion ! »

J'entre dans son jeu : « Presque, si vous le voyez comme ça. Dans le cours d'un traitement ça arrive, non ?

— Bien sûr, d'ailleurs ce n'est pas à Orion que je pense, c'est à vous.

— Vous trouvez de nouveau que j'en fais trop ?

— Nous sommes tous fatigués en fin d'année, mais vous plus que les autres. Les psychotiques, c'est lourd et Orion est un cas très lourd.

— Orion va mieux, un peu mieux chaque année. Il y a quatre ans, il semblait qu'il n'y avait plus de progrès possible.

— Vous avez prouvé le contraire, mais est-ce que vous ne dépassez pas vos forces ?

— Pourquoi dites-vous cela ?

— Parce que je le pense depuis longtemps, je vous en ai souvent parlé. J'ai trouvé dans votre dossier d'engagement un volume de poèmes que vous veniez de publier. Je l'ai lu, la poésie n'est pas précisément mon domaine, j'ai trouvé votre livre difficile, mais il m'a touché. Il y a maintenant quatre ans que vous ne publiez plus. Est-ce que vous écrivez encore ?

— Peu, le dimanche seulement et pendant les vacances. Les poèmes viennent quand ils veulent, cela ne se commande pas.

— Orion vous prend trop de temps et de force.

— Vous avez découvert cela, vous ! Est-ce que c'est en tant que directeur que vous dites ça ?

— En tant que directeur j'apprécie votre travail et votre ténacité. C'est en tant qu'ami que je pense à l'écrivain qui est peut-être nécessaire aux autres, peut-être aussi à Orion. »

J'ai envie de fuir, je balbutie : « Je suis en retard, il faut que je parte... »

Je reviens dans mon bureau, je rassemble mes papiers. Douai, qui a fini de tirer ses textes, entre.

« Vous n'êtes pas si pressée que cela, il n'est pas tard. Parlons un peu. »

Il prend la place d'Orion, je m'assieds aussi.

« Vous allez me dire aussi : ne vous investissez pas trop. Je voudrais bien, mais comment... ? Vous le savez, vous ?

— Non, je ne le sais pas, Véronique. Est-ce que la psychanalyste ne prend pas trop de place à l'écrivain ? Vous êtes en osmose avec Orion. Son imagination a peut-être besoin de la vôtre pour se déployer. Je ne peux vous en dire plus, mais de cela je suis sûr. »

Douai me souhaite de bonnes vacances, il se lève et s'en va. Moi, je regagne ma banlieue.

Dans le train je ne puis ouvrir mon livre, je pense aux vacances d'Orion et à l'échange silencieux qui sous-tend nos paroles. Au transfert, au contre-transfert qui demeurent si mystérieux derrière les mots qui les cachent.

À la gare, surprise, Vasco m'attend, alors que je me préparais à revenir péniblement à pied. Je me sens perdue, à cause de l'incertitude, peut-être du chaos, à travers lequel j'avance – oui, j'avance – sans rien comprendre. Vasco le voit tout de suite, il me prend le bras pour me conduire à la voiture.

« Tu es troublée, alors que tes vacances commencent enfin ! Qu'est-ce qui s'est passé avec Orion ?

— Rien, il est parti. Il a fait un dessin... Un dessin inachevé... Avec une statue immense. Une femme qui fait face à la mer et qui porte mes vêtements. Une de mes longues jupes et mon chemisier. Et qui a la tête de

Paule, une fille de l'hôpital de jour, de l'île Paradis numéro 2. J'ai été bouleversée, puis le directeur m'a parlé.

— Parce qu'elle a une tête de jeune fille, tu crois que sa statue n'est plus toi. Tu penses que la jeune fille que tu as été n'existe plus ? » Et après un moment : « Tu veux conduire ? »

Oui, je veux conduire, je ne veux pas retourner à la maison. Je roule vite, beaucoup trop vite. Vasco sent que je ne respecte pas le rythme de ce moteur qu'il a soigneusement réglé, mais il ne dit rien. Je vais vers Saint-Germain-en-Laye et dans la forêt j'enfile en dérapant dangereusement un sentier interdit. Vasco ne dit rien, le sentier nous mène près de la terrasse que nous aimons tous les deux. Nous trouvons un banc que nous connaissons bien. De son bras, sans mot dire, Vasco entoure mes épaules, je commence à aller mieux, j'ai besoin de lui parler.

« Ton premier cadeau a été un briquet, un briquet de marin que j'avais toujours dans la main sans m'en apercevoir au temps où je ne savais pas encore que je t'aimais. C'est ce briquet qui a peu à peu réveillé, réchauffé mon âme effrayée. Je l'ai toujours sur moi. Regarde ! »

Vasco se lève, il m'entraîne vers la balustrade qui domine la vallée et je deviens heureuse, sans raison, comme durant nos années sauvages et nos périples en Afrique. En dessous de nous la Seine, la vallée où bientôt vont s'allumer les lumières des milliers, des millions d'existences que nous ne connaîtrons jamais. Le silence de Vasco est proche, à l'écoute du mien, il demande : « Veux-tu rentrer ? »

Oui, je veux revenir, nous avons faim, nous sommes las et je veux le nourrir, prendre soin de lui qui, malgré sa fatigue, est venu me chercher à la gare pour nous ouvrir ces moments de bonheur. Il prend le volant, il roule bien moins rapidement que moi tout à l'heure et pourtant nous allons plus vite. Je sens un vif mouvement d'amour pour ce grand corps à côté du mien et, glissant mes bras sous les siens qui conduisent, je l'embrasse, je l'étreins avec force. Il ne dit mot, ses yeux fixés attentivement sur la route encombrée. Je pense : c'est un professionnel, mais je sais que son attention intérieure est tournée vers la mienne et que nos corps de pensée s'unissent.

À la porte de la maison je le délivre et toute légère je me lance dans l'escalier pour nous préparer à dîner pendant qu'il cherche une place pour se garer.

Quand nous avons mangé et fait la vaisselle il demande : « Montre-moi le dessin d'Orion. »

Je le sors du carton, le fixe sur une large feuille blanche et suis frappée par la rusticité de son style. Emporté par ce qu'il a vu, Orion n'a fortement dessiné que son arbre-statue, le reste est ébauché à la hâte.

Vasco regarde longuement la géante de la mer, il la parcourt du doigt, il y revient. Il est plus impressionné par cette œuvre inachevée que par les autres dessins d'Orion.

« Ce garçon a sûrement des mains de sculpteur, cette femme-océan est presque une sculpture.

— C'est son désir. Cela pourrait être horrible pour moi d'être le désir de ce garçon. Ce n'est pas ça. Son désir est une statue géante qui me ressemble, à moi et à Paule. Une statue forte, puissante, armée de son énorme tronc pour empêcher le démon de sortir rugissant de la mer.

— Orion te voit, te veut en dur, Véronique, moi aussi. Le dur, c'est l'art, c'est la musique. Lui le montre.

— Et toi ?

— Pas encore. J'ai peur de voir la musique sortir de moi délirante et couverte d'écume.

— Pour faire, il faut défaire, Vasco.

— Je défais, Véronique, trop lentement. Je vais encore de défaite en défaite. Tandis qu'Orion, le handicapé, dessine, sculpte, face à la mer, son espérance en dur. »

Nous passons un samedi heureux, nous allons courir sur l'île, nous nous reposons. Vasco compose, j'écris quelques lettres en retard, je pense à Orion à Sous-le-Bois. Plus de démon de Paris là-bas, son pouvoir s'arrête à Orléans. Il n'y a plus que les démons beaucoup moins forts de la campagne.

Durant la nuit je fais un rêve important. Il y a un très grand arbre, à demi foudroyé, on le croit mort et pourtant je vois de minuscules feuilles apparaître sur ses branches. C'est l'arbre d'Homère. Il chante l'hymne phallique. Un immense, un dangereux tumulte s'élève, c'est le galop blanc des chevaux psychotiques.

Je m'éveille, je suis heureuse, un peu tremblante. Vasco dort paisiblement à côté de moi. Je me rassure, je note mon rêve sur le petit carnet que j'ai toujours à ma portée. Je me rendors, je sens que je suis de plus en plus heureuse et m'éveille en pleurant.

Vasco est levé, il a préparé le petit-déjeuner, il est content du sommeil prolongé dans lequel il m'a vue plongée. Il part à nouveau courir sur l'île, il est infatigable, moi pas et je descends écrire dans le jardin. J'écris le texte de mon rêve, je m'apprête à noter mes associations. Une certitude m'arrête : ce n'est pas ce que désire le rêve. Il veut que je continue à l'écouter. Un mot surgit : le visionnaire. Le rêve ne doit pas être analysé, il doit être donné au visionnaire. Quel visionnaire ? Pas un seul, deux, les deux aveugles qui ont peur de leur chant. Le galop blanc des chevaux psychotiques c'est le chant d'Orion, l'arbre d'Homère qu'on croyait mort et qui renaît c'est le chant de Vasco.

Je pleure doucement, comme à la fin de mon sommeil, de bonheur peut-être. Je sens en moi la faible trace d'un tout petit enfant que je vois avec surprise, avec amour, bien trop d'amour. Est-ce moi qui, en naissant, ai fait mourir ma mère ? Est-ce mon enfant mort en moi avant de naître ?

Je dérive, je dérive, on a bien le droit de se laisser dériver. L'accident. C'est moi qui conduisais la moto. C'est mon mari, qui m'a crié : « Accélère ! Remonte ! » L'enfant que je n'aurai plus, comme je n'ai plus eu de mère. La répétition des actes. Il faut d'abord que je m'aime pour aimer, pour soigner les autres. Pour vivre mon attente devant la porte qui n'ouvre pas, comme dit Vasco.

Vasco revient, je lui raconte mon rêve. Il est touché, il est ému : « L'arbre foudroyé, l'arbre d'Homère, qui chante l'hymne phallique, cela fait plus que me parler, ça me transporte. C'est comme la grande statue d'Orion, celle qu'il faut que je fasse un jour, tout en musique. C'est étrange, l'accès aux femmes semble barré pour Orion. Mais pas dans l'imaginaire. Face à l'océan et au démon préhistorique il plante son dard. Dans ta statue, dans celle de Paule. Ça te blesse ?

— Non, Vasco. Je soigne Orion, comme tous mes patients, avec mon écoute, ma voix, mes yeux, tout mon corps. Comment faire autrement ? Je ne peux pas me cacher comme tant le font derrière la science.

— Dans ton rêve, j'ai entendu quelque chose d'essentiel pour la musique, qui vient d'Orion et que, comme lui, je vivais sans le savoir.

— Le galop blanc des chevaux psychotiques ?

— Les touches blanches et noires du piano, les notes qui doivent devenir brûlantes pour ne pas être fracassées. Les partitions qui prennent feu. La musique qui s'enfonce, s'enfonce pour pouvoir s'envoler.

— Ce sera long, Vasco, très long, très dur pour toi et pour Orion. Allons préparer le déjeuner et ensuite sortez de mon esprit. J'ai besoin d'être seule, d'être vide, d'être rien pour écrire, pour écouter ce qui parle en moi sans paroles. »

LA MUSIQUE DE VASCO

Cet été-là, nous passons une partie de nos vacances en Bretagne chez Aurélia et David qui nous invitent souvent. Ils sont médecins et psychanalystes tous deux, brillants et plus expérimentés que moi. J'ai fait mon analyse didactique avec David et quand je le rencontre – en civil, comme dit Vasco – je ne puis oublier la pyramide de silence et d'hiéroglyphes enflammés dont il était revêtu pour moi, durant les années où il m'a aidée à proférer ma parole encore à demi paralysée.

Aurélia est femme, mère, analyste, presque toujours sereine et fréquemment rieuse. Elle est passionnée de musique et admire Vasco.

Il y a souvent beaucoup d'amis chez eux, des analystes, des artistes. Au déjeuner, s'il ne pleut pas, on mange dehors à l'heure qu'on veut. Le soir, c'est un vrai repas, les femmes sont en longues robes de toile qui donnent à la tablée style et couleur. Les hommes sont en pulls. Nous sommes parfois nombreux, ça discute ferme, avec aménité et talent. Cela m'intimide, je n'ose guère intervenir.

Le matin, j'accompagne Aurélia au marché. Quand je suis seule avec elle j'ose lui poser des questions. Je finis souvent par lui parler des problèmes d'Orion.

Un jour, comme nous revenons, elle me dit : « Pourquoi m'interroges-tu toujours sur le cas de ce garçon ? Il est si difficile ?

— C'est mon cas le plus grave et je le vois seize heures par semaine.

— C'est énorme ! Tu le supportes comment ?

— Comme je peux. Je suis sa psy, sa prof, je dois faire face à ses crises. Souvent j'angoisse, je pense que j'en fais trop ou trop peu.

— Je n'ai eu affaire aux psychotiques que comme interne à l'hôpital, c'est loin. Notre amie Luce, une infirmière, vient demain, elle va prendre sa retraite bientôt, elle a une grande expérience. Parle avec elle, elle pourra t'aider mieux que moi.

— J'ai peur que le cas d'Orion ne pèse sur Vasco. »

Aurélia réagit : « Pourquoi ? Surtout ne le mêle pas à cela.

— Difficile, c'est Vasco qui se mêle. Orion le fascine.

— Il faut un mur. Chacun son travail.

— Tu sais, Vasco saute les murs. »

Elle rit : « Pas toujours pour son bien.

— Vasco a vu un dessin inachevé d'Orion : un arbre-statue, une femme géante, qui fait face à l'océan. Il m'a dit : Je n'ai encore rien fait en musique qui ait le pouvoir de cette statue qui n'existe pas.

— Lui, qui a tant de talent...

— Le talent n'intéresse pas Vasco.

— S'il vise le génie...

— La musique est en lui. Il ne peut pas encore lui livrer passage. Alors il attend et il souffre.

— Il attend quoi ?

— Il n'y a pas de mot. La grâce peut-être ?

— Ma grâce te suffit, comme saint Paul. Bon, vous n'êtes pas sortis de l'auberge. Et cette grâce, Orion l'atteint ?

— Parfois, peut-être. Souvent je crois avoir rêvé mais il y a dans ses dessins, ses paroles des traces obscures.

— C'est toi qui les vois ou Vasco ?

— Nous deux. Parfois je pense que j'exagère mais Vasco pense que non.

— Ils délirent à deux, et parfois, quand tu te laisses aller, vous délirez à trois. Pourquoi pas, la psychose est si obscure. Tu en auras lourd sur les bretelles avec ces deux-là, tu crois que cela en vaut la peine ? Vasco seul ne te suffit pas ?

— On ne sait pas. »

Cette réponse jaillit de moi. Je me trouble, je balbutie : « Voilà que je te réponds avec les mots d'Orion. »

Nous arrivons à la maison, nous déchargeons les achats en silence. Je range tout dans le réfrigérateur et à la cave. Aurélia est allée garer la voiture. Je ne l'entends pas entrer dans la cuisine, soudain je me retourne, elle me regarde faire, depuis un moment sans doute. Elle capte mon regard et hausse les épaules avec un peu de colère. Puis elle me prend dans ses bras en soupirant : « On ne sait pas... vraiment ? »

Journée calme hier, je travaille à mon poème, le premier depuis longtemps. Peut-être vais-je arriver à mettre en mots le don du rêve. À la fin de l'après-midi Aurélia m'appelle : « David vient de me téléphoner, il a invité ici une de ses anciennes patientes, Gamma, elle arrive demain. Lui doit retarder un peu son retour. Je ne la connais pas, David me dit que c'est une de tes amies.

— C'est ma grande amie, tu vas l'aimer c'est une merveilleuse musicienne.

— Je l'aime déjà comme violoniste. Si jeune et un tel talent !

— Gamma ici, quelle joie ! Il y a plus d'un an qu'on ne s'est vues.

— Un an ? Pourquoi ?

— Gamma est venue me consulter pour un traitement. J'ai vu tout de suite que ce n'était pas un cas pour moi. Je l'ai envoyée à David. Nous nous sommes beaucoup rencontrées pendant ce temps, David trouvait cela bien pour elle. Tu sais, je l'aime beaucoup, elle... elle est amoureuse de moi. À la fin de son analyse, David a suggéré une séparation d'un certain temps. Quand David va jusqu'à suggérer quelque chose... tu connais ! »

Elle rit : « Je connais. »

En bottes et en jeans, j'arrose la partie du jardin déjà dans l'ombre. J'ai le temps et David est content que je le fasse. J'aime arroser les hortensias d'un bleu profond qui sont au pied de la maison, les jeunes arbres et les fleurs que David a choisis et plantés avec tant de soin. Par ce beau temps le jardin est vite altéré et mon tuyau à la main j'arrose allègrement.

Gamma arrive en voiture comme un tourbillon, me serre dans ses bras et éclate de rire : « Présente-moi. » Aurélia la reçoit avec sa grâce habituelle et la fait entrer : « Je ne vous connais pas encore et pourtant je vous connais et je vous aime par la musique. David sera très heureux de vous revoir. Un retard imprévu. Il sera là demain. »

J'aide Gamma à monter ses affaires dans sa chambre. Dès que nous sommes là, elle s'écrie : « C'est décidé, tout va changer ! J'abandonne le violon pour le chant. Ma mère est désespérée, mais mon maître dit que je suis prête. »

Je suis stupéfaite : « Tu abandonnes le violon ? Avec un tel talent... »

Je me reprends : « C'est vrai que ta voix est si belle...

— Tu me comprends, j'en étais sûre. J'en ai marre qu'on parle de mon talent. À quatorze ans je jouais déjà aussi bien que maintenant. Je ne veux pas promener à travers le monde mon violon, ma virtuosité et mes dilatations cardiaques comme mon cher papa. Ni comme ma mère respecter toute ma vie : Les notes. Rien que les notes ! Je veux vivre, chanter, changer de voie, tenter ce que je ne sais pas encore faire. Comme toi !

— Comme moi...

— Comme toi... tu es biologiste, tu passes à la psy pour t'occuper d'enfants, tu écris, tu deviens amoureuse de Vasco, tu es chercheuse en Afrique, tu deviens psy pour adolescents psychotiques en attendant la suite. Tu es une vraie ligne droite, tout en courbes et en zigzags. C'est pour ça que je t'aime. »

Je suis stupéfaite, je suis comme ça, oui et je ne le savais pas encore.

« C'est pour ça, que je t'aime aussi Gamma.

— Autrement hélas, autrement... Tant pis pour toi ! »

Et nous éclatons de rire toutes les deux.

Vasco arrive le lendemain avec Luce et son mari. Luce, l'infirmière psychiatrique dont Aurélia m'a parlé, m'est tout de suite sympathique. J'apprends à Vasco que Gamma veut se lancer dans le chant, il n'en revient pas : « Une violoniste comme elle, devenir chanteuse débutante parmi tant d'autres !

— Ne te laisse pas aller à une opinion toute faite, Vasco. Gamma a une voix admirable. Ce qu'elle veut c'est un retournement de toute sa vie. Ne plus savoir...

— Comme toi avec Orion... »

Il y a un silence, nous pensons chacun de notre côté. Je me jette à l'eau pour aller vers lui.

« Oui comme moi avec Orion, comme toi quand tu écoutes un moteur pour sentir ce qu'il peut, ce qu'il veut. Comme nous pensons, Gamma et moi, que tu feras un jour avec la musique. »

Vasco est touché, troublé. Je ne veux pas prolonger. Je l'aide à défaire sa valise, à ranger ses instruments, ses musiques, sa raquette. Je lui fais couler un bain. « Détends-toi, tu as le temps. Je descends à la cuisine aider Aurélia pour le dîner. »

Nous sommes nombreux à table. Il fait chaud, Vasco a mis une chemise rouge, il est beau, David, en noir avec son regard oriental, son sourire ironique, sa pipe éternelle, l'est aussi. Gamma rayonne comme toujours. J'ai mis une petite robe de toile, celle que Vasco, absurdement, appelle ma robe fauvette ce qui, sans raison, me donne confiance. Vasco parle peu, mais quand il le fait tout le monde l'écoute. Comme on parle surtout musique je suis plus assurée que d'habitude. Aurélia annonce qu'après le repas Gamma et Vasco vont donner un bref concert. Je ne le savais pas, je suis contente. Le repas fini, je m'occupe de la vaisselle, Vasco vient m'aider. Je lui demande ce qu'il va jouer. « Un morceau pour flûte que j'ai écrit cet hiver, tu le connais. Je l'ai un peu changé. »

C'est Vasco qui commence avec son morceau pour flûte, il joue très bien et cependant avec une sorte d'indifférence. Il n'était pas comme ça quand il conduisait en course. Sa mère, qui l'a initié aux rallyes, me l'a souvent dit. Sa musique est parfaite mais est-ce vraiment la sienne ? C'est beau et pourtant nos corps ne sont pas émus.

Est-ce que Gamma sent cela comme moi ? Elle écoute Vasco très attentivement et parfois glisse vers moi un regard déçu. Déçue, au fond de moi, je le suis aussi.

Quand il termine, Vasco est très applaudi, je remarque que Gamma, qui a pris son violon en main, n'applaudit pas. Moi j'applaudis l'homme que j'aime.

C'est le tour de Gamma, elle attire à elle le pupitre et la musique de Vasco et annonce : « Je vais tenter d'adapter au pied levé la musique de Vasco au violon. Je ferai des fausses notes, qu'il les excuse et vous aussi. Je me risque... »

Vasco, aussi surpris que moi, demeure impassible.

Gamma commence, c'est le même morceau, ce n'est pas la même musique, ce sont les mêmes notes mais chargées d'une autre intensité. Gamma ne s'adresse pas au goût, à l'intelligence, à notre culture musicale. Elle parle à nos corps, un langage plus chaud, plus brûlant, au bord de la souffrance. Je suis à côté d'elle, je vois qu'elle saute des notes, des accords, qu'elle crée des béances, des discordances qui font vivre plus fort la musique. Ce n'est plus la beauté qui est cherchée, ni trouvée, plus l'harmonie, c'est autre chose. Qui n'est pas atteint, qui ne peut pas l'être dans le bonheur mais qui existe par la musique dans la présence et l'au-delà du malheur. Je vois que Vasco souffre et qu'il exulte en écoutant Gamma. Elle rate quelques notes parfois et nous sommes blessés par l'instant rocailleux, nécessaire à celui qui vient nous transpercer ensuite. Elle termine par une cascade de fausses notes, qui lui permettent, au milieu de nos applaudissements, d'abandonner son violon, de saisir les mains de Vasco en chantant de sa voix merveilleuse : « Pardon, pardon pour mes fausses notes. »

Le lendemain le temps est très beau. Quand je reviens dans notre chambre, Vasco relit mon poème : « Ce poème c'est comme si tu l'avais écrit pour moi, l'arbre d'Homère, l'hymne phallique, le galop blanc des chevaux psychotiques, les aveugles qui ont peur de leur chant, c'est ma musique. Ma musique future... Enfin, je vais m'en inspirer pour le concert de ce soir.

— Tu accompagnes Gamma comment ?

— Au saxo. »

Je descends à la cuisine avec Luce préparer le repas habituel. Pendant qu'elle ouvre les parasols car le soleil est fort, je prépare les œufs brouillés, les autres reviennent de la plage, de Douarnenez, du tennis.

À la fin du déjeuner Gamma annonce : « Après le dîner ce soir, concert. Au fond du jardin pour ne pas réveiller les enfants. Vasco jouera du saxo et moi... je ne jouerai pas du violon, c'est tout ce que je peux vous dire. » Elle s'incline avec sa grâce habituelle.

Je trouve au courrier une lettre d'Orion. Une carte postale avec château, qu'il m'envoie sous enveloppe comme je le lui ai recommandé. Il écrit :

Chère Madame,

On a été à ce château cette semaine. Hier on a été pêcher dans la rivière. On a pris deux truites, papa aussi. On a fauché le pré autour de la maison, on aime ça faucher et aussi faire des œuvres. On part à la mer chez tonton Gustave pour se baigner comme toi dans les rouleaux de l'océan pendant quatre jours. On a achevé le dessin de la grande statue devant la mer. On aimerait que tu viennes un jour chez mémé avec ta bagnole. Les parents vont bien. On te salue Madame et Monsieur Vasco on lui serre la main, en serrant, comme tu apprends. Maman a corrigé les fautes.

ORION

Le soir Aurélia nous conseille de prendre des pulls et des écharpes. Le temps est beau, mais la nuit tombe et il fera frais. David a installé une grosse lampe, des bancs et des sièges au fond du jardin. Vasco a apporté son pupitre et il y place sa partition. Avec prestesse Gamma saisit la partition, la passe à David et renverse du pied le pupitre. Elle annonce avant que Vasco ne puisse réagir : « *L'Arbre d'Homère*, musique de Vasco sur des fragments d'un poème de Véronique. » Et elle commence à chanter. Après un moment d'hésitation, Vasco embouche son saxo et joue. Est-ce qu'il l'accompagne ou la précède, je ne sais car tout de suite je suis bouleversée par ce que j'entends. Ce que j'attendais, ce que j'espérais depuis si longtemps, ce que chante la voix de Gamma, c'est la musique de Vasco, qui suscite en nous un temps d'allégresse et de délivrance.

Face à l'océan, Vasco élève avec des sons, avec la voix de Gamma la grande femme qu'a dessinée Orion. Orion, le handicapé, qui marche, qui avance, cruellement égaré dans les labyrinthes d'« on ne sait pas ».

Est-ce que Vasco est délivré, est-ce qu'il a libéré sa musique ? Est-ce qu'il ne se laissera plus couper d'elle par sa redoutable habileté, par les ordres impérieux du savoir ? Sous la voix de Gamma, j'entends celle de Vasco qui crie dans son saxo : Non, je n'abandonnerai plus l'arbre d'Homère. Oui, promet la voix insurgée de Gamma, les aveugles, les navrés, les psychotiques peuvent chanter et partager avec tous leur amour.

Homère chante à deux voix, celle de Vasco engendre le dieu des combats et de la dure nécessité. Celle de Gamma espère et aime : l'arbre qu'on croyait mort, il est vivant, peut-être...

Les mots, que le poème avait assemblés avec tant de peine et de travail, sont là. Disloqués, tordus, désunis mes mots sont là, et l'œuvre dévastée, la forêt de l'amour abattue deviennent sublimes dans la musique. Les résistances, le trésor enseveli, le génie sauvage de Vasco apparaissent.

Rien n'est résolu encore car, sur la pente écumeuse de lui-même, l'esprit de dérision s'empare à nouveau de Vasco. Il abandonne son instrument, sa voix de bronze saisit, en les dénaturant, des mots de l'*Hymne à l'amour* que j'aime tant.

J'ai reçu le don de la musique
Celle des hommes et celle des anges
Mais l'amour me manque
Je ne suis qu'un métal qui résonne
Une cymbale retentissante.

Gamma ne connaît pas l'*Hymne à l'amour* mais elle perçoit la défaillance, la dérision de Vasco. La superbe vague de sa voix l'affronte et engloutit celle de Vasco. Il allait abandonner son instrument, le jeter peut-être, il est emporté par l'énergie de Gamma. Il embouche son saxo et produit, à travers nos corps, les sons immenses, désespérés, célestiels de sa vraie musique.

Je pleure, à côté de moi Aurélia pleure aussi. Je vois des larmes sur le visage de Gamma, elle chante, elle continue à chanter, sa voix fait s'apaiser peu à peu la musique de Vasco et nous ramène avec lui sur la terre.

Je perds pied ensuite, puis Vasco et Gamma sont là. Ils m'entourent en retournant à la maison. Je n'ai rien fait, rien que pleurer sans comprendre et c'est moi qui suis épuisée. Peu importe, ils sont près de moi, c'est mon poème écartelé qu'ils ont chanté, c'est par lui qu'ils se sont trouvés.

Après cela nous dansons. Sur des disques d'abord, puis Vasco joue, alternant flûte et saxo en sourdine. En jouant il se tourne souvent vers moi et quand je danse il me dédie un passage que nous aimons, un son, une pensée. Et moi, est-ce que je ne suis pas dédiée à lui tout entière ? Je pense, non plus tout entière. Il y a Orion, la détresse d'Orion à laquelle je suis aussi dédiée pour longtemps. Vasco le sait, je vois dans son regard qu'il le comprend. Peut-être même qu'il le veut.

Nous nous sommes couchés très tard. À la fin de la matinée, Vasco remonte dans notre chambre avec une tasse de thé. C'est ce dont j'avais envie. Il me prévient que Gamma doit partir. Elle m'attend en bas, resplendissante, sa voiture chargée devant la porte. Elle m'embrasse gaiement : « Faisons un tour ensemble. » Elle m'entraîne dans le petit jardin clos de David, nous nous asseyons sur le banc où souvent je viens écrire.

« Pourquoi pars-tu, Gamma ?

— À cause de toi, à cause de Vasco. Hier il a montré à tous le grand musicien qu'il est.

— Grâce à toi.

— Grâce à ton poème, grâce à nous deux. Je peux l'aider à se réaliser, à se faire connaître comme compositeur mais ce sera dangereux pour toi. Si je parviens à le faire percer, tu ne le perdras pas, car il t'aime vraiment, mais tu perdras sa présence, votre vie quotidienne. Il sera entraîné dans un tourbillon de concerts, de fans prêtes à se jeter à son cou. Méfie-toi, moi aussi je suis dangereuse, je mène ma vie vers le danger, comme il faisait avant toi, comme il devra le faire à nouveau.

— Si tu peux l'aider à se réaliser, fais-le, Gamma. C'est ce que j'espère.

— Cette nuit est inoubliable pour moi, Véronique. Ton poème que nous avons amputé, malaxé et qui est resté ton poème. De ses débris a jailli la musique de Vasco comme une tour, comme une montagne qui me forçait à chanter autrement. Ta douce beauté d'automne sous ta blondeur en larmes. Tes pouvoirs que tu ignores. Je dois quitter tout ça pour un temps, à cause de toi, mais surtout à cause de Vasco. »

« Pourquoi à cause de Vasco ?

— Parce que maintenant que nous avons vu, entendu qui il est, nous ne pouvons pas, à nous deux, entre bonnes femmes, décider de son avenir, de son destin. C'est lui qui doit faire le premier mouvement et prendre ses décisions lui-même. »

Je ressens un vif sentiment de reconnaissance, je serre Gamma dans mes bras. « Tu as raison. Je suis heureuse que tu penses cela, j'aurais dû le penser moi-même, mais j'ai trop désiré qu'il devienne ce qu'il a été cette nuit. Tu as raison, il faut le laisser faire. »

Nous sommes tous attristés par le départ de Gamma. Dans notre chambre, Vasco essaie de travailler, mais il est trop fatigué et nerveux pour cela. Je ferme les volets : « Reposons-nous, dormons, nous sommes épuisés tous les deux, les autres aussi après cette nuit. »

Il se laisse convaincre, se couche près de moi, met sa main dans la mienne et brusquement s'endort. Sa main, parfois impérieuse ou tendue, est tout abandonnée.

C'est une grande douceur de la sentir toute confiée à ce commun sommeil où nous glissons ensemble.

Je rêve qu'il y a dans le lieu inconnu deux peintres. Je ne vois pas le premier, j'ai seulement entendu sa voix. L'autre est une femme âgée, aux cheveux blancs, habillée à l'orientale. Elle répond : J'admire votre habileté, votre technique, votre audace. Toute ma vie j'ai tenté d'acquérir cette maîtrise. J'ai commencé tard, je ne l'ai pas trouvée. J'ai trouvé autre chose.

Cet autre chose est sur mes lèvres. C'est son ignorante, sa merveilleuse promesse qui m'éveille.

À marée basse, je vais à la plage avec Luce. Nous marchons les pieds dans l'eau, c'est agréable. « C'est bon pour la santé, dit Luce qui ajoute : Je suis entrée à l'hôpital à seize ans comme fille de salle, puis aide-soignante, enfin je suis devenue infirmière. En quarante ans j'en ai vu défiler des gens, des cas, des problèmes, des malades et des docteurs. Avec toi, dès que je t'ai vue, je me suis dit : Avec elle, pas besoin d'être sur ses gardes, on va se comprendre.

— J'ai senti cela aussi. Tout de suite j'ai eu confiance. »

Elle prend mon bras, nous marchons vers le port au loin. Le soleil, voilé parfois de petits nuages, tombe obliquement sur nous. La plage commence à se vider, des planches à voile sinuent dans l'eau, certaines viennent s'échouer sur le rivage. Vasco voudrait en faire, je le sais, mais se dit qu'il n'a pas le temps. Orion, lui, n'oserait même pas le désirer.

Luce me dit : « Parle-moi, si tu veux de ce garçon qui te préoccupe tant, m'a dit Aurélia. Tu sais, des psychotiques j'en ai beaucoup vu, beaucoup soigné. Je ne peux pas dire que je les connais, car personne ne les connaît vraiment, mais j'ai beaucoup travaillé avec eux, je sais que c'est dur et cela te fera du bien d'en parler. »

Nous marchons dans l'eau, le regard fixé sur les falaises basses, les champs. Un grand navire se détache sur l'horizon, les planches à voile et les voiliers ont presque tous disparu. Je raconte à Luce ce qu'a été jusqu'ici mon aventure avec Orion. Parfois je sens qu'elle est émue par des souvenirs ou l'évocation de mes doutes, de mes détresses, alors je prends son bras. Parfois c'est moi, qui suis émue en lui parlant de mon arrivée dans le milieu troublé et peu accueillant de l'hôpital de jour, de ma crainte du chômage, si je ne réussissais pas dans mon travail avec Orion. Le jour décline, Luce est la plus âgée, elle a connu les mêmes doutes que moi, les mêmes problèmes – peut-être insolubles – et est parvenue à les vivre.

Aujourd'hui c'est sur la plage de Sainte-Anne que j'accompagne Luce. Je lui parle du conseil qu'on me donne à propos d'Orion : Ne vous concernez pas trop. Je voudrais bien ne pas tant me concerner, je n'y parviens pas, Orion occupe mes pensées, ma vie, plus que mes autres patients.

« Tu t'en occupes beaucoup chaque semaine.

— Ce n'est pas seulement cela, j'investis sur un futur peut-être imaginaire. Je pense qu'il est un artiste.

— Ton traitement est basé sur cela.

— Le directeur croit, comme moi, qu'il est un artiste, d'autres aussi, mais est-ce que je puis avec ses handicaps le charger du poids d'un destin si lourd ?

— D'être artiste ?

— Cette pensée pèse sur lui. Il n'en demande pas tant.

— Si tu le penses, c'est que tu le penses. »

Cette réflexion me désarçonne : Oui, c'est ce que je pense, ce que je continuerai à penser malgré mes doutes. Mais je défends mes doutes : « Et si je me trompe, Luce ? Si je trouble la vie d'Orion, celle de Vasco et la mienne ?

— Tu crois que je n'ai pas troublé ma vie et celle de mon mari avec tout ce que j'ai vécu dans les hôpitaux ? Parfois je revenais épuisée, en pleurant. Et quand il y avait des grands patrons, des glorieux, qui prescrivaient des traitements risqués. Après, ce n'étaient pas eux qui ramassaient les morceaux. J'en ai vu des chefs de clinique, des internes brillants, des jeunes qui venaient me dire comme toi : J'investis trop, je me concerne trop. Tu n'es pas la seule. Ceux qui disent cela, ce sont les meilleurs, les vrais médecins. Écoute, avec les gros poissons, ceux des eaux profondes, comme ton Orion, ceux qui ne se concernent pas refilent le cas à un plus jeune ou à nous les infirmières. Et ces malheureux-là passent de main en main, jusqu'à ce qu'il y ait quelqu'un qui s'investisse et n'abandonne pas. Laisse-les te dire : ne vous concernez pas trop. Qu'est-ce que c'est trop ? Je peux te dire, après tant d'années d'hôpital, avec les psychotiques, si on n'en fait pas trop, on n'en fait peut-être pas assez. Pose-toi franchement la question : Est-ce que tu pourrais abandonner, te faire décharger d'Orion ? C'est possible après l'avoir eu en charge quatre ans. »

J'entends sa question, avec tout mon corps qui frémit sous le poids que je porte et qui ne peut que s'alourdir encore. La réponse est claire : « Non, non, je ne veux pas être déchargée d'Orion.

— Je m'en doutais, tu penses ! C'est écrit sur ton visage. »

Nous marchons encore un peu, les pieds dans l'eau, le temps fraîchit, nous sommes fatiguées. Nous rentrons. Sur ma table je trouve une carte d'Orion que David a déposée là.

Chère Madame,

On est retourné encore à la mer, on a dû nager. Avec le pied droit on voulait suivre le cousin Hugo mais le pied gauche ne voulait pas lâcher le fond. On a bu la pas trop grosse tasse et le pied gauche a dû nager aussi pour suivre le cousin. Il a dit après : Mais tu sais nager. Il y a des rayons qui disent que non. Moi, on ne sait pas. On revient à la maison dans huit jours. On est triste et on est content, on dirait. On te remercie de ta carte. Les parents te saluent. Leur fils Orion aussi.

Je monte dans notre chambre. Vasco n'est pas encore revenu. Je m'assieds devant la table où est étalée la partition qu'il avait préparée pour le concert. Ses feuilles me font penser aux dictées d'angoisse d'Orion. J'ai un peu froid, je songe à l'heureuse chaleur de l'île Paradis numéro 2. Soudain, la longue promenade, l'air frais du soir, la fatigue et l'émotion de la veille me submergent, je m'endors les bras sur la table, le visage sur les feuilles éparpillées.

LA PETITE FILLE SAUVAGE

Rentrée ce matin pour l'équipe soignante à l'hôpital de jour, les élèves ne viendront que demain. Dans la cour je rencontre Mme Beaumont. Elle semble avoir oublié ses griefs contre moi et le coup de poing d'Orion. Nous nous embrassons, elle me dit quand nous sommes dans l'ascenseur : « Orion est difficile, je sais, mais vous semblez avoir trouvé sa voie en l'orientant vers la peinture. » Je suis moins sûre qu'elle d'avoir trouvé la voie d'Orion. Quand j'entre dans la salle des professeurs, Robert Douai m'annonce : « Orion s'est trompé de jour, il est venu ce matin, je n'ai pas voulu le renvoyer, je l'ai installé dans votre bureau. Allez le voir un moment. »

Orion m'entend arriver, il se lève, il sourit d'un air vague et content. Je suis heureuse et souris aussi.

« Tu t'es trompé de jour, Orion ?

— On ne s'est pas tant trompé en se trompant, Madame. On voulait t'apporter tout de suite une œuvre qu'on a peinte pour toi. »

Il ouvre son carton, met le dessin sur la table et immédiatement je me retrouve dans la chaleur et l'atmosphère de l'île Paradis numéro 2. Dans une clairière, parsemée de fleurs, un petit zèbre écoute, en levant la tête, des notes qui descendent d'une source cachée dans un arbre au feuillage touffu. Au bord de la clairière il y a une hutte de rondins, la porte ouverte laisse voir deux couches de foin et de fleurs blanches.

Orion : « Il y a deux lits, un pour le zèbre, l'autre pour la petite fille sauvage.

— Il y a maintenant une petite fille sauvage sur l'île ?

— Il y en a une, elle fait de la musique sans bruit, comme toi. Seul le zèbre peut l'entendre.

— Et tes vacances à Sous-le-Bois ?

— On croyait que le démon de Paris avait perdu ma trace, mais un jour, au petit-déjeuner, la cousine Jeanne a pris ma chaise et ma place. Ça, le démon de Paris ne l'a pas supporté, on a dû faire le taureau. On frappait la chaise d'un coup de tête sans cornes. On renversait la chaise et Jeanne pleurait très fort. On la ramassait quand tonton Gustave est arrivé très dans la grande colère. Il avait envie de donner des coups, mais il a vu que ça ferait du bagarrement.

— Il a vu que tu peux te défendre.

— Souvent on ne sait pas tant bien et quand on sait on a trop de forces. Si on avait bagarrifié avec tonton Gustave, après on aurait pleuré. C'est un tonton qu'on aime bien et la cousine Jeanne qui pleurait, aussi.

— Tu aimes aussi les zèbres ?

— On ne sait pas. Les zèbres on ne les connaît qu'en dessin. Le zèbre, il est blanc et noir, comme toi, Madame. » Et il s'en va.

La journée se passe en réunions qui m'absorbent et au cours desquelles résonne sourdement en moi la phrase d'Orion : « Le zèbre, il est blanc et noir, comme toi, Madame. » Je sens que ces mots me révèlent ce que je suis et une vérité encore cachée sur ce qui nous lie, obscurément, Orion et moi.

Dans le train qui me ramène chez nous, je pense au Tao chinois, cette forme parfaite où le noir et le blanc sont à la fois unis et séparés dans le cercle par la douceur d'une courbe lente. Dans le noir, le germe du blanc et, dans le blanc, celui du noir. Est-ce que c'est cela que nous tentons de nous apporter l'un à l'autre ? Pour Orion le blanc est la couleur de la lumière, celle de la feuille blanche sur laquelle il pourra dessiner, c'est le moyen de sa marche en avant. Le noir c'est le trait qui lui fait découvrir ce qui est en attente dans sa tête, c'est aussi la couleur du démon. En le poussant en avant, en l'engageant à se risquer, je suis aussi pour lui du côté du démon. Je suis aussi une sorte de démon de Paris qui bouscule ses habitudes, ses conforts apeurés, ses résistances.

Il fait voir dans ce dessin ce qui existe entre nous, qu'il n'aurait pas pu dire et que je n'avais pas compris.

Le soir, je montre à Vasco le dessin d'Orion : « Dans la tête d'Orion tu es celle qui écoute et entend la musique silencieuse de la petite fille sauvage.

— C'est ta musique, Vasco, celle de la petite fille sauvage que tu caches. »

Je déteste son rire cruel : « Et si tu t'illusionnais, Véronique, sur moi et sur ma musique ? »

Je parviens à lui répondre sans céder, sans m'attrister : « Ce n'est pas ce que je pense, Vasco, tu le sais. »

Tout est lent, tout est long et restera de même, je le sens. Vasco semble avoir oublié la naissance de sa musique en Bretagne. Il ne propose rien à Gamma, qui attend, j'en suis sûre, une initiative de sa part. Comme elle me l'a dit, c'est à lui de décider.

Le travail avec Orion a repris dans une routine qui m'atterre. Il a su nager dans la mer mais à la piscine il refuse à nouveau de se risquer où il n'a pas pied.

Je croyais en avoir fini avec les dictées, mais chaque jour, à nouveau, il en réclame. Nous reprenons donc le cours des dictées tandis que s'élève entre nous, avec une sorte de jubilation funèbre, la voix d'une Mère Terrible qui répète : « Que de fautes. Que de fautes ! »

Nous avançons, reculons, piétinons sur le terrain miné de l'art et de la psychanalyse. Le soir je retrouve Vasco, qui revient las ou victorieux du combat avec ses moteurs. Les jours où il n'est pas trop fatigué il se met au piano et écrit des notes, encore des notes comme avant. Avant quoi ?

J'ai obtenu de Douai et des parents d'Orion qu'il puisse venir chez nous le samedi. Le matin nous allons courir sur l'île des Impressionnistes avec Vasco. Orion passe le reste de la journée à dessiner, s'il est trop nerveux, nous nous promenons ensemble.

Ce samedi-là, Vasco n'est pas là, et je propose à Orion d'aller courir à deux. Sans y penser je pars en tête et pendant un moment Orion me suit. Il veut me dépasser mais le sentier est étroit au bord de l'eau et j'accélère. Je m'étonne de l'entendre gronder, il s'arrête, ramasse un bâton, accélère pour me rattraper mais je ne me laisse pas dépasser, sa colère m'amuse, elle me fait peut-être plaisir. Il y a un passage plus large, je ralentis, je le laisse passer. Il me menace de son bâton en me dépassant. Peu après, il s'arrête et, en se retournant, me crie : « Si tu me dépasses encore, on te jettera dans la Seine avec tes cheveux blonds de démon. » Je suis surprise de l'intensité de sa colère. « C'est un jeu, Orion, je ne te dépasserai plus. Si tu veux me jeter dans la Seine, tu peux, je sais nager. »

Il est en face de moi, ses yeux clignent, il se met à sauter, puis soudain jette son bâton dans l'eau et part à toute allure sur le sentier. Je le suis de loin, il s'arrête, se courbe, il a un point de côté. Je le rejoins, je l'emmène au grand platane qui est un peu plus loin. C'est un très vieil arbre, au tronc impressionnant qui étend loin au-dessus de nous son admirable ramure.

« Mets tes mains sur le tronc comme je fais avec Vasco, ses ondes vont te calmer.

— On ne peut pas sentir les ondes des arbres.

— Celui-ci est si grand, si fort que tu vas les sentir. »

Nous plaçons nos mains sur l'énorme tronc, je sens les ondes monter en moi. Heureuse, je tourne la tête vers Orion. Un sourire apparaît sur ses lèvres, il les sent aussi. La matière le calme, parle à travers ses mains. Il y a une présence tangible, sensible qui agit dans son corps et apaise son esprit. Nous restons là longtemps, je vois qu'il ressent les ondes plus vivement que moi, je suis heureuse de son sourire. Il rappelle doucement : « Madame, ça va être l'heure du train. » Il est calme, détendu, il a beaucoup transpiré, il faut que je pense à lui acheter une eau de toilette. Il dit : « Madame, le naturel, c'est plus fort que le surnaturel, n'est-ce pas ? » Je ne suis pas celle qui sait, je réponds : « On ne sait pas, Orion. » Et nous rions tous les deux.

Je propose aujourd'hui à Orion de faire un grand arbre à l'encre de Chine. « Si c'est bien, on l'exposera. M. Douai voudrait que tu commences à exposer tes œuvres. » L'idée lui plaît, il fait un brouillon sur une grande feuille, soudain il se lève en renversant sa chaise. Il a fait une tache. Je regarde : « Ce n'est rien Orion, cette tache ressemble à une blessure comme il y en a sur les vrais troncs d'arbres.

— On a peur de la blessure, Madame, le démon est caché dedans. On voudrait faire une dictée d'angoisse.

— Vas-y !

DICTÉE D'ANGOISSE NUMÉRO CINQ

Le matin, c'était plutôt bien quand on a pris le chocolat avec maman. Le démon s'était caché derrière la commode et on ne sentait pas son odeur. Le bus est arrivé à l'heure, on a pris le RER pour Chatou.

À la place habituelle où attend Madame, elle n'était pas là. Il y avait un autocar, on a fait un peu le rhinocéros contre lui..., sans faire de bosses. Madame est arrivée, elle est venue sauver le car. On est encore fâché de ce retard qu'il n'y avait pas... Nous allons courir sur l'île jusqu'au platane. On met les mains sur le tronc pour les ondes, elles deviennent fortes et on rit, Madame aussi. C'était comme si on jouait à quatre mains au piano, comme on voit à la télé. On court encore pour revenir, on a très chaud. Dans sa maison Madame dit que c'est mieux de prendre une douche. On a peur car chez nous on a la baignoire. Elle donne un peignoir et un bonnet tout fin pour les cheveux... C'est pas Jasmine qui aurait fait ça !

On a un peu peur sous la douche, puis on pense qu'on a déjà été sous la douche dans le bleu sur l'île d'avant l'île Paradis numéro 2, on devient triste et on pleure. Madame tape à la porte, elle dit d'arrêter et de mettre le peignoir.

Pendant qu'elle prend sa douche on s'habille et on met du parfum d'homme... On est toujours comme si on avait perdu son pays et pourtant la France est là. Ce qui n'est plus là, c'est le bleu de l'île qu'on ne doit pas dire, celle qui n'est pas dans l'océan Atlantique tropical et qui n'est pas seulement dans la tête.

Madame me console en mettant la *Sixième Symphonie* qu'on peut siffler tout entière, mais le disque c'est mieux. Elle est contente..., elle est triste... aussi parce que Monsieur Vasco va partir faire sa musique à Londres avec Gamma... On a mangé du saumon avec du fromage et des légumes. Moi, on a eu aussi un morceau de tarte et un jus d'orange.

On commence à dessiner le grand arbre pour exposer. L'ouragan des rayons vient dans la plume, on a fait un cariboucharabia d'encre sur le dessin. Le démon me tient mais on renverse sa chaise sans la casser. Il y a un tonnerre de bruits et de rayonneries, on a envie de faire une explosion d'encre sur le mur... Madame vient, elle dit, c'est bien cette tache, c'est une vraie blessure d'arbre. On n'avait jamais pensé que les arbres ont des blessures, comme on a les hommes à cause... à cause de quoi ?

Alors on a envie de faire une dictée d'angoisse avant de refaire un arbre comme moi, un arbre avec une blessure, un arbre comme le platane qui donne des ondes. Et Madame elle écrit vite, comme on dicte et elle n'est plus triste à cause de Monsieur Vasco en Angleterre. Et moi, on ne pleure plus à cause du bleu de l'île qu'on ne doit pas dire.

On n'a pas fini, Madame, c'est fini seulement quand on dit : fin de dictée d'angoisse.

Maintenant on n'est plus dans un pays bleu. On est dans un pays noir et blanc. Comme le zèbre. Qu'est-ce que ça veut dire ?... Tu es une psycho-prof-un-peu-docteur. Pourquoi est-ce que tu ne le sais pas non plus ? Ceux qui font les mauvais coups, ils disent qu'on aime travailler avec toi à cause de tes cheveux blonds... Pas seulement pour ça, il y a aussi le zèbre, avec lui on court nous les deux et on dessine dans le noir et le blanc... Pourquoi ? Fin de dictée d'angoisse. »

Il dessine ensuite au crayon, puis à l'encre le tracé du grand arbre. Penché sur sa feuille ou tournant autour d'elle avec une concentration, une ténacité admirables. L'arbre s'élève du blanc avec un tronc irrésistible et la majesté esquissée d'une vaste couronne.

Je lui apporte son jus d'orange et une barre de chocolat. Il ne me voit pas. Je l'entends gronder, avec un demi-rire : « Ah, il tient celui-là. Il peut courir le démon, il tient fort cet arbre, pas comme moi. »

Il avale son verre et met le chocolat dans sa poche sans s'en apercevoir. Il est tout entier dans son dessin ou dans son arbre. Pourtant à cinq heures, après avoir rangé sa plume et ses crayons, il se dresse : « Madame, c'est l'heure pour le train. On laisse le dessin sur la table ou est-ce qu'il y a un carton ?

— Il y a un nouveau carton à dessin. »

Il est content, il le caresse un peu de la main et y range le dessin avec précaution. J'ai droit à un long regard reconnaissant, puis il fait descendre sur lui la pauvre carapace avec laquelle il voudrait se protéger pour se rendre invisible aux autres, je retrouve le garçon tendu, apeuré, furtif qu'il est aussi. Dans la voiture, il demande : « Monsieur Vasco et sa musique, il va partir pour toujours ou est-ce qu'il va revenir ?

— Il va revenir. »

Je rentre seule, comme hier, avant-hier et demain. J'ouvre le carton à dessin. L'arbre d'Orion n'est encore qu'ébauché et c'est déjà un arbre maître. Ce n'est pas un arbre qu'il a regardé et copié. C'est un arbre intérieur qu'il a découvert, qu'il a contemplé, là où il était, en lui-même. Dans son être meurtri, blessé, ligoté, il y a donc ce maître à demi enseveli, ce voyant de la vie aveugle... Non, je ne perds pas mon temps avec lui. Je suis utile. La vie n'est pas toujours boiteuse. Vasco a enfin pris une décision. Il a été voir Gamma. Elle lui a proposé de participer avec elle à trois concerts en Angleterre. En qualité d'accompagnateur, mais dans chaque concert il y aura un ou deux morceaux de lui. Voilà trois jours qu'il est parti.

Pendant que s'ébauche le grand arbre, il y a l'histoire de l'île Paradis numéro 2, qui continue. Chaque semaine, je prescris dans son carnet de devoirs un dessin. Il y a une grotte ornée d'animaux préhistoriques et d'ossements où apparaît la petite fille sauvage à demi vêtue d'une peau de bête et les cheveux très longs en désordre.

Elle apparaît ensuite sur la grande femme en bois d'arbre qui fait face à la mer. Cette femme qui me ressemble avec une tête de jeune fille. Elle est couverte maintenant de plantes et de lianes, dans sa chevelure de fleurs tropicales la petite fille sauvage se dresse, inaccessible.

« Tu les as habillées de couleurs.

— Parfois la petite fille chante avec la mer, on l'entend. Est-ce qu'elle chante seulement dans ma tête, ou est-ce qu'elle chante vraiment ?... »

Vasco revient de Londres, les concerts ont eu un grand succès. « À cause de Gamma », dit-il. Il n'a pas vraiment confiance dans les engagements futurs. « Il vaut mieux que je retourne à l'usine. Les moteurs finalement c'est plus vrai que la musique. Là au moins je sais ce que je fais... »

Je sens qu'il cherche à me blesser, je ne réponds pas.

Nous allons courir avec Orion sur l'île. À mi-course, Vasco nous lâche et continue seul. Orion le regarde longuement courir : « Comment est-ce que Monsieur Vasco court si vite et si longtemps ?

— Il s'entraîne presque chaque jour, si tu courais aussi souvent que lui tu pourrais courir plus longtemps.

— On ne peut pas, Madame, si on court seul, le démon de Paris me suit tout bas, tout bas et, quand on n'y pense plus, il saute sur mon dos et alors ça pèse lourd dans la tête. C'est la petite fille sauvage qui court toute seule, si vite que le démon ne peut pas sauter dans ce qu'elle pense.

— Sur l'île Paradis numéro 2, tu peux courir comme elle.

— On est sur l'île Paradis numéro 2 seulement quand on dessine. On ne peut pas courir dans le vrai, comme Monsieur Vasco. Sur l'île d'avant on était deux, on jouait, on courait dans les corridors. On ne doit pas parler du perdu. »

Vasco nous rejoint. À la maison Orion lui dit : « On voudrait que Madame apprenne la guitare à l'hôpital de jour avec moi. »

Vasco rit : « Pourquoi pas la flûte ?

— Madame et moi on préfère la guitare. À l'hôpital de jour il n'y a qu'un professeur de guitare. » Vasco prend l'air étonné : « Tu veux vraiment apprendre la guitare, Véronique ? »

Orion me regarde avec l'air navré et les grands yeux innocents qu'il a parfois. Je dis : « Si Monsieur Pablo est d'accord, je voudrais apprendre la guitare avec Orion. »

Orion sourit : « Le plus beau, c'est la harpe éolienne, Monsieur. On a entendu à la radio un de tes concerts avec Gamma, Monsieur. Toi, tu pourrais faire la harpe éolienne dans le vrai. Moi, on peut seulement la faire en dessin. Dans le vrai, on peut seulement faire de la guitare avec Madame. »

Nous mangeons en silence. À la fin du repas, quand Orion est retourné travailler dans notre chambre, Vasco, très troublé, me dit : « Ce garçon nous a entendus, Gamma et moi, à la radio. Il croit que nous pouvons faire une musique de harpe éolienne. C'est absurde, mais cela me bouleverse. »

Il y a de la détresse dans sa voix. Je dis : « Orion a entendu juste, il a raison et tu le sais. »

Vasco se fâche : « De nouveau les rêves, les sommets, les gouffres, les naufrages, l'immense patrie des illusions. Notre pauvre existence, notre art éphémère à la cime des montagnes et le vent qui fait là-dedans sa musique géante. C'est trop, Véronique, cette conception épique, héroïque de la vie et de la musique, c'est trop pour moi. Vive les moteurs, leur précision, leur force maîtrisée par le calcul et l'expérience. Ta conception de la musique, de l'art, ce n'est plus la vie, c'est de l'épopée. Finie l'épopée. »

Une colère inconnue monte en moi, je sens qu'il faut que je la vive. Je ne peux plus être celle qui est toujours bien élevée, je lève stupidement mon bras, je l'abats lourdement sur la table, je fais tomber la cafetière. Je crois que je vais crier, mais sans doute à cause d'Orion qui travaille à côté je ne crie pas. C'est avec une voix presque blanche, horriblement tendue, que je dis : « Vasco, est-ce que tu ne comprendras jamais, est-ce que tu ne sauras jamais qui tu es ? La musique c'est toi. Toi ! C'est ta vie que tu fuis. Tu n'en as pas d'autre, tu crois avoir le choix, tu ne l'as pas, le choix est fait. Tu feras la musique des profondeurs, celle qu'on ne commande pas, qu'on ne maîtrise pas, ou rien. Il n'y a pas là d'héroïsme, ni d'épopée. C'est ainsi, c'est tout. »

Nous sommes émus tous les deux, ma colère disparaît et je ne veux pas pleurer devant lui. Heureusement Vasco va à une répétition, il me serre très fort dans ses bras, il va dire au revoir à Orion, je les entends parler un moment.

L'arbre a grandi, il s'élève. Je reconduis Orion à la gare. Je fais quelques courses, je prépare la valise de Vasco qui part demain pour de nouveaux concerts. Le dîner prêt, je mets la table, Vasco revient, je vois qu'il est encore troublé mais il me sourit. Il me tend une partition : « Tiens, c'est en refroidi... à peu près ce que nous avons joué et chanté à Londres, ta *Mélopée viking*. »

Je vois tout de suite que c'est beaucoup plus ouvert et déchaîné que ce qu'il avait écrit autrefois sur ce poème. Cela laisse beaucoup de liberté au chant, à l'invention. C'est une piste, pas plus, mais une piste sur laquelle on peut courir, bondir, s'élancer, peut-être. Le dernier vers soudain me perce le cœur : « Les chevaux de la mer n'auront plus de poulains. » Ils n'auront plus de poulain, moi non plus, je n'aurai plus d'enfant et le mien est perdu. Est-ce que je pensais à cela quand j'ai écrit ce vers ? Je ne sais plus mais cette blessure ne cesse pas d'être présente. Les chevaux de la mer, leur galop est-ce celui des trois cents chevaux blancs d'Orion qui, eux aussi, n'auront plus de poulains ? Vasco me regarde, il voit ma détresse. Je fais un effort pour la surmonter et horriblement j'éclate de rire. Il ne dit rien, il prend ma main dans la sienne, la caresse. Je dis : « Je ris parce que ceci n'est pas seulement beau. C'est toi... toi qui poses tes questions terribles.

— C'est ton poème qui le fait. »

Je ne réponds pas, je vais chercher le plat que j'ai préparé, nous mangeons, je retrouve peu à peu mon calme. Je n'ai plus faim, il vide le plat, je suis contente, il dit : « Ce qui m'a décidé à jouer avec Gamma ce sont les deux dessins d'Orion, la grande femme de la mer et la harpe éolienne. Il m'a dit quand je suis passé lui dire au revoir : On pense que tu peux faire la même musique que la harpe éolienne, pas seulement dans ta tête comme moi, mais dans le vrai.

J'ai senti alors que je devais affronter les autres, me livrer au vent et aux incendies du public pour faire naître ma musique. Je n'en suis pas encore là, j'ai pu en Bretagne et en Angleterre avec Gamma. Là j'étais dans cette vérité qu'Orion connaît parfois, et qui me fait si peur car elle est tellement proche du délire. »

Je le prends dans mes bras, je ne peux, après l'émotion de cette journée, lui parler autrement. « Couchons-nous vite. Je dois te conduire à la gare très tôt demain. Je m'occuperai de tout. » Il m'embrasse, je le repousse doucement, il se couche, je mets la table pour le petit-déjeuner en pensant confusément : ils vont prendre le tunnel sous la Manche, nous allons d'abord passer le tunnel de la nuit. Une nuit tendre, les deux corps très proches, et les rêves librement séparés qui vont, qui errent dans l'immense inconnu, jusqu'à l'affreux réveil annonçant l'heure de la séparation.

Chaque semaine, et c'est un apport nouveau, j'apprends la guitare avec Pablo et Orion. Dès la première leçon j'ai vu que si j'ai l'avantage de pouvoir lire une partition Orion apprend plus vite. Il a même, ce qui m'a un peu vexée, l'oreille plus fine et plus sensible que moi. Il est heureux pendant ces leçons, même s'il grince parfois des dents quand il fait une fausse note ou se trompe. Mes fautes par contre le font sourire avec douceur, comme s'il était le grand frère qui sait que sa petite sœur ne peut aller plus vite. Pablo a compris qu'il ne faut pas nous faire de remarques et seulement, en cas d'erreur, reprendre lui-même le passage jusqu'au moment où nous pouvons l'exécuter correctement.

Un samedi, nous allons courir sur l'île des Impressionnistes, plus loin que d'habitude. Nous parvenons à une petite place que nous connaissons bien. On y voit les poteaux d'un slalom pour motards, comme j'en ai tant parcouru au temps où j'apprenais à conduire une moto. Le dessin compliqué des poteaux amuse Orion.

« C'est un labyrinthe. Je suis un des chevaux blancs du Minotaure. »

Il s'engage dans le parcours, en levant très haut ses genoux, comme un cheval de cirque. Un homme en moto arrive, il arrête son moteur et gueule : « Qu'est-ce que vous foutez là ? Sortez du parcours. Allez faire vos singeries ailleurs. »

Terrorisé Orion s'arrête et, comme l'autre s'avance vers lui, il recule. L'homme continue à avancer en criant : « Foutez le camp ! »

Mon sang ne fait qu'un tour. « Foutez le camp ! De quel droit ? Si vous touchez à ce garçon ou si vous l'insultez encore, je porterai plainte. »

Surpris de me voir surgir en face de lui, le gros homme s'arrête. « C'est mon slalom.

— Pas du tout, cette place est à tout le monde, on vous la prête seulement pour l'apprentissage des motards, mais il n'y a personne.

— Mon élève va arriver.

— Rien ne vous autorise à crier comme vous faites. Quand votre motard sera là, on lui cédera la place. En attendant, nous allons nous promener dans votre parcours sans renverser vos poteaux. »

L'homme grommelle : « Bon, bon... »

Au moment où nous terminons le parcours, le candidat motard arrive. Je dis en passant à l'instructeur : « C'est un beau slalom, bien dessiné, j'en ai fait beaucoup moi aussi quand j'apprenais à conduire. »

Il se déride, nous tend la main : « Sans rancune, au revoir. »

L'après-midi Orion termine son grand arbre. Je le place sur le chevalet et nous le regardons longtemps. Je suis frappée par la force et l'ampleur de l'œuvre : « Tu peux avoir confiance en toi, Orion, puisque tu es capable de faire un dessin comme ça. »

Il me regarde, la bouche un peu tremblante : « On ne peut pas avoir confiance, Madame, car on n'est pas capable, comme tu dis. On est toujours malade, comme on pense dans la famille, et comme le crient les pas-copains.

— C'est un bel arbre, tu peux en être fier.

— On est fier, Madame, mais on ne l'a pas vraiment fait. Ça s'est fait dans la tête, mais dans la tête on ne fait pas ce qu'on veut, souvent il y a du démon et des rayons et des chevaux oragés en tempête. Et puis, Madame, tu viens regarder, tu dis que c'est bien. Alors on devient plus capable. Mais on ne l'est pas dans le vrai... Pas encore. On est toujours petit, trop petit. »

Je comprends soudain le mystère du grand arbre, c'est la vision du monde d'un enfant petit, encore petit, qui vit perdu, éperdu au milieu d'adultes, de géants qui disposent de forces et de puissants désirs qu'il ne comprend pas.

Orion me regarde comme s'il me demandait une aide, une protection maternelle. Je murmure en moi-même : Je ne suis pas ta mère. C'est trop, je ne peux pas.

Orion regarde dans le vague, le vague où je suis et semble me dire que je peux, que je peux très bien, le temps nécessaire, tant que je pourrai tenir le coup. Quelque chose crie en moi : J'ai déjà un enfant, un enfant mort et j'ai Vasco sur les bras. Je ne peux pas ! J'oublie le lieu, le temps et je plonge tout entière dans ma propre déréliction. La voix d'Orion me ramène soudain où nous sommes : « Tu as oublié le goûter, Madame. »

C'est vrai, j'ai oublié le goûter. Je l'apporte, il mange les biscuits sans m'en laisser un seul.

« Ce dessin, tu devrais le signer, Orion, et mettre la date.

— L'écriture est pas belle, Madame, ça va abîmer. »

Il essaie de signer au crayon sur une feuille, il y a un étrange contraste entre le caractère enfantin de son écriture et la précision du dessin. Après plusieurs essais, il arrive à une signature acceptable, mais le *n* final est toujours trop grand, il veut que je le trace. Je le fais et il repasse le tout très proprement à l'encre.

Je lui demande de me laisser le dessin pour le montrer au médecin-chef et au directeur. Il ne discute pas, il a peur de rater son train. En sortant de la voiture il dit : « On pense que tu es la maman des dessins. » Déjà il va vers le quai, tirebouchonné comme d'habitude, pressé, furtif, pour tenter d'éviter le choc de l'univers encombré.

Le lendemain je montre l'arbre au docteur Lisors et à Douai. Ils sont impressionnés. Douai me dit qu'il peut le faire exposer à une exposition collective à la mairie du 13e arrondissement. Ils font venir Orion à une réunion de synthèse pour qu'il montre son dessin. Il revient content.

« Tu es resté longtemps. Ils ont aimé ton dessin ?

— Ils étaient étonnés. Madame Darles m'a demandé si tu m'avais aidé. On a dit que tu avais fait le *n* de la signature. Ils ont beaucoup ri... Pourquoi, Madame ? »

Au vernissage de l'exposition à la mairie, il y a du monde et presque tous ceux qui travaillent à l'hôpital de jour sont venus. *Le Grand Arbre* est dans une petite salle, entouré de quelques dessins de l'île Paradis numéro 2. Le maire est venu dans la salle et a félicité Orion qui, pour la première fois, porte une cravate et un nouveau costume. Il a voulu que je sois derrière lui « comme tu étais derrière Thésée, dans le dessin ». Beaucoup de membres de l'équipe ont été surpris par la qualité du travail d'Orion. Ils ne s'attendaient pas qu'il puisse, avec ses handicaps, parvenir jusque-là. Très entouré, Orion sourit d'un air vague et quand il ne sait que dire il se tourne vers moi.

Les parents d'Orion sont là, impressionnés par le monde présent et le succès de leur fils. Je fais la connaissance de Jasmine, une grande fille trop maquillée mais qui au naturel doit être jolie. Je la prenais à tort pour une adversaire, elle me remercie de tout ce que je fais pour son demi-frère, qui souvent n'est pas trop facile. Elle dit : « Je pars en Angleterre pour me perfectionner en anglais, après j'ai des tuyaux pour trouver du travail chez un marchand de tableaux. Comme ça, je pourrai peut-être aider Orion plus tard. Vous êtes sûre qu'il a assez de talent ?

— Il a plus que du talent, répond Vasco.

— Le pauvre, c'est qu'il souffre de son démon qui n'existe pas.

— Il existe pour lui, dit Vasco. Vous pourrez l'aider, mademoiselle Jasmine, mais il faut apprendre à connaître la peinture. Ici, à cette exposition, les œuvres d'Orion sont les seules originales. Tout le reste c'est plus ou moins de la copie, de la mode ou de la décoration. »

Jasmine est étonnée : « Vous croyez qu'il peut devenir un professionnel ?

— Sûrement.

— C'est que les parents veulent le mettre en apprentissage. »

À ce moment j'interviens et je dis avec une certitude qui me stupéfie : « Impossible. Pour Orion c'est l'art ou l'hôpital psychiatrique. »

Jasmine se tourne vers Vasco qui manifestement l'éblouit : « Vous pensez ça aussi, vous ?

— Oui, et je crois que vous pensez de même, mademoiselle. »

À la fin de l'exposition j'ai cru qu'Orion donnerait *Le Grand Arbre* à l'hôpital de jour. L'esprit de rétention et d'économie qui l'oppresse ne le lui a pas permis. Il a donné au Centre un dessin plus petit et moins convaincant.

Pendant cette période Vasco a participé à plusieurs concerts avec succès. Orion a exposé pour la première fois. Ce n'est pas si peu. Tous deux commencent, peut-être, à pratiquer leur vrai métier.

L'INSPECTEUR

J'ai trop espéré sans doute car, après l'exposition, j'ai retrouvé mon Orion avec tous ses problèmes, un peu aggravés par l'agitation de cette semaine. L'exposition a eu cependant un résultat heureux, mon salaire a été augmenté. Vasco gagne pas mal d'argent avec ses concerts, je commence à avoir une petite clientèle personnelle. Je demande à mes patients des honoraires ridiculement bas, dit Gamma. Ils ne me paraissent pas si faibles, je débute et une clientèle ne s'acquiert pas comme ça.

Je continue les leçons de guitare avec Pablo et Orion. Nous y prenons plaisir tous les trois. Pablo est beau, ses yeux surtout sont superbes et je suis sensible aux mouvements subtils de ses mains sur les cordes. Je m'étonne des progrès d'Orion, bien plus rapides que les miens, il a déjà dans certains morceaux une aisance, presque une virtuosité surprenante. Ne serait-ce pas sa voie, à côté de la peinture, plutôt que la sculpture vers laquelle je m'efforce en vain de l'orienter ? Je m'en ouvre à Pablo qui me détrompe : « Orion apprend vite mais il n'aime pas vraiment la musique comme vous. Avec la guitare il cherche à se rassurer, à se consoler, il n'ira pas plus loin. »

Les dessins de l'île Paradis numéro 2 se succèdent. Parfois je suis déçue, parfois je suis éblouie. Orion transpose sa vie, comme il le peut, dans ces dessins.

Pendant les vacances à Sous-le-Bois il fait souvent des explorations de grottes avec le cousin Hugo. Celui-ci est devenu le principal pôle d'amitié, peut-être d'amour pour Orion. Est-ce pour cela que Bernadette et Paule disparaissent de l'île ? De cette amitié naissent plusieurs dessins de grottes. Dans l'un on voit deux garçons en train de s'embrasser sur le seuil, beaux tous les deux par la grâce du crayon. Le dessin s'appelle *Les Sensations préhistoriques*. Je ne saurai jamais ce que sont ces sensations car Orion ne me parle jamais de sa sexualité qui manifestement le tourmente beaucoup.

Un jour apparaît le portrait de Paule, c'est le premier portrait d'Orion. En jeans et chemisier bleu, le visage un peu informe, Paule n'est pas flattée. Je dis : « Paule est bien plus belle que ça. »

Orion me prend le dessin des mains, le regarde comme s'il ne l'avait jamais vu et dit : « On peut le déchirer ?

— Oui, si tu en refais un pour la semaine prochaine. »

Il le déchire alors très soigneusement en petits carrés.

Le portrait qu'il m'apporte ensuite est tout différent : ni les cheveux, ni les yeux, ni la forme du nez ne sont ceux de Paule. Pourtant sans que cela lui ressemble, c'est elle. Plus grande, embellie par son regard bleu, par les fleurs et les feuillages qui l'entourent. Derrière elle tombe ce qu'Orion appelle une chute d'eau tropicale. Le cousin Hugo, sur le seuil de la grotte, lui était accessible. Paule est interdite, c'est une copine, mais il est évident que dans sa tête elle ne sera jamais sa copine. « Elle a de très beaux yeux, Orion. »

Il éclate de rire : « C'est le bleu de l'autre île, l'île Paradis numéro qu'on ne doit pas dire.

— Un très beau bleu...

— On l'a perdu. On l'a retrouvé à l'école enfantine avec Mademoiselle Julie. On avait toujours des bons points alors et Marceline aussi. Mademoiselle Julie, elle nous donnait la main pendant les récréations quand les autres faisaient du bruit et risquaient de faire des mauvais coups. Elle savait que le démon peut lancer des rayons et faire mordre et cracher. Il y en a qui disent que le démon n'existe pas. Par moments c'est vrai, mais tout d'un coup il fait sauter et rouler des yeux comme une espèce de fou qu'on n'est pas. Ils disent : ce n'est pas le démon qui saute, c'est toi, il faut te retenir. Quand on doit faire pipi, on peut se retenir un temps mais quand il faut y aller, il faut y aller. Quand le démon veut qu'on saute, ou qu'on casse les carreaux comme on aime, il faut y aller, on ne peut plus se retenir. Mademoiselle Julie, elle comprenait ça. Pourquoi tu écris, ce n'est pas une dictée d'angoisse ?

— Ça devient comme une dictée d'angoisse, ça te soulage quand j'écris et que tu peux relire ensuite.

— Bien, Madame, alors :

DICTÉE D'ANGOISSE NUMÉRO SIX

Après l'école enfantine, on est allé à l'école primaire. On a dû dire au revoir à Mademoiselle Julie... on pleurait, on sentait que ça allait dans le pire. Mademoiselle Julie a dit : À l'école restez ensemble les deux, Marceline et toi, au même banc et à la récréation, si on vous cherche, mettez-vous dos à dos et défendez-vous. Vous pouvez !

Elle a parlé à l'instituteur chez qui on allait. Son nom c'est Monsieur Barou, mais les enfants l'appellent Monsieur Barouf. Il est un peu gentil mais à la récré il ne reste pas dans la cour... On a reçu des parents un nouveau cartable à la rentrée, Marceline aussi. Quand on sort à la récré il y a des garçons et des filles plus grands qui font des dessins et des croix dessus. Alors on ne veut plus sortir mais... mais par un mot-démon on doit. Monsieur Barou nous a mis, Marceline et moi, au premier rang. Les premières semaines on a les meilleures notes, mais aux récrés et en sortant on a peur. On se met dos à dos Marceline et moi et on se défend un peu, mais les plus grands tapent plus fort. Marceline n'a plus voulu, elle a dit : Allons avec les cartables à la porte de la salle des profs, là ils n'osent pas attaquer... Mais ils osent, ils viennent vite et tapent ou font tomber le cartable en courant. Monsieur Barou dit : Ne restez pas là, allez jouer comme les autres... Mais le mot-démon interdit de jouer, on a peur, on a seulement envie d'être en classe et d'écouter l'instit pour apprendre.

Un jour il y a Yves, un garçon plus grand qui en courant très vite a cogné ma tête contre le mur. On a eu mal et on a saigné. Il revient pour recommencer, on attrape son bras et le démon de Paris le mord. Il se roule par terre en criant, il saigne, mais moi aussi on saigne. Yves crie : Il m'a mordu, ça saigne, il est peut-être enragé. Ça saignait, c'est vrai... on était un peu content, on ne savait pas qu'on sautait, mais on sautait très haut et tout le monde le voyait, les profs sont sortis et après on ne se rappelle plus.

Les parents sont allés chez le directeur et on a reçu un avertissement. On a été jeté deux jours avec des punitions. Quand on revient, les autres font semblant de mordre comme si on était un chien... Les notes commencent à dégringoler.

L'inspecteur vient un jour, il n'a pas trop de cheveux, des lunettes un peu méchantes et des grands pieds avec des chaussures jaunes sur l'estrade.

Monsieur Barou dit que Marceline et moi on fait bien les devoirs et qu'on écoute, mais que le vocabulaire est pauvre et qu'on ne peut pas répondre aux questions.

L'inspecteur dit : Nous allons voir s'ils sont à leur place ici. Il commence à parler des choses à Marceline. On voit qu'elle connaît les réponses, mais le démon de Paris l'empêche de répondre. Marceline commence à pleurer très fort et l'inspecteur ne peut plus lui parler. Il dit : Voyons l'autre. On a envie de pleurer aussi mais le mot interdit crie qu'on ne peut pas car..., carcasse !... car on est un garçon. On comprend la première question de l'inspecteur et Monsieur Barou sait bien qu'on connaît, mais on ne parvenait pas à répondre... Monsieur Barou ne peut rien dire parce que l'inspecteur est au-dessus de sa tête.

L'inspecteur demande quelque chose mais c'est comme si on n'entendait plus. On voit seulement ses grands souliers jaunes et ses longues jambes qui commencent à écraser. L'inspecteur se tourne vers Monsieur Barou et dit : Une question encore, celle de la dernière chance.

Les yeux de Monsieur Barou disent : N'aie pas peur ! Il sait bien qu'on ne peut plus répondre, comme Marceline qui pleure toujours... L'inspecteur avec ses grosses lunettes, c'était son métier de savoir ça. Le démon bouillonnisait ma tête, les mains tremblaient, l'inspecteur dit quelque chose et il ne voit pas qu'on ne peut plus l'entendre. Avec sa grosse voix et ses souliers jaunes qui bougeaient, il me révolvérisait si tellement qu'on ne pouvait plus le supporter... On était trop petit alors pour soulever le banc et le jeter sur lui, pan, pan, dans la gueule ! On est sorti du banc, on est allé vers son estrade et on a donné des coups de pied sur ses grandes jambes grises et ses souliers jaunes qui étaient comme des maillets qui tapaient sur ma tête.

— Tu as fait ça, Orion ! Continue... Et après ?

— Oui, Madame, on l'a fait, et malgré les gros maillets jaunes de ses pieds il ne savait pas se défendre, il balançait sa tête avec pas beaucoup de cheveux. Et il reculait comme un vieux tueur qui a perdu son revolver en disant : Mais... mais... vous êtes fou.

On n'était pas fou, on aurait voulu taper plus haut que ses jambes. Peut-être on l'aurait fait tomber, mais Monsieur Barou a pris doucement ma main dans la sienne, comme tu aurais fait Madame, il a pris Marceline qui pleurait, de l'autre main et il nous a emmenés dehors. On était un peu content à ce moment d'être dans la cour où il n'y avait personne. Après on ne sait plus ce qui est arrivé, c'est comme un nuage gris que le démon de Paris et banlieue a tendu tout à travers dans la tête...

Fin de dictée d'angoisse. »

« C'est très courageux ce que tu as fait, Orion. Un petit garçon qui ose se défendre en face du Grand Inspecteur-démon. Je t'admire. »

Je sais que sa « psycho-prof » ne devrait pas dire ça. Je devrais seulement écouter. Mais comment ? J'admire vraiment son courage. Le lui cacher serait mentir. À son âge est-ce que j'aurais osé faire ça ? Oui, mais je n'ai pas eu besoin de le faire, parce que mon père était toujours à côté de moi. Mais, lui, c'est tout seul qu'il l'a fait. Je l'admire, est-ce que je n'ai plus le droit de dire ce que je pense ?

Orion reprend : « On s'est défendu, parce qu'on avait tellement si peur, Madame, c'est pas souvent qu'on peut. Presque toujours c'est le démon qui fait la violence.

— Se défendre quand on est dans son droit, c'est bien.

— C'est pas le bien qui est arrivé... après on a été jeté de l'école. On est le garçon qui a été jeté. Sans toi, Madame, on aurait été jeté aussi de l'hôpital de jour. Et quand on a donné des coups à l'inspecteur, papa et maman, ils n'ont pas pensé comme toi.

— Personne n'avait le droit de te traiter comme ça. »

Il me regarde de ses yeux naïfs, je vois qu'il me croit un peu, mais pas tout à fait. Il aurait préféré être comme les autres et ne pas devoir faire la grande action qu'il a faite alors, ni celles qu'il devra faire encore pour devenir lui-même. S'il y a un plus tard que la banalité quotidienne et le regard des autres n'éteignent pas.

Il interrompt mes pensées : « On t'a trouvée, Madame, parce que tu es un peu comme Mademoiselle Julie. Tu es aussi une sorte d'enfant bleu de l'île numéro qu'on ne doit pas dire. »

Il se lève : « C'est l'heure pour aller au gymnase, sinon on sera en retard, au revoir, Madame. »

Il me tend la main et s'en va.

Ce matin vient Roland, un garçon de treize ans, très inhibé, que je reçois depuis deux mois à la demande du docteur Lisors. Je le vois plusieurs fois par semaine, il est très atteint et ne peut venir seul. Sa mère, en général, le conduit à l'entrée des visiteurs, je l'attends là, je lui prends la main ou le bras pour le conduire à travers les corridors jusqu'à mon petit bureau. Il en connaît parfaitement le chemin mais n'oserait jamais venir seul jusqu'à ma porte.

Arrivé chez moi, il s'assied dans le coin de la pièce, l'air absent, le visage tourné vers le mur et attend. Je tente de lui parler, il ne répond pas, je lui raconte une histoire, je ne sais pas s'il écoute, si je mets devant lui une feuille et des crayons de couleur, il lève la tête et dit seulement : « Quoi ? » Je réponds : « Une maison, une montagne, un pont, un garçon. » Parfois il ne fait rien, parfois il trace en quelques traits rapides un dessin, le sujet est difficile à déchiffrer mais les couleurs sont heureusement accordées. Quand il a terminé, il biffe le tout de deux gros traits noirs en marmonnant des sons que je ne parviens pas à comprendre. Les séances sont longues pour lui, mais il ne refuse pas de venir et je crois parfois qu'il a une certaine confiance en moi, peut-être un peu de plaisir à être là.

Aujourd'hui, dès qu'il est assis, il cache son visage contre le mur pour que je ne puisse pas le voir. Je sens qu'il est impossible de lui parler. Je dispose sur la table plusieurs feuilles, des crayons et pour la première fois des couleurs, des pinceaux et un bol d'eau. Il tourne la tête, il me regarde faire, il me semble qu'il y a un soupçon d'intérêt dans son regard.

« Mets-toi plus près, Roland, ce sera plus facile. » Il se rapproche, regarde les feuilles, les couleurs, prend un pinceau et dit : « Quoi ? » avec une force inhabituelle. Je dis : « Quelqu'un... quelqu'un qui bouge. » Il essaie les couleurs sur une feuille de brouillon et soudain se décide. Avec le premier pinceau il peint en vert une sorte de gouffre au fond duquel il fait apparaître du bleu. Il hésite puis avec un autre pinceau, avec du rouge et du jaune il peint une terrible chose : une sorte d'homme ou de bonhomme, car il a une tête, deux bras et deux espèces de jambes en bas. Ce bonhomme se précipite bras en avant, dans le gouffre et à la place de son visage il n'y a rien qu'une bouche ouverte qui crie et même qui hurle. Ce bonhomme, je n'ai aucun doute, c'est lui-même. Il le regarde et prend comme d'habitude le crayon noir pour le biffer. Je saisis la feuille encore humide et lui dis : « Il ne faut pas abîmer un beau dessin comme ça !... Tu dessines mieux avec des pinceaux. »

Il y a une promesse de sourire sur son visage mais elle n'aboutit pas. Il se rencogne contre le mur en marmonnant comme d'habitude des séries de mots incompréhensibles. Je me rapproche, je prends un carnet et un crayon. Je parviens à entendre « Strasbourg ». Instinctivement, car je passe là chaque jour, je dis : « Strasbourg-Saint-Denis ? »

Pour la première fois je vois ses yeux sourire. Il continue sa série, je ne comprends plus puis soudain j'entends et j'écris : « placide ». Qu'est-ce que ça veut dire, ça s'inscrit dans quelle longue phrase puisqu'il a marmonné si longtemps ? Quel rapport entre ces mots et l'image que Roland a peinte et qui parle de façon terrifiante ? De mort, de suicide ? À treize ans !

Plus tard, je montre ce dessin à Orion. Il le regarde attentivement. « Il n'est pas trop, trop bien dessiné, mais c'est un beau dessin.

— Il fait peur. »

Il éclate de rire : « Tu as raison, Madame, ce garçon-là, il ne dirait pas que le démon de Paris n'existe pas. Il a reçu des rayons, des pires que pires et il plonge en criant pour s'enfuir n'importe où. C'est mieux de casser sa gueule en dessin que dans le vrai, c'est ce que tu dis toujours, Madame.

— C'est Roland, qui a peint ça, tu l'as déjà vu sortir d'ici. Il dit tout bas des mots que je ne peux pas comprendre. Hier il a dit Strasbourg-Saint-Denis et puis des tas de mots avec un adjectif que tu connais : placide.

— C'est pas un adjectif, Madame : c'est Saint-Placide. C'est un nom de station entre Strasbourg-Saint-Denis et Porte-d'Orléans.

— Si tu les connais, dis-moi tous les noms de stations entre ces deux-là. Peut-être que je vais reconnaître ce qu'il marmonne toujours. »

Orion connaît toutes les lignes de métro et de bus et beaucoup de stations. Il récite :

« Strasbourg-Saint-Denis, Réaumur-Sébastopol.

— Il me semble reconnaître. Continue.

— Etienne-Marcel, Les Halles, Châtelet, Cité, Saint-Michel, Odéon...

— C'est ça...

— Saint-Germain-des-Prés, Saint-Sulpice, Saint-Placide.

— C'est ce qu'il murmure.

— C'est peut-être sa ligne pour l'école. Peut-être qu'il n'aime pas l'école, comme on n'aimait pas l'école primaire et l'inspecteur. »

Roland irait à l'école... quelle école peut lui convenir ? Orion est content de m'avoir aidée :

« Le démon et ses mauvais coups dans Paris et banlieue, on dirait qu'on connaît ça mieux que toi, Madame.

— C'est vrai. Il faut que tu rencontres Roland, il est gentil mais très difficile à comprendre. »

Le soir je téléphone à la mère de Roland. Oui, il va à une école spécialisée pour les enfants en difficulté, elle n'avait pas pensé à me le dire. Elle le conduit ou le fait conduire en métro, l'école est près de Strasbourg-Saint-Denis.

« Et où prenez-vous le métro ?

— À Saint-Placide. »

Orion ne s'est donc pas trompé. Je vais voir l'école comme si je voulais y inscrire quelqu'un. Ce n'est pas du tout une école spécialisée. On y fait du rattrapage d'enfants en retard, du bachotage pour les classes finales mais aucune rééducation. Je vois un jeune surveillant. Il connaît Roland et me dit qu'il se terre et ne parle à personne. Aux examens qui ont lieu chaque semaine, il remet toujours des feuilles blanches. Il perd son temps ici.

C'est sans doute le malheur qu'il vit là que Roland a voulu me dire en murmurant son chapelet de stations, celui qu'Orion a déchiffré. Je demande à la mère de retirer son fils de cette école, nous trouvons un répétiteur pour l'aider dans ses études, en attendant de trouver une solution pour la rentrée prochaine.

Quand je tente de me souvenir des mois qui précèdent les vacances de cette année, je ne perçois qu'un brouillard, un brouillard gris de fatigue et souvent de solitude. Puis je discerne l'hôpital de jour, Orion, Roland, les patients. Les retours de Vasco et ses départs, car le succès grandit. Les répétitions, les concerts auxquels j'assiste plus rarement, car il y a toujours un lendemain qui commence tôt, avec l'hôpital de jour, les patients et le dialogue inconscient dans lequel je dois me plonger.

Vasco a acheté à Orion la grande femme qui regarde la mer avec mon corps et la tête de Paule. Il me dit : « Ce garçon a l'esprit et les mains d'un sculpteur. Il doit se risquer dans la sculpture. »

Cette réflexion me décide à prendre contact avec les Ateliers de la ville de Paris, le travail qu'on y fait semble de qualité. Aurélia me dit qu'un sculpteur italien de ses amis, Alberto, un homme très ouvert, dirige l'atelier installé au lycée Henri-IV. Je vais le voir. Il accepte de prendre Orion à l'atelier à condition que je l'accompagne. Un travail en plus, mais qui, peut-être, en vaudra la peine.

Le médecin-chef et Douai sont d'accord. Ils pensent – ou je les amène à penser – que l'an prochain la plus grande partie du temps d'Orion doit être consacrée au dessin, à la sculpture et à la guitare.

Orion refuse d'abord d'aller à l'atelier de sculpture, il a peur, il finit par accepter de le voir. Il trouve Alberto gentil, les sculpteurs qui sont là sont plus âgés que les élèves de l'hôpital de jour, il n'y aura pas de mauvais coups. Il finit par dire : « Après les vacances, on ira. »

L'aventure de l'île Paradis numéro 2 ralentit. Il apporte encore quelques beaux dessins, l'un est un panorama de l'île, un grand ballon attaché le surmonte, il n'y a personne dedans, son air innocent le fait ressembler à Orion. Il est solidement arrimé à l'île par un gros câble.

« Ton ballon a un bon cordon ombilical, Orion. »

Il rit, comme quand on touche sans méchanceté un point sensible de sa vie. Il ne répond pas.

LE PEUPLE DU DÉSASTRE

À cause d'une fête populaire de nuit, on nous accorde le lendemain un jour de congé inattendu. Je l'apprends trop tard pour prévenir Orion qui devait venir chez nous. Je téléphone à ses parents. Personne, ils sont sûrement partis à la fête. Je téléphone à Jasmine, elle est là, elle me promet de prévenir Orion qu'il a congé demain et qu'il ne doit pas venir chez moi.

Il fait beau, je pense être seule dans la maison. J'ai pris du thé, les fenêtres sont ouvertes, je me sens délicieusement libre. Le vert des feuilles, le ciel clair, le soleil pénètrent en moi et je puis leur laisser le temps de le faire.

Bientôt les vacances, bientôt le retour de Vasco, la campagne ou la mer peut-être.

J'ai du temps pour une fois, je m'installe, je veux écrire un poème en forme de chanson que je nomme déjà *La Gare forestière*, je vais tenter d'y rendre le souvenir et les sensations de mon enfance campagnarde et garçonnière avec mon cher père.

Une porte claque très fort en bas, il y a plus de vent que je ne croyais. Il y a un grand bruit dans l'escalier, mes amies doivent être en train de faire déménager la grande armoire par des déménageurs improvisés. Je ne peux faire attention à ce tumulte inattendu, je suis en train de trouver le premier vers du poème, qui apparaît, tout éclairé d'enfance.

Au moment de le noter, un énorme coup ébranle la porte en face de moi qui semble exploser en s'ouvrant. Je vois – non, je ne vois pas – un instant le démon est là. C'est lui, je le sens dans l'épouvante, j'ai devant moi l'archange du mal.

Je ne discerne rien d'abord, j'entends un torrent de mots de colère et de reproches. Enfin je vois Orion. Mais dans quel état ! Il est hors de lui, il renverse deux chaises, il ferme d'un coup de pied la porte qu'il a déjà fendue en l'ouvrant. Il est pâle, en nage, la bouche ouverte et hurlante, les cheveux dressés sur la tête. Il crie de toutes ses forces.

« On est arrivé à la gare, Madame, tu n'étais pas là... Pas là !... On a attendu, attendu, puis on a dû marcher très vite jusqu'à la grille de ta maison. Et avec le blouson et le sac on avait chaud, on brûlait comme l'enfer. »

Je suis si surprise, terrifiée encore, que je ne puis que dire : « Il fallait enlever ton blouson, c'est l'été...

— On ne pouvait pas, Madame, le démon de Paris faisait sentir déjà le malheur, on devait marcher, puis courir... avec le blouson !... Tu n'étais pas là !... Pas là !

— Mais Orion, c'est un jour de congé aujourd'hui, tu ne devais pas venir.

— Pas vrai ! Personne ne l'a dit !... Personne à la gare ! Il a fallu venir à pied pour la première fois. Et on avait peur de se perdre. »

Je pense : quel bonheur qu'il ait trouvé son chemin.

« Avec toutes ces petites routes on aurait pu se tromper. Et alors ?... Et alors, Madame... dans cette banlieue qu'on ne connaît pas ! »

Il transpire affreusement, il a soif. Je l'aide à se débarrasser de son sac et de son blouson. Je l'amène se rafraîchir au lavabo, je l'essuie un peu, je sens son corps toujours bouleversé de colère. Je lui donne un jus d'orange, il vide le verre et le jette par la fenêtre. Il baisse la tête, il va faire le taureau, est-ce qu'il va foncer sur moi ? Non, il se détourne et fonce sur le paravent qui cache un peu notre cuisine. Avec un bruit affreux une pile d'assiettes s'écroule, beaucoup se brisent en tombant et je vois qu'il s'est fait une blessure sur le front.

Mon sang-froid revient, je dis d'une voix calme et plutôt sèche :

« Tu es blessé, Orion, tu saignes. Il faut laver et désinfecter la blessure. Mettre un sparadrap. Viens à la salle de bains. »

Il me suit, il voit le sang sur son front, il a peur. Il se calme et se laisse soigner. « Maintenant on a un pansement sur le front, tout le monde le verra. Maman sera fâchée. »

Il me regarde d'un œil noir : « Et puis, qu'est-ce qu'on va faire maintenant ?

— Il est presque l'heure de manger. Je vais préparer le repas, mais je n'ai pas grand-chose.

— Et après ?

— Je te reconduis si tu veux, ou tu restes et je te ramènerai à la gare à l'heure habituelle.

— On préfère rester pour dessiner. »

Je lui donne un numéro de *Géo* pendant que je prépare le déjeuner. Je tente de me raisonner mais j'ai été horrifiée et suis encore violemment contrariée par sa présence. Pour une fois que j'étais seule toute une journée et que je pouvais écrire. Tu n'es pas si bonne que tu le crois, Véronique. Non, je ne suis pas si bonne et aujourd'hui je ne peux plus l'être...

Orion me rejoint à la cuisine. Quand je lui dis de ramasser les assiettes brisées il le fait de bonne grâce.

« Combien de cassées ?

— Cinq, Madame et une un tout petit peu.

— Jette les morceaux dans la poubelle. Si l'assurance de l'hôpital de jour ne me les rembourse pas, c'est toi qui les paieras. Et le verre. Et la porte que tu as fendue. »

Comme chaque fois qu'il est question d'argent, son esprit d'économie se ranime et le calme. Nous déjeunons, je lui fais l'œuf qui me reste et nous partageons un plat de pommes de terre. Il demande à sa manière indirecte : « Est-ce qu'il y a des tomates ?

— Non, je n'en ai pas acheté puisque tu ne devais pas venir.

— Est-ce qu'il y a du jus d'orange ?

— Tu as bu tout à l'heure ce qui restait. »

Il mange en silence et très vite. Je lui tends le plat. Il le vide.

« Tu es sûr que je n'en voulais plus ?

— On a eu trop peur pour savoir ça. »

Ma colère tombe, car j'ai eu peur moi aussi. Lui et moi, nous faisons partie du peuple accablé par la sourde terreur de ne pas comprendre le monde et ce qui s'y passe. Mais nous ne nous rendons pas. Pas encore ! Soudain m'apparaît d'une façon éclatante que c'est ce qui constitue l'essentiel de mon travail avec Orion, de mon contre-transfert heureux et malheureux envers lui : l'aider à trouver en lui-même la force de ne pas se rendre : Non, jamais ! Je pense tout cela en tumulte, cela doit apparaître sur mon visage car il me regarde de la façon dont il regarde sa feuille lorsqu'il dessine ou peint. Je vois sur son visage la même compassion que celle que j'éprouve pour lui. Il y a entre nous un instant de silence, de repos, presque de bonheur, qui vient alléger l'effort, l'espoir incertain que nous nous infligeons l'un à l'autre.

Il bat un peu l'air de ses bras : « Tu as eu peur, Madame, quand le démon a cassé la porte en entrant ?

— Très peur. Je n'avais jamais vu le démon avant ça. »

Il rit très fort, il est content : « C'est que le démon avait attendu longtemps à la gare. Il avait sauté sans personne pour l'arrêter. Il avait couru jusqu'à la maison, il avait eu le temps de s'emparer de la tête et du corps.

— Est-ce que le démon est sorti maintenant...

— On ne sait pas, Madame. »

Il y a un instant de silence, puis il demande : « Est-ce qu'il n'y a pas de chocolat ? »

J'allais oublier le chocolat et les biscuits qu'il aime tant comme dessert. À la cuisine il n'y a plus de biscuits mais il reste une barre de chocolat. En général je lui en donne plusieurs.

Il voit tout de suite que c'est la disette et divise son chocolat en plusieurs petits morceaux égaux pour le faire durer plus longtemps. « Qu'est-ce qu'on va faire cet après-midi, Madame, est-ce qu'il y a une feuille et de la gouache ?

— Il y a tout ce qu'il faut, je prépare ta planche à dessin. »

Il s'installe, hésite, puis déclare : « On voudrait faire un pavillon, on n'aime pas les appartements. On veut faire le pavillon que les parents n'ont pas. C'est ça qu'on a dans la tête. »

Il commence à faire son tracé, il a l'air bien en train, je passe dans l'autre pièce, je me mets à ma table, j'essaie de retrouver le vers que l'irruption d'Orion tout à l'heure m'a empêchée de noter, celui qui devrait m'ouvrir la porte de *La Gare forestière* et des sensations de l'enfance. Il est perdu, d'autres se présentent, je les note, une torpeur m'envahit, je vais jusqu'à la porte. Orion travaille avec une difficulté manifeste à sa gouache. Pourtant il faut que je le laisse faire car la contrariété, la fatigue de la scène du matin m'obligent à m'étendre. Je lutte, je lutte mais je ne puis m'empêcher de m'endormir d'un sommeil inquiet.

Je sens que ça remue, que ça s'agite dans la direction dangereuse. Je m'éveille à demi, j'entends Orion donner de grands coups sur sa table, il crie mais à voix encore contenue toutes les injures et malédictions qu'il connaît. Il renverse sa chaise, bientôt ce sera la table, éveille-toi, éveille-toi, Véronique, tout est en train de mal tourner. Je ne peux pas aujourd'hui, je ne veux pas faire face à cela de nouveau.

Je me lève pourtant, j'ouvre la porte, c'est la grande scène. Deux fois le même jour, et un jour de congé vraiment c'est trop ! J'ai envie de perdre patience, moi aussi, de crier comme lui. Si tu fais ça tu ne sais pas jusqu'où cela peut aller. Il faut entrer dans la pièce, comme tu le fais déjà, et dire d'une voix calme : « Qu'est-ce qui ne va pas, Orion ? Ne t'excite pas comme ça. Je peux t'aider ? »

Ses yeux roulent dans tous les sens, il a l'air complètement égaré, mais parvient à dire : « C'est le démon qui me bazarde, qui m'a saisi par les cheveux et a fait tomber la chaise. Il fait des fautes avec le pavillon, il n'aime pas les pavillons. Il veut me faire cracher et mordre, c'est sûr comme du temps de Monsieur Barouf. Et puis, et puis, Madame, on doit... on doit pisser et aujourd'hui on n'ose pas aller seul. Il le sait bien celui-là et que, quand on doit y aller, on le doit. Il veut qu'on mouille son pantalon et partout... Et voilà on pleure, comme il veut ! »

Je le prends par la main, je le conduis aux toilettes. « Vas-y, je reste devant la porte pour empêcher le démon d'entrer. »

Orion ferme la porte à clé, la retire. Je l'entends uriner pendant un temps qui me semble interminable. Bon c'est fini, il s'agite. « Tire la chasse, Orion, n'oublie pas. » Il la tire, il veut sortir, il a oublié qu'il a fermé la porte.

« Elle est fermée !... Il n'y a plus de clé !... Le démon l'a prise.

— Tu l'as mise dans ta poche.

— Il l'a volée, elle n'y est pas. On va casser la porte.

— Tu vas te faire mal, Orion, la clé est dans l'autre poche. »

Il la trouve, il l'essaie, il est si agité qu'il n'arrive pas à la faire entrer dans la serrure. De la tête il cogne contre la porte. « Arrête, Orion ! Tu vas te faire saigner de nouveau. Essaie de respirer avec moi pour te calmer. » J'aspire, j'expire avec bruit, il fait de même.

« Cela suffit, Orion, introduis la clé lentement dans la serrure. Voilà ! Tourne ! »

La porte s'ouvre, Orion est là, pantelant, essuyant ses larmes. « Tu es comme le docteur de l'île qu'on ne doit pas dire, Madame. Il disait : Respirez ! Et après : Ne respirez plus ! Il disait cela dans le noir qui fait des étincelles. C'est là que le démon m'a bouillentonné. Ne respirez plus ! Et hop, il m'a sauté dedans. Ne respirez plus, c'est ce qu'il veut, le démon de Paris et banlieue.

— Mais tu respires malgré lui, Orion, c'est ça qui est magnifique.

— Pas tellement, Madame, heureusement qu'il s'enfuit parfois en criant parce qu'il entend arriver les trois cents chevaux blancs.

— Lave-toi les mains, Orion et ferme ta braguette. Ensuite nous regarderons ta gouache, d'après ce que j'ai vu, tu l'as déjà bien avancée. »

Je remets la chambre en ordre et nous regardons son tableau. C'est sur un fond de verdure le pavillon idéal, flambant neuf dont une part de lui rêve. Il est carré, au centre d'un petit jardin. Au rez-de-chaussée, une porte, une fenêtre sur rue, un garage. Deux grandes fenêtres mansardées à l'étage. Une grille d'entrée, une boîte aux lettres, deux petits ronds de pelouse avec fleurs au milieu, un chemin de gravier les entoure et s'élargit devant la porte et le garage. C'est sur ce gravier que la gouache et le pavillon idéal d'Orion ont capoté. C'est toute la part domestiquée de lui-même, comme il dit, qui a été refusée et ravagée par sa part sauvage.

« Tu as commencé la gouache, Orion, avec des détails compliqués. Après tout ce qui s'est passé, c'est trop difficile de la terminer maintenant. Il vaut mieux que tu la finisses un autre jour. Aujourd'hui il y a en toi des monstres. Des volcans en activité. Ils te tourmentent, tous ne sont pas mauvais. Tu ferais mieux de dessiner un de ces monstres, les monstres te font moins mal quand tu les dessines.

— Ils me font mal dans la poitrine, Madame, ils me tordent, et plus bas ils cognent.

— Tu as voulu les faire sortir en cassant des assiettes, en essayant de briser la porte, mais tu n'as réussi qu'à te faire mal. Ce serait mieux de faire des œuvres avec eux. Ça ferait une série de monstres, comme tu as déjà fait une série Thésée et une série île Paradis numéro 2. »

Orion est stupéfait, puis une sorte de sourire apparaît timidement dans son regard.

« On le fait quand ?

— Tu commences tout de suite, tu as encore le temps. Je remettrai ton pavillon dans le grand carton à dessin rouge. Tu peux le reprendre là quand tu veux. Tu as des feuilles, choisis un beau papier.

— À l'encre de Chine ?

— Si tu veux. Pourquoi n'essaies-tu pas un grand dessin au crayon ? Tu en fais de si beaux en petit format. »

Il prend une feuille, essaie divers crayons, en choisit deux qu'il taille avec la précision artisanale qu'il apporte à tout ce qui touche son travail. Elle contraste singulièrement avec l'incohérence apeurée qui pirate si souvent ses actes et sa pensée. Penché en avant on dirait qu'il décrypte quelque chose qui est déjà sur sa feuille, car il trace avec autorité les contours de son dessin. Je prends une chaise et m'assieds à côté de lui, je m'ennuie un peu mais je sens qu'il a besoin de mon regard pour pouvoir continuer en paix son travail. Parfois il tourne rapidement la tête vers moi, l'air de demander : C'est bien ?

Je dis alors à voix basse : « C'est bon. Continue. »

Je vois des lignes pleines d'angles et de défenses s'élaborer. Orion plonge dans le travail comme on s'enfonce dans le sommeil. Il n'a plus besoin de moi, je descends chez nos voisines pour voir – car il ne me reste rien – si je ne trouverais pas chez elles un peu de jus d'orange et des biscuits pour le goûter d'Orion. À ma grande surprise Delphine est là en train de répéter son prochain rôle. Elle se lève, émue : « Tu es parvenue à l'apaiser, j'ai eu si peur pour toi quand il est arrivé ce matin comme un furieux et qu'il montait l'escalier en essayant d'arracher la rampe.

— Je ne me doutais de rien, j'entendais le bruit mais je croyais que vous déménagiez la grande armoire.

— Il ne t'a pas frappée ?

— Quand il a ouvert la porte à coups de pied, j'ai cru voir le démon. Enfin ça s'est un peu calmé.

— Il a tout de même cassé de la vaisselle ? J'ai pensé monter pour t'aider, puis je me suis dit que ce serait pire.

— Tu as bien fait. Tu n'aurais pas un peu de jus d'orange et des biscuits pour son goûter ?

— Bien sûr j'en ai... Quelle patience il te faut ! »

Je remonte avec le petit plateau qu'elle a préparé avec sa prestesse habituelle. Je le pose sur la table roulante à côté d'Orion. Il jette un coup d'œil rapide dessus. Voit que tout est en place comme d'habitude. Il est content.

Son travail a bien avancé. Il y a déjà sur la feuille un monstre qui se cache. Le corps n'est encore qu'un tracé mais la tête tourne vers nous de grands yeux innocents, effrayés par tout le poids, toute la cruauté que le monde fait peser sur le peuple des handicapés. Ce sont les yeux d'Orion, ceux qui me lient à lui, malgré la colère qui peut les animer ou le délire qui les chavire et les fait tourner dans tous les sens.

« Ses yeux sont très beaux, Orion, tu vois qu'il valait mieux le dessiner que le garder en toi avec tous ses malheurs. »

Il rit : « C'est un monstre pour protéger moi, Madame. Avec ses cornes il peut baïonnetter mais moi on est son copain.

— Ce sera un de tes meilleurs dessins. Achève ton goûter, il faut partir à la gare.

— Avec toi, Madame, on n'est pas tout seul, on est deux, comme avec l'enfant bleu. »

Je me tais mais il ne continue pas.

En revenant de la gare je téléphone à Jasmine.

« Vous n'avez pas prévenu Orion du jour de congé. Je ne l'attendais pas. Il est arrivé dans un état terrible.

— Il a beaucoup cassé ?

— Ça aurait pu être pire mais il a beaucoup souffert.

— Et vous, alors ?

— Moi aussi. Il fallait téléphoner, Jasmine.

— Je l'ai fait.

— Comment est-ce qu'Orion est arrivé alors ?

— Vous savez, sa mère, elle était bien contente d'être libre le lendemain de la fête. Elle aura oublié de lui parler du congé. Tout le monde n'est pas poire comme vous. »

L'ATELIER

Il m'a fallu du temps pour décider Orion à venir à l'atelier de sculpture, comme nous en étions convenus. Cet atelier a lieu dans une très vaste pièce du lycée Henri-IV. Je ne puis séparer dans mon esprit cet atelier, les nombreuses heures que j'y ai passées et les justes proportions des architectures qui l'entourent.

Alberto, qui dirige l'atelier, travaille les métaux, forgeant avec eux des ensembles abstraits et expressifs. Rien de tel ici. On travaille la terre et le plâtre. Si on veut autre chose on apporte son matériau, ce qui est rare.

Les participants, le jour où je parviens à y amener Orion, sont nombreux et d'âges divers. Alberto a dû parler de notre arrivée, de nombreux regards se lèvent sur nous. La plupart se connaissent et un léger bruit de conversation règne dans l'atelier. Déjà Orion a peur, il se serre étroitement contre moi et a envie de partir.

Heureusement Alberto est si souriant, si détendu qu'Orion se rassure un peu. Alberto nous montre où sont les outils, les matériaux, il nous explique les techniques élémentaires, nous assigne nos places et s'en va, sinuant entre les sculpteurs, regardant ce qu'ils font, donnant un conseil bref ou une appréciation et le plus souvent ne s'exprimant que par un sourire. Orion se serre de plus en plus contre moi. Il faut que je lui trouve des outils, que j'installe sa selle. Je lui propose : « Allons chercher de la terre.

— On n'ose pas, Madame.

— Reste ici, je vais t'en chercher.

— On ne peut pas rester seul, Madame, il y a des rayons. »

Comment faire ? Je sors un calepin et un crayon : « Dessine ce que tu sens, pendant ce temps je te rapporte de la terre. » Il accepte et se met immédiatement à dessiner.

Je me presse, j'ai tort, je n'ai pas la technique pour manier la terre. Heureusement Alberto vient à mon secours et m'aide à déposer les deux blocs de terre sur nos selles.

Orion me tend le calepin, il y a grossièrement dessiné la salle où nous sommes en agrandissant la porte demeurée ouverte. Alberto voit le dessin et dit : « Tu as le sens des volumes, Orion. »

Orion a peur, il n'a pas compris le mot volume, il roule des yeux. Je dis vite à Alberto : « Il ne sait pas quoi sculpter.

— Commence par une petite tête.

— On peut faire la tête du démon de Paris ? »

Alberto rit : « Si tu veux. »

Orion, sans un mot, se met immédiatement au travail. De temps en temps, il se tourne vers moi pour s'assurer de ma présence, puis regarde autour de lui. Que regarde-t-il ? Il regarde la porte. Alberto, à ma demande, a dit qu'on la laisse ouverte. Orion voit que s'il a trop peur il peut s'enfuir.

Il me demande ce que je fais. « Une petite pyramide.

— C'est pour faire un labyrinthe ?

— Peut-être. »

Je n'en suis pas là, j'ai bien de la peine à travailler ma terre et à aplanir les quatre faces. Alberto me donne quelques conseils. Il regarde le travail d'Orion. « Il est adroit, il a déjà sculpté ?

— Jamais.

— Je crois que ça ira pour lui. »

Cela veut dire sans doute que pour moi ça ne va guère, mais peu importe, apprendre à travailler avec du vide et du plein m'intéresse. Et je ne suis pas ici pour moi.

Orion est comme une bête effarouchée, dès que quelqu'un s'approche de lui, il se serre tellement contre moi que je dois m'arrêter. Finalement il s'enfonce dans son travail, je fais de même et mon bloc de terre commence à ressembler à une pyramide en ruine. La prochaine fois je la polirai, j'y ferai même une porte.

Orion est en train d'achever sa tête de démon, elle est plus haute que je ne m'y attendais, les deux trous sombres sont des yeux, plus menaçants que ceux des hommes, pas de nez ce qui d'abord accable puis retient le regard. La petite bouche est largement ouverte sur ce qui doit être un cri. Je pense à l'île Paradis numéro 2.

« Il pousse le cri de la petite fille sauvage. »

Les yeux d'Orion brillent : « C'est un cri qu'on n'entend pas, elle est encore muette. »

Alberto s'approche : « Ta tête est très bien. Tu es doué. Entoure-la d'un linge humide, tu la termineras la prochaine fois.

— On ne peut pas la terminer, Monsieur.

— Pourquoi ? »

Orion roule les yeux, agite les bras. « Elle est finie, Monsieur. »

Alberto la regarde à nouveau et dit : « C'est vrai, tu as raison. »

Il nous fait un petit signe d'adieu et s'en va. J'enveloppe tout de même les deux blocs dans des linges humides. Je les place côte à côte sur une étagère. Je demande à Orion de remettre nos outils en place, il ne peut pas, il faut que je le fasse. Il est doué, c'est sûr mais je suis en train de me coller un grand travail supplémentaire.

Nous partons, il me suit, entièrement perdu dans ce qu'il vient de vivre. Nous descendons la rue Saint-Jacques, dans le tumulte des voitures, sans qu'il souffle mot. Nous arrivons à l'arrêt où nous prendrons chacun un bus différent.

Il tourne soudain les yeux vers moi : « La petite fille sauvage crie dans la bouche du démon. Elle appelle l'enfant bleu, le démon de Paris est bazarbouillé par ce cri que nous on n'entend pas. Ses yeux s'enfoncent, il perd son nez, il se gargouille comme on l'a fait. »

Son autobus arrive le premier, il y grimpe de profil, cramponné à son sac, et se réfugie dans un coin.

Une sorte d'amitié-habitude se crée entre Orion et Roland quand ils se croisent pour se succéder dans mon petit bureau. Le traitement de Roland commence à agir, il parle un peu, il dessine volontiers. Au lieu de se protéger par son air affaissé il se protège de plus en plus souvent par un large sourire. Un matin, il est en retard, je vais le chercher deux fois à l'entrée comme d'habitude, je pense qu'il ne viendra plus et me plonge dans un travail. Soudain, sans que personne ne frappe, la porte du bureau s'ouvre violemment. C'est Roland, tout essoufflé, très effrayé, qui se met à rire dès qu'il me voit sourire : « Tu vois que tu peux arriver tout seul jusqu'à mon bureau.

— Je ne savais pas. Le retard c'est à cause du bouchon, un bouchon terrible...

— C'est ton bouchon qui a sauté. »

Il rit, il est content et fier de son exploit qu'il croyait impossible. Depuis lors il vient tout seul à mon bureau, je ne vais plus le chercher.

Le médecin-chef est frappé de cet incident : « Il y a de grandes réserves de possibilités en lui, il faut les lui faire découvrir. Voir ce qui marche. Orion et lui ont des problèmes différents, ils n'ont pas peur des mêmes choses. Il faut tenter de les rassembler dans des activités. Essayez l'atelier de sculpture. »

J'essaie, Roland accepte de venir, mais ne vient pas. Finalement je lui annonce que j'irai le chercher chez lui. Quand j'arrive, sa sœur me dit qu'il est introuvable. Je dis très haut : « Tout était convenu avec toi, Roland, je ne peux pas attendre et ne reviendrai plus te chercher. »

Je m'en vais. En remontant la rue qui mène vers le lycée je sens un regard peser sur moi. Je ne me retourne pas. Au croisement suivant j'aperçois Roland qui se faufile entre les passants. Il continue un peu derrière moi. Quand je rejoins Orion à la porte du lycée, il se glisse à côté de nous.

Orion est presque habitué à l'atelier. Il ose aller chercher seul son travail en cours et ses outils. Le reste m'incombe encore. Roland est très impressionné par le travail d'Orion, une barque viking avec voile et rames.

C'est en terre et, malgré les renforts de fil de fer, très fragile. Cette multitude de détails fait l'admiration de Roland et, comme d'habitude, le décourage. « C'est super ! Je ne pourrai jamais faire ça. Est-ce que je peux partir ?

— Non. Fais quelque chose de plus simple. »

Je l'installe, la terre ne lui parle pas, je lui apporte un petit bloc de ciment et un couteau. « Essaie de faire un animal en creusant avec le couteau. »

Cela lui plaît. « Un taureau ?

— Si tu veux, mais c'est difficile. »

Il travaille un peu, puis, après quelques minutes, va regarder ce que font les autres avec un grand sourire. S'ils lui parlent, il s'écarte vite en souriant toujours. Le traitement a diminué ses peurs bien plus que celles d'Orion qui n'ose encore s'approcher que d'Alberto.

Orion s'énerve, son mât et ses rames ne cassent plus depuis qu'il les a renforcés avec du fil de fer, mais c'est la voile qui s'affaisse. Roland commence à faire de nombreuses pattes à son taureau, je lui dis : « Quatre suffisent. » Il semble ne pas comprendre et n'arrive pas à creuser les pattes. Il se fatigue et semble sur le point d'abandonner. Soudain il se tourne vers Orion, que l'état de sa voile rend de plus en plus nerveux, et lui demande :

« Comment on fait les pattes ? »

Je crains le pire car les narines d'Orion se gonflent, son souffle se précipite mais Roland ne le voit pas. Il lui tend son bloc et son couteau avec une telle confiance qu'Orion se calme. Il prend le bloc, l'installe plus commodément sur la selle de Roland et sans un mot avec son application habituelle commence à faire naître du corps informe du taureau les pattes qu'a esquissées Roland. Il y en a sept. Va-t-il en couper et faire un vrai quadrupède ? Pas du tout, il est entré immédiatement dans le système de pensée de Roland. Lui qui est souvent d'un réalisme qui frôle le banal, accepte très bien que le taureau de Roland puisse avoir sept pattes monumentales et une seule corne dans le cou car c'est la seule aspérité qu'il a laissée subsister pour cela. Roland est aux anges, Orion précise encore certains angles. C'est un taureau cubique sans arrondi, très petit, la tête baissée. Fortement rassemblé sur ses sept pieds il a l'air prêt à charger.

Orion le soulève pour le regarder de tous les côtés, le pose sur le dos et dit à Roland en montrant le ventre : « Là, tu fais sa bite.

— Où je veux ?

— En sculpture on peut faire tout comme on veut. »

Il retourne à son drakkar. Roland taille un peu le ventre. Il est émerveillé du résultat. Il voudrait le peindre en rouge. Il va falloir que j'apporte des couleurs, je le ferai car le goût juste et naturel de Roland pour les couleurs contraste avec le caractère irréaliste de ses travaux.

Orion se débat avec sa voile et s'énerve. Je lui demande : « Est-ce qu'il faut une voile ? Les Vikings n'en mettaient pas toujours. »

Son bateau a une belle ligne, altière et sauvage, la voile, les rames altèrent cette superbe forme. Orion, à nouveau, abîme ce qu'il fait par une profusion de détails. Alberto, qui s'approche, confirme : « Ton bateau serait mieux sans voiles et moins fragile. »

Tous les symptômes d'une crise apparaissent chez Orion, mais il n'ose pas la manifester devant Alberto. Celui-ci ajoute : « Le comptable demande que vous passiez chez lui avec Orion et Roland.

— J'ai donné les chèques pour eux et pour moi.

— Vous devez tous les trois signer dans son registre, sinon j'aurai des ennuis. Vous connaissez l'administration. »

Je connais, il faut y aller mais ce n'est vraiment pas le bon jour, car déjà Orion gronde : « On ne veut pas, on va rater le bus.

— Il est plus tôt que d'habitude, tu as le temps. »

Il est très mal, il saute un peu. Heureusement Roland dit : « On y va avec toi, Madame. » Nous sortons de l'atelier, nous passons devant le majestueux escalier du lycée, je sens une douleur dans le dos. Ne pas me retourner brusquement, tourner d'abord la tête. Je retiens un cri. Orion a gardé son couteau à la main, la pointe a traversé mon chemisier. Il est très pâle, hors de lui. Roland croit à une blague et rit. Ce rire emporte ma peur, je fais face à Orion, je lui dis : « Remets ton couteau à sa place. »

Roland éclate de rire : « Comme la bite du taureau ! »

Orion se détend et rit avec Roland. Il enfourne le couteau dans sa poche. Je prends sa main dans la mienne et c'est ainsi, Roland derrière nous, que nous arrivons chez le comptable. Il soupire : « Vous ne me facilitez pas le travail. » Il voit qu'Orion, très pâle, tout en sueur, hésite la plume à la main. « Si ça ne va pas, faites une croix.

— On ne veut pas faire de croix, Monsieur. Moi, on ne veut pas mourir. »

Le comptable hausse les épaules pendant qu'Orion signe finalement en grosses lettres malhabiles. Roland se trompe de place et doit recommencer.

Pendant que je signe à mon tour, le comptable me dit : « Vous amenez ici de drôles de garçons. J'espère que vous assurez la sécurité.

— J'assure, je suis toujours avec eux.

— Et vous avez la force qu'il faut ?

— Jusqu'ici, oui. »

Et je sors avec eux pour aller prendre l'autobus.

Je sens une tristesse en moi en voyant Roland s'éloigner. Il est venu me voir hier, la séance a été bonne, au moment de partir il m'a donné un petit carton à dessin : « C'est pour toi. C'est un portrait de mon père ». Il est parti sans rien ajouter.

En ouvrant le carton j'ai vu un dessin maladroit en noir et blanc. Ce n'est pas du tout un portrait. Roland ne pourrait pas faire un portrait, il ne sait pas dessiner et pourtant ce dessin évoque mystérieusement la mort de son père. C'est un ensemble enchevêtré de lignes lourdes et de taches d'encre noire qui suggère irrésistiblement le malheur né de quelque événement obscur. C'est le témoignage d'une immense tristesse, incomprise, celle qui l'a si longtemps retenu d'évoluer. Roland, si doué pour les couleurs, a su avec un peu d'encre exprimer la mort sur un bout de papier, qu'il m'a donné peut-être pour que je partage sa douleur.

LE CHIEN JAUNE

J'attendais Vasco, hier soir. Il n'arrive pas, il me téléphone que Gamma, très fatiguée par leur tournée, a eu un malaise à Londres avant leur dernier concert qu'il a fallu annuler. Le médecin ne se prononce pas, mais il est inquiet. Il la fera peut-être hospitaliser demain.

Ce matin, en allant chercher Orion à la gare, je vois tout de suite qu'il n'est pas bien, comme il l'est déjà depuis une semaine. Moi, non plus, je ne suis pas bien, fatiguée par cette année où je n'ai pas cessé de travailler trop, déchirée par les allers et retours de Vasco et inquiète de la fatigue et de la tension où leur succès croissant entraîne Gamma. Et voilà qu'elle est malade au moment où Orion semble sur le bord de nouvelles crises dont la raison m'échappe.

Il m'a un peu attendue à la gare et c'est avec colère qu'il monte dans la voiture dont il claque violemment la porte. Porter sa colère aujourd'hui et ma fatigue, c'est beaucoup, c'est trop !

C'est trop, alors quoi ? Alors rien, c'est ainsi. Il est en tenue de sport, moi aussi, je range la voiture sous le pont de Chatou et nous nous engageons sur le sentier de l'île. Le ciel est nuageux, mais sous la voûte des arbres qui bordent la Seine on pourrait presque se croire dans un bois et je pense à l'atmosphère des courses d'école en forêt qui signifiaient dans mon enfance l'été, les derniers jours de classe et déjà presque les vacances.

Je commence à courir, je laisse Orion me dépasser en lui disant comme toujours maintenant : « Pars en avant, je te rejoindrai. » Foncer un peu lui fera du bien et calmera son agitation. Il saute un moment, tourne deux fois sur lui-même en toupie et se lance enfin sur le chemin à foulées régulières, un peu lourd, un peu ours avec ses longs cheveux qui s'agitent.

Je veux le suivre et m'aperçois que je ne puis plus courir aujourd'hui, tant la fatigue de cette année pèse soudain sur mes genoux. Ce mois orageux, mes journées encombrées, mon amour, ma vie ravagés par le manque de temps, tout cela évoque la bataille toujours perdue que soutient l'indéracinable espérance. C'est à cause d'elle, je ne l'oublie pas, que je suis payée à l'hôpital de jour et que je parviens à vivre sans peser sur l'incertaine destinée de Vasco.

Qu'importe que je traîne la patte, que je me sente diminuée – quelque chose soupire même : claquée – puisque Orion court grâce à moi sur l'île, faisant entrer un peu d'air pur, un peu de calme dans ses poumons, détendant le plexus, l'orage solaire, qui est si souvent chez lui enserré, broyé par l'angoisse. Je vais le retrouver bientôt, captant des mains et du front les ondes du grand platane.

J'entends aboyer un chien, je prévois des ennuis, je presse le pas et, sans m'en apercevoir, me mets à courir. Je trouve Orion acculé contre un buisson par un chien jaune de médiocre taille qui saute et aboie aigrement autour de lui. Recroquevillé sur lui-même, Orion, terrorisé, ne bouge plus mais bat faiblement des bras ce qui excite le chien. Je ne sens plus la fatigue, seulement ma colère et la détresse d'Orion. Je ramasse un bâton, le chien me voit arriver et file. Je lance le bâton qui le rate de peu, lui arrachant un jappement aigu.

Mon geste a fait se dénouer mes cheveux, de quoi ai-je l'air ? Orion, livide, l'air égaré, saute très haut maintenant que le chien s'est sauvé.

À ce moment débouchent du sous-bois deux bonnes femmes, alertées par le cri du chien jaune. Comme à tous ses débuts de crise, je répète : « Orion, Orion, tu es sur l'île avec moi, tu me connais. N'aie pas peur, le chien s'est sauvé. »

Ses yeux, fixés vers le haut, redescendent, son regard réapparaît. Il me regarde avec étonnement, il me voit, il me reconnaît. Le chien jaune s'est caché derrière les deux dames, en imperméables foncés – des mères de jeunes femmes qui font du golf sur le terrain tout proche –, qui nous regardent d'un air offensé.

Je sais, mais de quel pauvre savoir, que ce n'est pas cet irritant roquet qu'Orion a vu, mais un monstre jailli de lui-même. Je ne réagis pas assez vite, Orion m'échappe, fait quelques foulées vers les dames et le chien. Courbé, tendu comme un arc, il se met à aboyer furieusement et à cracher dans leur direction. Le scandale a lieu et c'est ma présence qui l'a permis, car jamais sans cela Orion n'aurait osé se déchaîner comme ça.

Le chien se tait et file, les deux dames, emportées par ce coup de vent subversif, s'enfuient dans la partie cachée du sentier. J'entends déjà ce qu'elles vont dire. « Nous avons été agressées par deux fous. Une sorte de sorcière tout échevelée qui a lancé une bûche sur mon chien. Heureusement elle ne l'a pas touché. J'aurais porté plainte. Et l'autre, un vrai dément qui aboyait et crachait pour nous faire peur. Nous avons dû revenir en arrière, j'ai cru qu'il allait nous poursuivre. Cette partie de l'île est devenue bien mal fréquentée, si près du golf, c'est incroyable. Comment permet-on ? »

Pendant que je reste clouée sur place, Orion reprend conscience peu à peu et revient vers moi au petit galop, tout en nage, l'air plutôt fier. Il est vrai qu'il a chassé tout seul le chien jaune et les deux dames à sacoches qui ne semblaient pas commodes.

Comme je ne bouge pas, il tourne autour de moi en marmonnant avec de brefs éclats de rire. Abasourdie, je me dis : somme toute Orion n'a pas eu de grande crise, peut-être n'en aura-t-il plus aujourd'hui. Ça c'est le côté positif mais en regard quelle régression ! Cette peur enfantine d'un cabot nullement redoutable. Ses aboiements, ses crachats ont retenti en moi comme la négation, l'annulation de tout le travail que nous faisons ensemble depuis tant d'années.

Nous revenons en courant vers la voiture, j'ai oublié ma fatigue de tout à l'heure.

Avant de prendre place Orion dit : « Si ça continue, on va prendre le train pour les Roches Noires.

— Les Roches Noires...

— Là on nagera dans la mer... tout droit ! »

Je prends peur car j'entends que cela correspond à des idées qu'il roule obstinément dans sa caboche.

« On fera ça, si ça continue... si on ne sait pas quoi continue, Madame. »

Puis, après un silence : « Est-ce qu'on va couler ? Est-ce qu'on veut couler ? »

Je l'écoute, je ne peux rien de plus.

Alors un cri : « Moi, on veut vivre ! On veut vivre, moi !

— C'est bien, Orion, de vouloir vivre mais tu devrais dire carrément : Moi, je veux vivre.

— Non, Madame, on ne peut pas parler le français bon. Nous... (ah, que ce nous me touche !) on ne peut parler que le français handicapé, le français des bazardés, des charabiacés. Ceux qui partent le matin pour être domestiqués à l'hôpital de jour et en sortir le soir pour la gueule du métro. Nous, on est comme ça les deux. Madame, souvent tu m'apprends des choses et parfois c'est moi qu'on te dicte et toi qui apprends. Quand il n'y a pas le démon, on fait comme si on savait, mais on ne sait pas vraiment. »

Je lui tends une serviette, il essuie son visage, couvert de sueur, nous entrons dans la voiture, je démarre en me demandant si je vais trouver des nouvelles de Vasco à la maison. Je prépare le repas. Orion mange beaucoup comme d'habitude, mais les tics de l'angoisse ravagent son visage.

Après déjeuner, il veut reprendre son croquis du pavillon.

« C'est difficile, fais-en plutôt un autre.

— On doit, Madame. »

Je sais qu'il est aussi impossible d'interroger « on doit » que « on ne sait pas », il faut laisser faire Orion jusqu'à l'échec inévitable, qu'il désire peut-être.

Je me sens crevée et comme il occupe la chambre à coucher où la lumière est meilleure, je m'étends un peu sur le tapis de l'autre pièce. Je commence à m'assoupir quand j'entends Orion rire, chanter, siffler et bientôt se mettre à sauter.

Éveille-toi en vitesse, ça s'apprête à mal finir. L'idée me vient de lui proposer une dictée d'angoisse, presque tout ce que je sais de lui vient de ces dictées où son besoin maniaque des détails le mène parfois à exprimer ce qu'il ne peut dire autrement ou s'évertue à cacher. Je me lève, je propose. Refus, il ne veut pas de dictée d'angoisse et fixe avec colère son affreux dessin sur lequel il vient de faire une tache. Je l'aide à l'effacer, puis, sans qu'il s'y oppose, je vais replacer la feuille dans le carton à dessin. Il rit toujours d'une façon crispée, il sait qu'elle m'est pénible, il pourrait arrêter, il ne le fait pas parce qu'il trouve juste sans doute que je souffre avec lui. Est-ce que je le crois aussi ?

Ah là là ! Quel fantasme ! Où est la technique psychanalytique ? Que dirait Douai, que dirait Lisors ? Pourtant à travers cette souffrance exagérée, indigne d'une vraie professionnelle, je commence à comprendre des mots déchiquetés :

« Les Roches Noires... au bord de la mer... si on ne réussit pas... dans le stage... Là on peut se jeter dans la mer... on peut nager très loin... et puis... La semaine prochaine... on commence à l'atelier de papa... tous les jours en juillet... Si on a des crises... Si on reçoit des rayons... si on casse le matériel... Alors ?... Alors, Madame ?... On est un bon à rien, un que-de-fautes !... On n'a plus qu'à... Tu vois ce qu'on veut dire ? »

Je vois. L'apprentissage qu'il doit entreprendre pendant un mois à l'atelier où travaille son père correspond bien à son habileté manuelle, à son goût du travail précis, mais pas à son état d'angoisse. À l'atelier, il s'agira pour lui de copier des pièces, copier lui fait peur, cabre son imagination et provoque des rayons qui le frappent. C'est ce que je dois expliquer à la réunion générale, pour que l'hôpital de jour fasse pression sur ses parents pour limiter les séances d'apprentissage. Je suis effrayée car je n'ai jamais vu Orion dans cet état, c'est la première fois que l'idée de suicide s'exprime aussi clairement chez lui.

À ce moment son visage se calme un peu, il me tend une feuille et d'une voix toute changée annonce :

« DICTÉE D'ANGOISSE NUMÉRO SEPT

Il y a trois jours, les parents étaient en province, on a eu peur la nuit, un bruit comme on n'avait jamais entendu. Des odeurs annonçaient le rayon, il est venu, on a été cogné... bruté... chapardisé. On était cassé jusque dans son imagination.

Plus d'île Paradis numéro 2 en couleur... plus de maison dans l'arbre... plus de harpe éolienne... plus de Bernadette, de Paule, ni de Madame dans l'île. Plus d'amis qui viennent en ballon ou en sous-marin. Toujours des rues, des voitures, des métros, des autobus en bagarre. Si les rayons, si le bruit inconnu troublent même l'imagination, on n'a plus rien... plus d'île, plus d'océan Atlantique tropical pour se réfugier. On n'a pas envie de se retrouver seul, tout seul, dans son imagination... Jésus, même s'il y a du bruit, même si le démon le tape et le jette, il a toujours son évangile. Mais moi si le démon me déconne, s'il me déconstructionne comme il fait... on n'a plus de territoire. On a besoin d'un territoire pour avoir encore des copains et des copines dans son imagination, même si dans le vrai on saute sous les rayons.

Fin de dictée d'angoisse. »

Avec ses paroles entrecoupées, ses grondements, ce rire nerveux qu'il ne peut maîtriser et qui me fait mal au ventre, ce qu'Orion demande sans demander c'est que je sois calme, toujours plus calme et que je lui dise : « Fais un autre dessin pour te calmer, Orion, un monstre qui sera mieux sur ton papier que dans ta tête. »

Il proteste : « Aujourd'hui on n'a pas de monstre en dessin dans la tête. »

Je le laisse dire, je lui apporte de nouvelles feuilles et de l'encre de Chine.

« Il y a un monstre que tu n'as pas encore dessiné, c'est l'inspecteur qui t'a fait jeter. Tu lui as donné des coups de pied, mais il mérite beaucoup plus en dessin.

— Oui ! Pan, pan, dans les couilles ! »

L'idée l'enthousiasme, il choisit une feuille, taille un crayon. Soudain se retourne : « Ne regarde pas, tu promets ?

— On promet. »

Il éclate de rire et commence à dessiner. « Ça c'est un dessin, qu'on ne doit pas montrer. »

Je prépare son goûter. Le téléphone sonne, c'est Vasco : « Je ne peux pas rentrer, Gamma n'est pas mieux, le médecin souhaite la faire hospitaliser. Sa mère va venir et décidera avec elle.

— C'est si grave ?

— Je ne sais pas, elle est très faible. Gamma voudrait beaucoup que tu viennes. »

Soudain la gravité de la situation me saute aux yeux. Il faut que j'y aille mais...

« Orion va très mal, Vasco, je dois absolument parler de son cas à la réunion générale de l'hôpital de jour, demain. Parler à son père. Recevoir des patients que je ne peux plus prévenir. Je pourrai prendre l'avion après-demain, impossible avant.

— Bref, tu ne peux pas venir maintenant à Londres à cause d'Orion ? »

Je suis sur le point de protester aussi violemment que Vasco m'a parlé. Je pense soudain à mon cher père qui aurait dit : « Un peu ça... c'est mon travail ! »

Je dis : « Un peu ça, Vasco... Orion, c'est mon boulot ! »

Cette réponse apaise sa colère, il me dit doucement : « Je te comprends, Véronique, peut-être que pour le moment Orion est encore plus malade que Gamma. J'ai eu tort de me fâcher, mais tout est si difficile ici, je me sens dépassé. Gamma a besoin de toi. Viens dès que tu peux. Je t'embrasse. » Il raccroche.

Orion vient prendre son goûter. Il est gai maintenant, il mange et boit bruyamment. Il voit que je suis triste. « On dirait que tu as envie de pleurer, Madame.

— Je suis triste mais je ne pleure pas.

— Tu es triste parce que Monsieur Vasco est parti ?

— Notre amie Gamma est tombée malade à Londres.

— Elle chante à la radio, on l'écoute mais pourquoi elle part tout le temps avec Monsieur Vasco ?

— Pour des concerts, c'est leur métier.

— Et toi, tu restes ?

— Je reste à cause de ceux qui ont besoin de moi. Comme toi, Orion. »

Il est content mais son dessin le presse et il retourne dans l'autre pièce. Je me lance sur le téléphone, j'obtiens un billet pour Londres, après-demain. L'heure avance, je préviens Orion : « Il est temps pour ton train.

— Non, Madame, ce dessin-ci on doit le finir, on prendra le train dans une heure, tu téléphones chez moi pour prévenir. »

Je téléphone, c'est sa mère qui répond, elle est surprise de ce retard imprévu. Le père d'Orion n'est pas revenu, elle me donne un numéro où l'appeler demain matin. J'en profite pour lui dire :

« Je trouve Orion si nerveux et angoissé ces jours-ci. Est-ce qu'il y a une raison ?

— Oh vous savez, pour nous ce n'est pas différent. Il est presque tous les jours comme ça. »

Comme je ne réponds pas, elle ajoute : « C'est vous, au Centre, qui trouvez qu'il va mieux.

— Tout de même, il peint maintenant, il sculpte, il expose.

— Artiste, ce n'est pas un vrai métier. Si après son stage il pouvait être embauché à l'essai, ce serait mieux. »

Je n'insiste pas, j'aurai peut-être plus de succès avec le père demain.

Dans la pièce à côté j'entends Orion chantonner, siffler, tout en criant à mi-voix : « Pan ! Pan ! Tu l'auras ! »

J'entrouvre la porte, il est tout à son travail, ignorant ses propres cris et son exultation joyeuse. Je ne vais pas l'interrompre, il faut attendre l'heure du prochain train, attendre emprisonnée par Orion, alors que ma chère Gamma est malade et que Vasco a besoin de moi.

Je m'étends sur le tapis, pour faire une relaxation. Ce n'est pas facile. J'ai aidé peut-être Orion à retrouver son calme et c'est moi maintenant qui suis précipitée dans son pays de fantasmes où résonne le galop blanc des chevaux du délire. Avec les orages, les îles, l'assassinat du Minotaure et les chemins barrés du Labyrinthe où l'on bute sur des têtes de mort qui rigolent dans l'obscurité.

Ah, il est loin le temps où tu pensais que la psychanalyse est une science précise. Avoue-le, fille d'un instituteur espérant tellement de la science, tu as cru devenir un jour un ingénieur de l'âme. Tu ris, mais c'est ce que tu espérais, même si très vite tu t'es aperçue qu'il faut compter avec les catastrophes, puis avec le Désastre. Et pourtant, tout au fond, tu penses toujours comme ton cher papa : Hors la science, point de salut ! Détends-toi, tout n'est pas si grave, Orion est mieux maintenant. Un peu grâce à ton savoir, surtout grâce à ta présence. Prends conscience de ta colonne vertébrale, de tes cervicales qui doivent se délier, encore, encore. Détends tout l'édifice, les jambes, les pieds. Tout ce qui doit rester souple, souple, mouvant. Pas un chêne, pas le grand Modèle. Même pas un roseau plus ou moins pensant. Fluide, fluide, rivière, avec de belles arches de pont comme ces longues jambes, ces genoux de bronze qui plaisaient tant aux hommes, qui sont toujours là, que tu dois détendre plus, plus encore. Accepte-toi, comme tu es : un pied là où l'on est affamé de servir, de donner, de se donner et l'autre pied dans l'art, dans le doute et l'exigence continuelle du peut-être.

Détends-toi, libère-toi, délie-toi... tu le sais bien, tu boites un peu... beaucoup... passionnément... pas du tout... Gamma dit que tu paries sur elle, sur Orion, sur Vasco, jamais sur toi-même.

Elle m'aime pour ça, pour cette paix qui est maintenant, dans ma bouche, une boisson délicieuse. Laisse l'immensité entrer en toi... Comme elle le fait. Durant quelques instants je suis dans ses bras. Je repose ma tête, tout mon corps sur une épaule immense. Je suis sur la haute falaise qui me sépare encore de l'océan sommeil...

Des coups légers à la porte, Orion rit en me voyant sur le tapis détendue et bienheureuse.

« Tu fais une relaxation, comme tu me fais à moi.

— Tu pourrais en faire plus, Orion.

— On ne peut pas tout seul, Madame, on ne peut presque rien faire tout seul. Le dessin est fini. Il va être temps pour le train. » Je me lève, il est prêt déjà. « Tu emportes ton dessin ?

— Non, ce n'est pas un dessin pour les parents. Personne ne peut le voir que Madame... et Monsieur Vasco. »

Nous partons, il est heureux, il siffle des fragments de *La Flûte enchantée* qu'il affectionne pendant que je me faufile avec peine dans la foule des voitures qui reviennent de Paris. Paris la ville des obstacles, comme il dit.

« C'était finalement une bonne journée, Orion, tu as fait une œuvre. »

Il ne m'accorde même pas ça ! Avec son impitoyable réalisme il dit :

« Ce matin, il y a eu le chien qu'on a aboyé et de gros rayons. Ensuite c'était lourd, lourd jusqu'à ce qu'on commence le dessin.

— Maintenant tu es bien.

— Il y a le train, Madame, et après si on a des crises à l'atelier de papa, qu'est-ce qui va arriver ? »

Je l'amène jusqu'à l'escalier qui mène au quai, la présence de la foule l'agite, il a envie de battre des bras. Il se retient de justesse. Vous souffrez ensemble de cet effort, est-ce vraiment nécessaire ? On ne sait pas. Il gravit déjà l'escalier, mince silhouette qui se presse bien que le train ne soit pas encore en vue. Seul sur sa petite île, dans sa petite bulle, flottant dans l'immense océan des autres.

Quand je reviens de la gare j'ouvre le carton où Orion a laissé le dessin interdit que seuls Vasco et moi pouvons voir. Je trouve deux dessins, l'un au brouillon, représente un petit garçon aux longs cheveux donnant avec acharnement des coups de pied à un maigre géant en costume, cravate et lunettes. Le dessin est sommaire, sauf le visage de l'inspecteur. Qui n'est plus un visage, mais le masque fermé de l'indifférence bureaucratique où l'habitude et la routine ont pris toute la place. Des grosses lèvres de l'inspecteur s'élève une bulle où il est écrit : Mais ! Mais !

Le second dessin est à l'encre de Chine, très soigné, c'est celui sur lequel Orion a travaillé si longtemps. Au premier plan, un pistolet de concours, dont le canon fumant est encore dirigé vers la braguette d'un pantalon dessinée dans les plus extrêmes détails. Le bas du corps de la victime est caché, au-dessus le buste cravaté et le visage de l'inspecteur. Sa bouche, ouverte et tordue, pousse un cri de douleur. Dans une bulle en capitales : Pan ! Pan, tu l'as eu !

J'ai demandé de pouvoir parler du cas d'Orion à la réunion générale hebdomadaire de l'hôpital de jour. La réunion est longue et, quand mon tour arrive, il est tard. Le docteur Lisors et son collègue ne sont plus là, à cette heure ils ont des patients.

Pour faire comprendre la régression croissante d'Orion depuis deux semaines je raconte l'incident sur l'île des Impressionnistes. Quand j'arrive au moment où Orion chasse les dames et le chien jaune en aboyant, tout le monde éclate de rire. Ce qui m'a paru si tragique les fait rire, eux qui connaissent pourtant bien Orion, qui est maintenant le plus ancien élève du Centre. Ce rire me désarçonne d'autant que je sens que l'heure avance et que tous sont désireux que la réunion finisse. J'aurais mieux fait de ne pas parler de cela. Robert Douai me fait un petit signe compatissant mais qui signifie qu'il est temps de lever la séance. C'est presque la fin de l'année scolaire, tout le monde est fatigué, un orage menace, chacun ne pense plus qu'à atteindre son métro ou son bus avant qu'il n'éclate.

Douai vient me serrer la main avec un air navré mais s'en va comme les autres.

Je me retrouve seule devant le compte rendu de la séance que je dois rédiger comme chaque semaine pour qu'on puisse le taper dès demain. Je décide de ne pas y mentionner mon intervention.

En finissant de relire le texte, je vois sortir du bureau une secrétaire qui achève l'envoi d'une circulaire. Elle a entendu la scène et voit que je suis bouleversée. Elle me dit en haussant les épaules :

« Faut pas vous en faire, ils sont comme ça ! Comprenez, c'est la fin de l'année, ils sont fatigués. Nous avons tous de la sympathie pour Orion mais il est un des soixante jeunes dont le Centre a la charge. Il a droit à un soixantième d'attention, d'affection. Nous lui donnons, à cause de ses yeux et de vous, un peu plus. Ça ne vous paraît pas suffisant. Normal. Mais avec ces malades-là, on va jusqu'où ? Je vous trouve sympa, courageuse, mais de l'équipe, de n'importe quelle équipe vous ne pouvez pas attendre qu'elle vous soutienne plus qu'on ne le fait ici.

— J'ai droit à un soixantième d'aide et pour le reste, je me débrouille...

— Ben oui. C'est ce que vous avez réussi jusqu'ici.

— C'est vrai, mais maintenant j'ai peur.

— Parce que vous restez assise là, toute seule. Venez prendre un café avec moi, ça vous fera du bien et ça me fera plaisir. »

Quand nous sommes devant nos tasses, elle me sourit, elle a un très joli sourire.

« Parfois j'admire ce que vous faites. Mais avec le travail ici et mon ami le soir je n'ai pas le temps. »

Nous nous embrassons avec une soudaine gaieté, nous sommes amies un peu et nous partons, sous la pluie qui commence, prendre chacune notre métro.

LE CARREFOUR D'ANGOISSE

À nouveau il fait froid, en juin, ce n'est pas juste. Après le petit-déjeuner, je vais prendre une douche, je me fais un shampooing. Au moment de me rincer les cheveux et de me laver, plus d'eau chaude. Horrible sensation, sentiment aigu d'injustice. Tout le froid, toute l'humidité et le poids de cet exécrable été me tombent dessus. J'ai la chance d'avoir au téléphone le médecin-chef. Je lui parle seulement de la mise en apprentissage d'Orion et de l'angoisse que provoque en lui sa crainte d'avoir une crise et de casser du matériel. Il me dit tout de suite : « Chaque jour et pour toute une journée, c'est trop pour lui. Proposez à son père un jour sur deux et seulement pour une demi-journée. J'aimerais que vous régliez cela vous-même avec lui.

— Puis-je dire que cette proposition vient de vous ?

— D'accord. Et ne vous préoccupez pas trop, des régressions même fortes sont inévitables par moments. Vous le savez, cela fait partie du transfert. » J'accepte le reproche sous-jacent et le remercie de son aide.

Je téléphone au père d'Orion, je lui explique que l'apprentissage prévu sera trop lourd pour Orion. Nous proposons de le réduire à une demi-journée tous les deux jours.

« Vous savez, me dit-il, ce n'est pas une vraie entrée en apprentissage. C'est une initiation qui peut se faire à la carte, car de toute façon il ne sera pas payé. Je ferai ce que vous conseillez. Cela a toujours bien marché pour Orion.

— Il a peur de ne pas réussir.

— Oh pour réussir, il réussira. Il est très adroit et a déjà fait des essais de bonne qualité à la maison.

— Il a peur de faire une crise et de casser des outils ou du matériel. Il est inquiet, c'est pour cela qu'il est violent et fait tant de crises depuis deux semaines.

— Vous savez, avant les vacances on a beaucoup de travail. Je fais des heures supplémentaires et je rentre tard. Je n'ai rien remarqué de spécial, quand je reviens il regarde la télé puis va se coucher. Il ne m'a parlé de rien... »

Comme je vais rester à Paris en juillet, je propose qu'Orion vienne dessiner ou peindre avec moi, au Centre, les jours où il ne travaille pas. La communication se termine amicalement, le problème d'Orion est au moins temporairement réglé. C'est le mien qui est plus pesant que jamais. Pourquoi ai-je fait tout ce cirque ? Pourquoi ai-je dramatisé les choses à ce point et voulu faire peser, à contretemps, sur toute l'équipe un problème que je pouvais – comme je viens de le faire – régler seule avec un peu de réflexion et deux coups de téléphone.

Comment n'ai-je pas mieux compris la réponse si juste de Vasco : « Tu ne peux pas venir maintenant à Londres à cause d'Orion. » Et le léger reproche du médecin-chef : « Vous savez que les régressions font partie du transfert. »

Oui, je le sais. Je le sais, mais dans le trouble où m'a mise l'état d'Orion je l'avais oublié.

Je pars prendre le RER pour Paris. Il faut que je passe retirer mon billet pour Londres, que je voie un instant le médecin-chef, puis que j'aille à l'atelier de sculpture pour retrouver Orion et Roland.

Dans le train je repense à un rêve de cette nuit : On bâtissait des ponts, des passerelles, des échangeurs entremêlés, peut-être y avait-il aussi des tunnels. Je passais à travers tout cela en portant sur mon dos un sac qui ne cessait de s'alourdir.

À l'agence je reçois mon billet avec un retour non fixé. C'est cher, mais mon salaire est arrivé à la banque.

À l'hôpital de jour, je vois rapidement le docteur Lisors. Il est satisfait de la façon dont j'ai arrangé les choses avec le père d'Orion. Il me regarde avec une sorte de compassion amusée au-dessus des demi-lunettes dont il se sert pour lire. « Il faut, me dit-il, donner à Orion une autre vision de son enfance que celle du conformisme total dans lequel il a vécu. Il a compensé ce dressage maternel et scolaire par l'image effrayante de la liberté démoniaque. Le but est de reconstruire autant que possible son enfance et de faire apparaître ses vrais désirs. »

J'approuve cette voie et ce but lointain. Mais il me dit cela, entre deux visiteurs, il ne peut m'en dire plus, le comment sera mon affaire. Il y a un seuil à franchir, un lâcher-prise à opérer. Je n'y suis pas. Pas encore !

À nouveau le métro et demain je pars à Londres, pour trouver Gamma dans quel état ?

À l'atelier de sculpture Roland est déjà là, il part demain en vacances, sa mère a aimé son taureau rouge aux sept pattes.

Orion est en retard, je vais l'attendre dans le cloître. Il arrive en nage, l'air égaré. Il s'arrête devant le banc où je suis assise. « Lève-toi, Madame, on va casser le banc, on a reçu un rayon. » Je regarde, il n'y a personne. Je me lève : « Renverse-le mais ne le casse pas ou tu devras le payer. » Il prend le banc et le renverse. Je suis saisie de voir comment ce banc les pieds en l'air et ce garçon aux yeux effarés suffisent pour donner à ce lieu calme, il y a un instant, l'aspect d'une scène révolutionnaire. Qu'est-ce qu'Orion ferait dans une révolution ? Est-ce qu'il se cacherait chez lui, épouvanté ? Est-ce qu'il se déchaînerait, saisi par l'ivresse de détruire ? Pas de révolution pour Orion, pas de révolution pour les paumés, est-ce que cela veut dire pas de révolution du tout ? Ou y a-t-il toujours un rôle pour les paumés, pour tous ceux qui ont connu la terreur et l'ivresse de voir s'écrouler les murs de leur monde, de leur prison ?

Je remets le banc en place, Orion m'aide. Deux professeurs passent et regardent d'un air étonné Orion sauter sur place. Ils se disent sans doute : « Qu'est-ce qu'un garçon comme ça vient faire ici ? » Chez les normaux.

Tout près de Normale sup, d'où sont sortis tant d'anormalement normaux.

Roland et Orion sont contents de se revoir. Ils se racontent des choses et s'amusent. En s'amusant Roland ne fait rien et Orion travaille. Il creuse, avec le couteau bien affûté qu'il apporte et emporte chaque fois, le visage de sa tête de jeune fille. Il m'appelle, me montre la joue gauche : « On devrait rajouter du plâtre ici.

— Tu as raison. Eh bien fais-en ! »

Il n'hésite pas, le couteau à la main, il part chercher une bassine. Il la nettoie, mais au moment où il veut y mettre l'eau le robinet produit quelques horribles bruits de gorge mais pas d'eau. Orion lâche son bol, qui tombe avec un bruit affreux, et se met à sauter son couteau à la main. Nous ne sommes pas très nombreux à l'atelier mais tous ceux qui sont là le regardent. Je suis, comme eux, effrayée par ce couteau, la lame tournée en l'air, avec lequel il saute de plus en plus haut. Ce sont les ouvriers qui travaillent à restaurer les parties anciennes du lycée qui ont arrêté l'eau. Elle va revenir, c'est sûr, mais je suis intimement troublée par cette coïncidence : l'arrêt de l'eau chaude ce matin et maintenant la coupure d'eau. Je suis déjà près d'Orion. Je dis : « C'est une coupure, l'eau va revenir, saute si tu veux, mais donne-moi ton couteau. » Roland est venu avec moi, il rigole et, comme Orion saute toujours, il dit : « Allez, donne ton couteau. » Orion, qui ne m'a pas entendue, semble l'entendre. Il saute moins haut. Je répète : « Le couteau ! » Il le voit, il est surpris, il fait un geste comme pour le défendre, puis, comme je ne bouge pas et que Roland rit toujours, il me le donne.

Une femme âgée qui fait de belles œuvres en terre vient voir la statue d'Orion. Elle regarde le profil gauche déjà achevé et dit : « C'est bien, au bord du sourire. » Je regarde avec elle ce profil qui sous la longue chevelure a, c'est vrai, beaucoup de finesse. Orion est content de cette remarque, mais moins que moi, il est tout occupé par le plâtre qu'il faut ajouter au profil droit et au nez dont il veut affiner les narines. La sculptrice retourne à son travail et je regarde pour la première fois la tête de face. La finesse du profil gauche et l'esquisse du sourire disparaissent. Je vois un fort visage au menton solide, un visage archaïque où apparaît sous une forme excluant toute ressemblance immédiate quelque chose qui rappelle Orion. Non pas l'adolescent effrayé, traqué, explosif et pourtant doux qu'il est dans la vie courante mais le Grand Obsessionnel qui à travers les millénaires abat méticuleusement sa besogne et, malgré les rayons turbulents des démons de Babylone ou de Paris, accomplit finalement l'œuvre qu'il s'est prescrite.

Orion a de nouveau besoin de plâtre, il n'ose plus en faire tout seul, je vais avec lui, Roland nous suit, après un moment je les laisse seuls. Orion revient, il regarde sa sculpture qui commence à prendre forme. Je creuse un bloc de plâtre, une tête à quatre visages. Orion revient, sa sculpture commence à prendre forme. Roland fait une tête. Il me demande conseil. J'ai le sentiment que sa tête d'ogre est terminée, qu'il ne peut guère que l'abîmer. Je lui propose de la peindre comme son taureau. L'idée lui plaît mais à ce moment Orion, qui est en pleine action, me demande de lui faire du plâtre car il va bientôt être au bout du sien. Sans même y penser, j'y vais. Roland me suit. Nous faisons à deux un plâtre moins bon que celui qu'il ferait lui-même. J'ai abandonné mon travail. Je me suis une fois de plus comportée comme celle qui doit le suppléer en tout, sans considération pour mon propre travail. Je me rappelle l'attitude de quelques grands artistes qui, par diverses formes de névrose, ont su préserver leur travail, je me dis que je ne serai jamais de ce bois-là. Que je n'ai pas encore compris qu'il faut laisser voler Orion de ses propres ailes, même si elles sont fragiles. Orion me demande encore deux fois de préparer du plâtre. La première fois je lui demande de venir avec moi et il fait le travail presque seul. La suivante je lui dis : « Tu peux le faire toi-même. » Il renverse sa tête en arrière, me montre son étrange regard de cheval effrayé par l'orage et commence à sauter sur place. Roland rit, tout en recouvrant sa tête d'ogre de peinture. Il sait ce qui va se passer et effectivement un déclic se produit en moi : après tout c'est pour cela que je suis payée.

Je fais donc un autre bol de plâtre pendant qu'Orion se remet au travail à son allure de professionnel, sans hâte et sans arrêt. À la façon dont il s'inspire du plâtre qu'il façonne, de la retouche qu'il a faite, de la forme esquissée, je reconnais, si perturbé qu'il soit par ses fantasmes, le véritable artisan, je n'ose pas dire artiste. Celui qui se laisse guider par son travail et par ce qui survient. En ce moment il est tout entier à ce qu'il fait, heureux peut-être, et fredonne des fragments de symphonies.

Le travail de Roland est plus discontinu, il pose quelques touches de bleu, regarde autour de lui, rêvasse, puis retourne à sa peinture. On voit bien qu'il n'appartient pas comme Orion à une lignée de manuels. Mais il est heureux lui aussi, en voyant la métamorphose de sa tête, il me fait des petits signes gais, il rit en écoutant Orion muser et de temps à autre il lance les premières notes d'un air de rock. Je me dis que ce bonheur, les instants de bonheur de ces deux garçons valent bien la peine que je me donne. J'aide Roland à recouvrir la tête d'un bleu qui en séchant devient mat. Il peint les yeux, la bouche et le nez qu'il a fait en creux de rouge vif. Il dit : « C'est terrible cette tête ! » Effectivement elle me rappelle des terreurs enfantines et l'effrayante image de l'ogre. À cette époque je me réjouissais comme les autres de la victoire du Petit Poucet mais est-ce que j'y crois encore ? Quand on passe tant d'heures, tant de jours en face de la psychose on ne peut s'empêcher de penser que l'ogre a bien des chances de triompher. Oui, nous devons rester souples, attentifs, inventifs parfois, nous devons lutter avec la ténacité du Petit Poucet, ne jamais crier : « Pouce ! Je me rends ! » Mais l'ogre ou l'ogresse nous avalera peut-être sans même s'en apercevoir ! Ainsi va l'art, ainsi va l'écriture, toujours combattant la mort, toujours vaincus et reprenant d'âge en âge le combat.

Roland me regarde, un peu interloqué pendant que je dérive, que je divague peut-être, perdue dans le bleu, dans le rouge dévorateur qui est sorti de ses pinceaux. Orion me regarde aussi mais mon silence ne l'impressionne pas. Il sait ce que c'est que d'être fasciné. Il veut bien dire à Roland que sa tête d'ogre n'est pas mal, en réalité, il n'en a que faire, il a ses propres monstres.

Je sens qu'on ne peut pas laisser la tête comme cela, comme un morceau de viande sur l'étal d'un boucher. C'est ce que Roland éprouve aussi. Je dis : « Il y a du bleu, il y a du rouge. Si on lui mettait un peu de blanc sur la figure, ça ferait ressortir le bleu et ça atténuerait le rouge. »

Roland approuve. Il apporte un tube de couleur blanche et un autre pinceau : « Des deux côtés de la crevasse tu traces avec ton doigt deux lignes. Là tu mets ton blanc. » Il refuse de la tête : « Non, vous !

— Pourquoi moi ? Vas-y. »

Il refuse encore, plie ses deux mains devant lui comme pour se protéger : « Non, non, vous ! » Ses yeux rient toujours mais ses mains supplient. C'est un moment très important pour lui, qu'il ne comprend pas, qu'il ne peut pas dire. Il faut que je comprenne, que je vive à sa place. Je suis si lasse aujourd'hui, je ne devrais plus rien vivre d'important ce soir. Mais... mais tu es payée pour cela : c'est ce qu'aurait pensé mon père. C'est ce que je pense aussi.

Avec un doigt je mets du blanc sur la palette, je trace une ligne sur la joue droite, l'ogre a changé déjà. Je trace l'autre ligne sur la joue gauche, je les épaissis toutes les deux. Je me retourne : « C'est ce que tu voulais, Roland ?

— Tout à fait ça ! »

Orion lève les yeux de son travail : « C'est pas mal. » Puis après un moment : « C'est mieux avec le blanc. » Roland jubile, il sait qu'Orion ne cherche pas comme moi à voir le bon côté des choses, à donner confiance. Orion n'est pas un terre-neuve, c'est un naufragé, quand il approuve on peut vraiment le croire.

Je regarde à mon tour l'ogre en train de sécher. C'est devenu un totem sommaire, brutal, excessif, ce n'est plus la gueule ouverte et les organes digestifs d'une béance abominable. Roland peut rire. L'ogre sorti de ses mains est devenu une sorte d'objet d'art, de dieu illettré qu'il pourra fourrer sur une cheminée comme un souvenir un peu comique de terreurs révolues.

Nous sortons tous les trois ensemble. Orion remarque qu'il a du plâtre sur son blouson et sur le bas de son pantalon. Il est atterré, on le verra dans le métro. Que dira sa mère s'il est sale ? Nous le brossons un peu et je réponds à sa question : « On s'en fout. » Roland rit plus fort que moi, Orion change de figure et éclate de rire. Roland crie : « On a bien le droit d'être sale. »

En moi retentit le formidable : « Rien n'est sale » de Gengis Khan que Vasco admire tant. Qu'il parvient à penser, alors que je n'y arrive pas, bien que je sache qu'il est bon d'écraser nos petits « moi » coupables sur ce rocher de négation.

Roland nous quitte joyeusement en haut de la rue Saint-Jacques, il part demain pour Belle-Ile. Avec son totem. Pour nous les vacances sont encore lointaines, j'accompagne Orion à sa station de métro, c'est pour lui un lieu néfaste car, par suite d'une fausse manœuvre, il y a perdu un jour sa carte orange. En arrivant à la station nous sommes saisis par l'haleine puissante du monstre en été. Orion a peur, mais sa carte fonctionne, il passe sans encombre et se retourne un instant pour me faire un petit signe.

Je repars, cela a été une bonne séance somme toute pour tous les deux, mais il s'agit d'attraper mon métro, de ne pas rater les changements et de retrouver à Chatou ma voiture pas trop bien garée. Après cela, peut-être, un coup de téléphone de Vasco ce soir.

Je suis arrivée à Londres, j'ai été atterrée par l'état de Gamma, il s'est amélioré et nous avons pu la ramener à Paris où on va lui faire à l'hôpital de nombreux examens. C'est moi qui étais à côté d'elle, couchée sur une civière dans l'avion.

Le soir je téléphone au père d'Orion : « Je suis revenue de Londres avec mon amie malade. Comment se sont passées les premières journées d'Orion à votre atelier ?

— Bien, il vient l'après-midi, le travail n'est pas difficile pour lui. Le patron est passé un moment et l'a même félicité. Tout est tranquille à l'atelier car nous ne sommes que deux avec lui, les autres sont en vacances. Il veut vous parler, je vous le passe. »

J'entends la parole précipitée d'Orion : « Bonsoir, Madame, oui le travail ça va, on peut le faire. Le patron a dit qu'on est habile. Mais on a peur des rayons préhistoriques de vous savez bien qui... si on en reçoit on peut abîmer une pierre ou casser des outils. Alors... alors... c'est comme si on était un bon à rien, un pachacroute débile. Est-ce que Gamma va mieux ?

— Nous l'avons ramenée à Paris en avion, elle est à l'hôpital pour des examens. Je vais la voir demain puis je viendrai le soir pour la dernière séance à l'atelier. Je t'attendrai à sept heures devant la porte. J'aurai le beau dessin que ton père a déposé chez moi et que je dois montrer à un éditeur.

— Est-ce qu'on peut apporter le nouveau dessin qu'on a fait ?

— Un nouveau dessin ? Bien sûr, tu le montreras à Alberto. »

Le lendemain quand j'arrive à l'hôpital, Gamma dort. Je contemple son visage amaigri et si beau, j'écoute son souffle. Sa main se crispe un peu, je vois deux larmes glisser de ses paupières. Elle s'éveille, sent ma présence, me cherche des yeux, me trouve. Sourit à travers ses larmes : « Je rêvais que tu partais très loin, mais naturellement tu es là. Tu es toujours celle qui est là ?

— J'essaie. »

Elle détourne les yeux, voit le carton à dessin que j'ai avec moi.

« C'est un dessin d'Orion ?

— Oui, un dessin au crayon, très impressionnant. Je dois le présenter tout à l'heure au jeune éditeur qui va publier le poème que tu as aimé.

— Montre-moi ce dessin. »

Je sors du carton le grand dessin à la mine de plomb où Orion a repris et poussé plus loin le thème du monstre masqué aux yeux doux et plaintifs, aux larges oreilles, et couvert d'innombrables défenses dont il m'a dit si justement : « Si elles cassent, elles repoussent. »

Gamma le contemple longuement, puis me dit à voix basse : « Ce monstre qui a les grandes oreilles du silence me bouleverse. Il est plus caché, plus barbelé de défenses que nous les musiciens, mais quand il se lèvera sur ses jambes il sera grand. Orion aussi, grâce à toi.

— Grâce à lui-même, c'est lui qui travaille, moi je suis près de lui et j'écoute. »

Je prends l'autobus, puis le métro, une longue série de stations défile et je pense aux grains des chapelets qui glissaient autrefois entre les mains des femmes.

Je me dépêche pour être à l'heure au rendez-vous avec l'éditeur, place Saint-Sulpice. Il connaît mal Paris et ne sait pas le temps qu'il faut pour s'y déplacer. Il sera sans doute en retard. Toi, tu dois être à l'heure, dit l'ange gardien cruel, qui pèse encore sur moi.

L'éditeur arrive avec une demi-heure de retard. Il aime beaucoup le texte, un peu long pourtant. Il s'attend que je lui explique des passages qui lui semblent obscurs. « Je ne peux pas expliquer, ce que j'avais à dire, je l'ai dit. S'il y a des passages obscurs, c'est qu'ils le sont aussi pour moi. »

Il ne proteste pas, il veut voir le dessin. Je lui sors le monstre agenouillé d'Orion. Il est impressionné.

« Son dessin me touche beaucoup comme tous ceux d'Orion que j'ai vus jusqu'ici, si on peut le réduire au format du livre sans l'abîmer, je le prends. Ce garçon, à sa manière, invente un nouveau monde et l'on découvre que c'est le nôtre. »

Sa réaction me fait plaisir, j'aimerais encore parler avec lui mais il regarde sa montre, il doit partir pour un autre rendez-vous. Nous sortons, je le quitte à regret. Je le suis du regard, je le vois, avec sa haute taille, fendre la foule de profil à la manière d'Orion. Je crois même le voir courir et sauter sur place comme Orion fait quand l'air devient lourd, lourd... Étrange fantasme, celle qui a peur en pensant à Gamma à l'hôpital, à Orion en apprentissage et aux Roches Noires ce n'est pas cet homme, c'est moi. Moi, qui, si je n'étais pas si bien dressée, me mettrais peut-être à courir et à sauter d'angoisse.

L'heure avance, j'entre au jardin du Luxembourg. Je ne vois pas les promeneurs, les arbres, les fleurs, je monte vers le Panthéon, je me retourne pour voir une embellie éclairer le jardin que j'ai quitté à regret. Je vois l'énorme dent de la tour Montparnasse, je l'ébrèche du regard, je la frappe du bâton des fantasmes, je la fauche à la base comme les orties de mon enfance.

Je sens, comme Orion, la colère et l'angoisse monter en moi et je sais que le seul moyen d'échapper à la grande dent cariée, au soleil vacillant de cet été pourri, est d'aller rapidement au lieu convenu pour y faire des choses précises.

Je remonte la rue Soufflot, la rue du souffle, pour attendre Orion à la porte du lycée. Remontant de la rue Saint-Jacques, il arrive en même temps que moi, l'air plutôt calme. En me tendant la main, il me regarde avec une attention inhabituelle, l'air de penser : Aujourd'hui, je suis plus bien que toi.

Il doit lire dans mes yeux que ce n'est pas un jour ordinaire, que c'est moi qui ai reçu des rayons, que je n'irai pas chercher ses outils, que je ne ferai pas son plâtre.

Il est troublé, il hésite au bord d'une crise et scrute mon visage en cillant des yeux. Il voit que la femme qui est là ne pourra pas le protéger comme toujours et que, s'il fait une crise, elle sera lourde, très lourde et onéreuse. Il voit qu'aujourd'hui je prendrai ce risque, il saute un peu dans l'entrée, je ne dis rien. Il me suit dans l'atelier, va prendre lui-même ses outils et l'œuvre en travail. Il se tourne vers moi : « On va faire mon plâtre. » Il croit que je vais l'approuver, que je serai heureuse de sa décision. Je ne suis pas heureuse, je dis seulement : « Vas-y », comme si c'était la chose la plus naturelle du monde. À l'autre bout de l'atelier, en préparant son plâtre, il me regarde souvent pour voir si je veille sur lui, si je suis prête à lui porter secours. Je ne suis prête à rien, il faut que je travaille pour ne pas penser à Gamma, aux examens qu'on lui fera demain et à leur verdict. Quand Orion revient avec son plâtre, je pense seulement : En somme, il est en train de m'éduquer, de m'apprendre qu'il n'a pas tant besoin d'être aidé.

Marion, une excellente sculptrice, qui vient parfois à l'atelier, arrive avec Alberto. J'aime son beau sourire mesuré de statue romane, elle a appris qu'Orion veut sculpter le bois et elle lui apporte la liste des outils nécessaires. Il est très content et la remercie lui-même avec un beau sourire avant d'aller ranger la liste dans son précieux sac.

Alberto fait son tour habituel, examinant le travail de chacun, distribuant de rares conseils. Quand il a terminé, Orion me demande de l'aider à lui montrer son dessin à l'encre de Chine qu'il appelle, je ne sais pourquoi, *Le Pharaon sous la mer*. Ça c'est mon travail, je l'aide à le sortir du carton et de l'enveloppe en plastique destinée à le protéger de la pluie. Nous le plaçons sur un chevalet et je suis frappée par sa force. La planète, entourée d'anneaux, rayonne tout en lumière, au milieu d'un noir superbe, ignorant tout, indifférent à tout ce qui n'est pas son immense obscurité.

Est-ce Orion, l'apeuré, le sauteur qui, à sa manière, a vécu ce dessin ? Ce grand écart est-il possible ? C'est là, devant nous, le blanc rendu lumière par le noir intrépide qu'il a suscité sans pinceau, rien qu'avec une plume et de l'encre de Chine. En n'économisant ni le temps ni la peine, l'œuvre n'a pas été pensée avec des mots mais vécue dans la lutte et l'amour attentif du blanc pour le noir. Alberto s'approche, il regarde longuement le dessin, ce qui est déjà plus qu'un éloge et dit : « C'est beau, c'est bien. » Et aux membres de l'atelier qui se sont rassemblés autour du chevalet : « Il y a une belle économie de moyens. » Un murmure admiratif s'élève et Orion a sa minute de gloire.

Mon regard se fixe depuis un moment sur une forme humaine ni noire ni blanche, mais grise qui fait face les yeux fermés aux flammes qui s'échappent du dernier anneau de la planète.

Alberto la remarque aussi : « Cette tête, c'est quoi ? »

Je m'attends qu'Orion lui oppose son habituel : « On ne sait pas, Monsieur. »

Il me regarde d'abord, puis comme si c'était une farce, il dit en riant : « C'est le pharaon qui était sous la mer. Madame m'a donné une photo sous-marine faite à Alexandrie.

— Tu l'as bien changée ?

— On n'aime pas voir un homme sous l'eau... On ne veut pas, moi, mourir aux Roches Noires, on a mis le pharaon dans le dessin. Comme Madame dit, c'est mieux de mettre les monstres dans le dessin que de les garder dans la tête. »

Orion s'excite un peu en parlant. Alberto sent que le terrain devient brûlant et s'éloigne. Nous emballons le dessin.

Le père d'Orion arrive pour emporter ses œuvres et son dessin. Il est mal garé, le départ est précipité, je n'ai que le temps de dire à Orion : « Je t'attends après-demain au Centre, n'oublie pas. »

C'est le dernier jour à l'atelier avant les vacances, je dis au revoir à tous et m'en vais seule vers l'interminable route souterraine, changement de lignes, changement de train et enfin celui qui m'amène à la gare où Vasco m'attend. Il est triste et soucieux comme moi, il me serre dans ses bras pour me consoler ou que nous nous consolions ensemble, mais aujourd'hui je ne veux pas être consolée. Je dis seulement : « La fièvre ?

— Elle a un peu baissé, demain les examens commencent. »

Malgré l'heure nous n'avons pas faim, après avoir rangé la voiture, nous traversons le jardin qui est vert et rose sous un ciel de nuages bas et rapides. De la terrasse vient le parfum du parterre de fleurs blanches dont je ne connais toujours pas le nom.

Vasco prend ma main dans la sienne, comme je le désirais tellement au temps de mon amour inavoué pour lui. Je me rappelle un vers : « Amour, passant amour, que ferais-je de toi ? »

Après la mort de mon enfant, je l'ai cru, l'amour n'est qu'un passant. Cela n'a pas été ainsi et l'amour m'a réchauffée sur la longue route.

Pourtant, pas d'illusions ! L'amour est aussi un nœud coulant, ne va pas trop vite, ne va pas trop loin, sinon ça va serrer. Nous apprenons cela tout enfants, nous cherchons à ne pas le savoir et malgré tout nous le savons. L'amour, avec son invisible lanière, nous tient en laisse. Comme Vasco, qui sent peut-être le cours dangereux de mes pensées et me dit : « Viens. Rentrons, il faut absolument que tu manges, que tu dormes. »

Et moi, guidée, contenue par cette laisse amoureuse, je le suis.

Je reviens de l'hôpital où j'ai été voir Gamma. En métro, pas de place assise. Un changement, puis douze stations avant Richelieu-Drouot. La vie absurde... L'absurde ne fait-il pas partie de la vie ? N'est-il pas la face obscure, peut-être nécessaire, de la liberté ?

J'arrive à l'hôpital de jour, la secrétaire m'a donné la clé, le calme de ce lieu toujours bruissant m'étonne. Je crains que ce silence et ce vide ne perturbent Orion et je descends l'accueillir dans la cour. Je l'emmène dans notre petit bureau qui me semble encore plus étroit que d'habitude.

Il est un peu agité et je crois qu'il va me parler de sa vie à l'atelier de son père mais il veut me parler d'un rêve qu'il a fait cette nuit et, comme s'il débordait de lui, il commence tout de suite à le raconter.

« On était dans la campagne, sur la colline il y avait une sorte de couloir qui descendait vers la mer souterraine, puis un escalier. On faisait la moitié du chemin, alors on avait peur, peur d'être tout seul et on remontait vite, vite, pour être avec quelqu'un. Sur la colline tu étais là. On redescendait les deux, moi devant et toi derrière, comme dans le labyrinthe. Sur le mur il y avait de grandes peintures un peu comme dans les grottes ou dans le livre d'Histoire de France quand on était petit avec Clovis et Charlemagne. Il y avait aussi la galaxie avec le pharaon mort sous la mer. On entendait un bruit de vagues et le rêve s'est éveillé. On aurait voulu descendre avec toi jusqu'à la mer souterraine, le rêve ne le voulait pas. Il s'éveillait pour pas qu'on descende plus loin. »

Il nous reste du temps et il esquisse au crayon l'entrée d'une grotte qu'il barre de stalactites et de stalagmites qui me font penser à des dents de requin. Pourquoi, je n'ai jamais vu de requins ? Il n'est pas content de ce qu'il a fait. Je lui tends une gomme. Sans hésiter il efface les dents de requin et avec ses doigts étend la poudre du crayon à la place. Cela fait une grande bouche noire, on peut y entrer sans être déchiré par les dents, mais on risque d'être avalé.

Il contemple un instant son dessin en riant très fort, puis me le tend : « Ce n'est pas un dessin pour les parents, tu le gardes. Il est l'heure, Madame, on vient encore une fois. La semaine prochaine on part pour Sous-le-Bois, par Orléans et le carrefour d'Angoisse. »

Le soir, en dînant, Vasco me demande : « Est-ce qu'Orion part bientôt en vacances ?

— La semaine prochaine. Pourquoi ?

— Je voudrais moi aussi, Véronique, un peu de vacances avec pas trop d'Orion dans tes pensées.

— Tu préférerais que je ne m'occupe plus de lui ?

— Certainement pas.

— Tu ne crois plus en son avenir ?

— Si, son traitement m'importe beaucoup. Ce pas à pas que vous faites ensemble, que nous suivons, qui nous guide, on ne sait pas vers où. Tous les trois, parfois Gamma aussi. »

J'éprouve une grande frayeur, un souffle froid me traverse. D'où a-t-il tiré cela ? Pourtant c'est vrai. C'est terriblement vrai. Heureusement qu'il sait ce qu'il faut faire face à cette révélation. Il m'ouvre les bras. Que faire d'autre devant cette vérité qui vient de jaillir de lui, peut-être de nous deux, que s'embrasser, se cramponner l'un à l'autre, danser face à face, comme je l'y entraîne. Oui, danser comme Dieu fait. S'il existe ?

Deux jours plus tard, quand nous nous retrouvons le matin dans la cour de l'hôpital de jour, Orion a l'air agité et un peu fier. Dans l'escalier il me dit : « On a fini à l'atelier de papa, le patron était content, il m'a acheté un dessin de galaxie. » Quand nous sommes chez nous, il dit : « Prends ton cahier d'angoisse, on va dicter.

DICTÉE D'ANGOISSE NUMÉRO HUIT

On avait droit à une sorte de nouvel appartement, pas un pavillon comme on voudrait, mais un grand appartement, plus qu'un F4. Le rêve allait le visiter avec maman. Il y avait un palier avec quatre entrées, c'était le carrefour d'angoisse des appartements. On pensait que tu serais là pour dire la bonne entrée. Tu la disais car tu étais là... et tu n'étais pas là... tu vois ce qu'on veut dire ? On grimpait un escalier, il y avait plusieurs chambres, une cuisine et une salle de bains. Maman regardait la cuisine et la salle à manger. On voyait une porte, tu étais derrière moi et on la poussait, il y avait un autre escalier, seulement pour nous et les amis. Au-dessus de l'escalier, un autre appartement beaucoup plus grand et une fenêtre ouverte qui donnait sur une forêt comme à Sous-le-Bois et aussi une rivière pour pêcher avec papa et des endroits pour nager. On n'avait jamais vu un appartement si grand. C'était un appartement qui rendait grand comme on n'est pas. Il y avait aussi des palmiers naturels et pas castractés, avec des oiseaux. On pensait qu'ils allaient chanter, ils n'ont pas pu, car le rêve s'est éveillé. Fin de dictée d'angoisse.

— Tu as des associations...

— Quand maman restait en bas, on visitait seul le grand appartement du dessus. Tu étais derrière moi, on était à l'aise : pas de rayons, pas d'angoisse, la forêt, la rivière, c'était la nature à l'intérieur de ma tête.

— Avec un carrefour d'angoisse à l'entrée de l'appartement.

— Oui, Madame, comme sur la route de Périgueux, la route pour aller en vacances. Avant Sous-le-Bois était à mamie, maintenant elle est morte et c'est chez nous. Il est l'heure, Madame, on doit partir. Bonnes vacances pour vous et Monsieur Vasco et bonne santé pour Gamma. »

Nous nous serrons la main, je vois qu'il est un peu triste, moi aussi. Je suis heureuse de la vision qu'il a eue, grâce au grand appartement, d'une dimension plus vaste de lui-même que celle qu'il vit quotidiennement. Que veut dire son carrefour d'angoisse ? Quelle force d'expression chez lui ! Quel beau titre pour un poème !

On frappe à la porte, c'est Orion qui revient, il a sorti une carte de son sac.

« On pense, Madame, que tu n'as pas compris. On avait apporté la carte Michelin pour te montrer, mais en dictant le rêve on l'a oubliée. Regarde, sur la route de Périgueux, ce village-là c'est Angoisse et le carrefour juste à côté, c'est le carrefour d'Angoisse. Tu vois c'est marqué, on passe là toujours depuis qu'on est petit, sur la route de Périgueux. Là on sait qu'on est petit, toujours petit, comme l'enfant bleu savait aussi... On reprend la carte, Madame, c'est celle de papa. Bonnes vacances. »

LA GRANDE BANNIÈRE

J'ai oublié – je l'ai désiré sans doute – la plus grande partie de l'été qui a suivi. Il est dans ma mémoire comme un long parcours oppressant avec des moments de lumière dont ne persistent que peu d'images.

Gamma est guérie mais son maître de chant souhaite qu'elle ne recommence à chanter en concert qu'à l'automne. Elle ne pourra le faire que plus rarement et moins longtemps. Parfois Vasco donne des concerts seul ou avec d'autres musiciens. Pourtant c'est dans son travail avec Gamma que naît sa vraie musique, celle qui rencontre de plus en plus de succès mais aussi des résistances.

Les cours reprennent à l'hôpital de jour, Orion revient, le mois d'août s'est bien passé, il a été à la mer et à Sous-le-Bois. Il a souvent nagé dans les rouleaux de l'océan ou dans la rivière, il a pêché, visité des châteaux et une île avec ses parents. Il a un peu sculpté et dessiné souvent.

Il ne veut plus continuer la série des gouaches de l'île Paradis numéro 2 et me demande de lui donner comme devoirs de grands dessins à l'encre de Chine à faire chaque quinzaine.

Nous avons pu entrer enfin dans notre nouvel appartement où tout est loin pourtant d'être terminé. Robert Douai m'autorise à recevoir Orion chez moi une fois par semaine, ce qui me facilite la vie.

Pendant ces dernières années Ariane et son théâtre ont monté d'admirables spectacles. Ils ont donné des formes nouvelles à des tragédies anciennes ou suscité la création de tragédies de notre temps. Elle me téléphone qu'elle va organiser une manifestation pour la libération des artistes sud-américains emprisonnés par les dictateurs. Elle voudrait que la manifestation soit précédée par un défilé de cent bannières anti-dictatures peintes par des artistes.

« C'est une idée très belle...

— Alors, propose à Orion d'en faire une, ça lui fera du bien, et fais-en une aussi.

— Il faut d'abord que j'en parle avec lui et ses parents.

— Je te rappelle dans deux jours. »

J'en parle à Orion, il est à la fois tenté et réticent. Il a peur d'avoir des crises et surtout que la manif n'empiète sur son séjour de Toussaint à Sous-le-Bois.

Ariane me rappelle : « Est-ce que vous ferez des bannières tous les deux ?

— Orion a peur, il n'a jamais fait d'œuvres de cette dimension, il craint une crise et nous n'avons pas le matériel.

— Pour la crise, tu seras là. Les bannières, les couleurs, le matériel seront au théâtre. Vous travaillerez sur place, vous mangerez avec les acteurs, cela ne lui coûtera pas un sou.

— Le plus difficile, Ariane, c'est qu'Orion ne peut peindre que ce qu'il voit, comme il dit, dans sa tête.

— Il le verra ! La dictature, l'oppression, le malheur, il connaît. Peindre en grand, montrer dans la rue ce qu'il fait, ce sera pour lui un grand pas. Une expérience importante. Donc c'est d'accord, vous venez à partir de lundi après-midi. Je compte sur vous. »

Elle a déjà raccroché. On ne résiste pas, je le sais, à Ariane, à sa certitude que vivre c'est se risquer, dépasser ses peurs.

Le soir, Vasco revient de voyage, il pense que malgré les grandes dimensions des bannières nous pouvons participer à la manifestation. Le docteur Lisors et Douai sont d'accord pour que je consacre une semaine à Orion seul et que nous allions travailler au théâtre. Les parents acceptent aussi, car je serai tout le temps avec lui.

Le plus difficile à convaincre est Orion. « C'est un acte de solidarité avec tous les artistes dont tu fais maintenant partie, une occasion de faire une belle œuvre et de te faire connaître. »

Il me regarde méfiant : « Tu seras avec moi ?

— Chaque jour et tout le temps. Nous aurons une semaine pour faire nos bannières.

— Qu'est-ce qu'on peindra, on n'a rien dans la tête.

— C'est une manif contre les dictateurs, qu'est-ce que tu détestes le plus ?

— Le démon !

— Tu peins le démon-dictateur.

— On peut le peindre avec des yeux partout... noir et beaucoup de rouge ?

— Toutes les couleurs seront là, à toi de choisir. »

Il est attiré et il a peur : « On irait quand ?

— À partir de lundi, on a toute la semaine pour finir.

— Et comment on mangera ?

— Là, avec les autres artistes et les comédiens du théâtre.

— On aura peur, on ne peut pas manger là. Tu prends un pique-nique.

— Je vais préparer le déjeuner. Commence déjà un brouillon de ton démon. »

Pendant que je suis à la cuisine, il fait un premier tracé de son brouillon. Je l'entends s'exclamer : « Un œil sur ton front, une tête de serpent sur ta queue. Pan, une trompe sur ta gueule ! »

Après déjeuner, je m'installe en face de lui et nous poursuivons tous les deux nos projets. Le mien est abstrait. Lui trace sur sa feuille un long personnage noir et cornu sur lequel il jette parfois un regard amusé et stupéfait.

Mon dessin est trop compliqué, Orion vient le voir : « Tu fais du moderne, Madame, maman n'aimerait pas, mais Jasmine peut-être. »

Je regarde son démon qui a déjà pris forme : « Toi aussi, tu es un moderne. Ton démon n'est pas comme ceux du Moyen Âge. Tu es un artiste moderne, de maintenant. »

Cette idée l'étonne, puis lui plaît, il sourit : « Qu'est-ce que tu fais avec toutes ces lignes et tes mesures ?

— Les quatre flèches de l'espérance qui percent les murs, qui les empêchent de grandir.

— Les murs du métro, de l'école, de l'ennuiement quand on est tout seul ?

— C'est ça ! »

Le premier jour où nous allons au théâtre, Orion est très agité au moment de partir, j'ai prévu la difficulté et j'ai demandé à Vasco de nous conduire en voiture.

Au théâtre, il est heureux de la proximité de la forêt mais effrayé de voir beaucoup de monde circuler et s'affairer partout. Nous croisons trois comédiennes, il se cache derrière moi quand elles me parlent. Il est stupéfait d'entendre qu'elles l'appellent par son nom.

« Comment elles me connaissent ?

— Tu as fait des expositions, elles les ont peut-être vues, ton nom est sur la liste des artistes qui font des bannières. On te connaît ici. »

C'est dans le grand hall des répétitions que nous allons peindre. Les toiles, très vastes, sont étendues sur le sol et quelques artistes y travaillent déjà. Liliana, une des dirigeantes du théâtre et mon amie, a fait étendre dans un coin tranquille nos deux toiles avec des pinceaux, des brosses et des couleurs.

Certains peignent debout, d'autres à genoux sur le sol ou sur leur toile. Tout naturellement Orion s'agenouille et je l'imite. Nous sommes tous les deux bien désorientés par les dimensions de nos bannières. Jamais nous n'avons travaillé sur des surfaces aussi vastes. Liliana qui survient nous dit : « Vous pouvez vous servir de ces toiles comme brouillons, demain vous en aurez d'autres, plus résistantes pour la manif. »

Nous sommes si absorbés par notre travail que je ne sens pas le temps passer et ne m'aperçois pas que tous ceux qui travaillaient avec nous sont partis. Une porte fermée derrière nous s'ouvre avec un certain fracas, c'est Vasco qui survient comme d'habitude par un chemin inattendu. Son corps souple, son sourire semblent portés par la lumière. Orion à genoux sur sa toile le regarde s'approcher avec la même joie que moi. Un éclat de gaieté nous transporte, Vasco est heureux, il fond sur moi, me soulève de la toile et m'embrasse. Il aide Orion à se relever, l'embrasse aussi d'un même mouvement et nous dit en riant : « Venez vite, il est tard, vous étiez enfermés, plus personne ne savait que vous étiez encore là. Heureusement que je connais la mécanique. »

Il nous entraîne en courant à la voiture.

En débarquant Orion devant chez lui Vasco dit : « Demain et les autres jours, il faut arriver le matin, sinon tu n'auras pas le temps. » Et Orion : « Bien, Monsieur, on ira ! »

Le lendemain je retrouve Orion au métro et nous allons à pied jusqu'au théâtre. Le temps est beau, les arbres touchés par l'automne ont des couleurs mouvantes et nous sommes impatients de commencer le travail. Les nouvelles toiles sont dans le hall, étendues sur le sol à côté de nos premières esquisses. Leur matière est plus rugueuse et il faut avant de les peindre les enduire de blanc. Quand nous avons fini de le faire, ces deux beaux rectangles blancs me fascinent et j'ai un moment de regret en pensant que nous allons les recouvrir de signes et de couleurs qui vont prétendre à un sens, à une autre beauté que celle de cet instant nu.

Je prends le sac du pique-nique et j'emmène Orion déjeuner sur un banc au soleil. Nous entendons le bruit du repas des comédiens et des autres artistes. J'aimerais être mêlée à leur communauté, à leur chaleur mais le moment n'est pas encore venu. Orion mange bien, il est heureux d'être au soleil, sans doute d'être avec moi, car, après avoir avalé la dernière goutte de son jus d'orange, il s'empare du sac, prend mon bras pour m'aider à me lever et me dit avec autorité : « Viens, Madame, on travaille. » Et je le suis, toute contente.

Nous sommes plusieurs à peindre dans le grand hall, chacun sous une lampe ce qui forme un certain nombre de petits dômes de lumière recueillie, entourés de larges espaces d'ombre. Je m'absorbe dans le tracé géométrique de ma bannière, les proportions sont bien différentes de celles de mon projet et je me trompe souvent. J'envie Orion qui semble tracer sans peine les formes de son démon médiouse, comme il l'appelle. Tout à coup il s'agite, se relève et crie : « On a peint du charabia. » Il se met à sauter en marmonnant : « On a fait du foutu ! La tête est trop grosse, avec des taches noires de bon à rien. »

Je me relève, je regarde, la tête est trop grosse en effet par rapport à son projet primitif et dans sa détresse il a fait des taches de peinture noire sur sa toile. Pourtant la puissance de cette tête disproportionnée me frappe.

« Ne saute plus, Orion, ta tête est belle.

— Trop grosse, Madame !

— Non, tu ne fais pas un homme, tu fais un démon médiouse. Tu ne peins pas un démon français avec une tête comme toi. Son corps est costaud mais plus petit. C'est comme ça dans ta tête puisque tu l'as fait comme ça. »

Il s'arrête de sauter et me regarde perplexe.

Je me risque : « Le médiouse c'est une langue à part, l'enfant bleu la connaissait, il la lisait dans ta tête.

— Tu ne connais pas l'enfant bleu.

— Non, Orion, mais je commence un peu à comprendre le médiouse à force de t'entendre le parler et de te voir le dessiner. Cette tête n'est pas dessinée en français mais en médiouse, c'est pour cela qu'elle est si bien.

— Et les taches noires ! Qu'est-ce qu'ils vont dire : Orion le débile, le tordu, ils vont crier ça.

— Tu recouvres les taches avec du blanc, et tu laisses sécher, l'acrylique ça sèche vite. Je vais le faire avec toi, puis tu fais un nouveau tracé du corps mais tu gardes sa grosse tête. »

Orion se calme, nous étendons du blanc sur les taches. Un ancien du théâtre, qui peint pas loin de nous, regarde un instant et dit : « C'est bien parti. » Puis : « Il paraît qu'il y a du thé et du gâteau au réfectoire, tu viens ?

— Non, Orion n'est pas encore habitué. Dis à Liliana que nous resterons ici. »

Je laisse Orion continuer seul et me remets à ma bannière. Soudain je sens la main contractée d'Orion s'accrocher à mon épaule. Il me dit d'un ton effrayé :

« Regarde, une médiouse qui vient ! »

Une majestueuse apparition vient vers nous portant un objet sur sa poitrine. Une femme avec une longue robe très belle. Quelque chose brille dans ses cheveux. Je la vois venir avec émerveillement, je n'ai pas le temps de penser, mais devant l'effroi d'Orion il faut que je parle.

« Ce n'est pas une médiouse, c'est une reine du théâtre. Je crois que c'est Odile. »

Soulagé, Orion se détend. L'apparition est toute proche, c'est Odile. Qui tient le rôle de la reine dans le *Richard II* de Shakespeare que va monter Ariane. Elle porte un plateau qu'elle dépose entre nous, il y a une tasse de thé, un verre de jus d'orange et deux morceaux de gâteau. Dans sa robe bleue, traversée de fils d'or, Odile est une reine du grand royaume du théâtre et des légendes. Je le lui dis, elle sourit du très léger sourire un peu grave qui va éclairer le tragique de sa lumière contenue. Elle me dit : « Liliana m'a demandé de vous apporter cela, rapporte-lui le plateau, on m'attend pour la répétition. » Elle part en courant aussi légère qu'était lente et majestueuse son apparition dans l'ombre, il y a un instant.

Je savoure ma tasse de thé et dis à Orion : « Tu peux manger les deux gâteaux, je n'ai pas faim. »

Lui a toujours faim, c'est une des rares certitudes de notre travail ensemble. Orion, soudain très nerveux, a voulu avaler d'un coup son jus d'orange. Il s'étrangle et l'événement produit une crise de toux et une explosion de gouttes qui tombent sur son pantalon et ma bannière. Immédiatement il se dresse, saute en agitant ses bras, en criant : « On a reçu des rayons, tout est sale maintenant... Bannière-démon... On va la déchirer. »

Alertés, les autres peintres nous regardent. Celle qui pense dit en moi : C'est la catastrophe... C'était à prévoir... J'ai pris trop de risques !

Mais l'autre, qui a déjà traversé tant de crises, fait face à Orion et dit de sa voix curieusement tranquille :

« Ce n'est rien, Orion, essuie ta bouche. Ça ne va pas faire de taches, et ton gâteau, pourquoi tu ne le manges pas ?

— C'est à cause du démon, madame, on aime le chocolat mais pas la pomme en dessous. Il le sait, celui-là.

— Mange le chocolat et laisse la pomme !

— On peut faire ça, laisser la moitié dans l'assiette ?

— Bien sûr. Tu es libre, tu peux manger ce que tu veux, et le chocolat de mon assiette aussi. »

Il se calme peu à peu et mange le chocolat des deux assiettes. À ce moment le grand Bob passe, il prend le plateau et regarde un moment la bannière d'Orion. « Elle est drôlement bien ta tête de démon. »

Nous continuons à travailler, nos bannières prennent forme, plusieurs peintres commencent à s'en aller, j'aperçois Vasco qui nous cherche du regard. Il vient vers nous et regarde nos bannières : « Vous avez bien avancé tous les deux. »

Et à Orion : « Il a vraiment la grosse tête ton démon. C'est à cause de ça qu'il fait des erreurs, il se croit plus fort qu'il n'est. »

Orion range ses pinceaux : « Il y a eu une apparition, on croyait que c'était une démon médiouse. Madame a dit que c'était la reine du théâtre qui apportait le goûter. Moi on pense que c'était la mère de l'enfant bleu.

— Tu la connaissais ?

— Non, Monsieur, elle habitait loin, elle venait deux fois par mois et moi on est parti après dix jours et l'île de l'enfant bleu est devenue l'île qu'on ne doit pas dire.

— L'enfant bleu t'a parlé d'elle ?

— On ne savait pas beaucoup de mots alors. On jouait sur mon lit ou par terre. Elle jouait avec nous dans ma tête, elle était une Maman bleue qui jouait et ne parlait pas, comme madame quand on fait de la guitare ou des dictées d'angoisse. Dans les dictées d'angoisse on parle et Madame pas mais ce qu'elle écrit, c'est comme si on l'avait écrit les deux. »

J'écoute, étonnée. Entre Vasco et Orion une connivence s'est établie.

Le troisième jour, je dispose de la voiture. J'emmène Orion et quand nous arrivons au théâtre je vois tout de suite qu'il commence à se sentir chez lui. Dans le hall, plusieurs peintres nous saluent de la main et Orion leur répond de même tout naturellement.

Nous nous mettons au travail. La tête du démon a presque la même dimension que son corps. Cela fait un démon trapu, tout hérissé de pointes et de défenses mais nullement disproportionné. Pendant ce temps je fais sur ma bannière des essais de couleur avec du bleu et du rouge. Il m'interroge : « Est-ce que c'est mieux de faire un fond ?

— Oui, c'est mieux.

— Quelle couleur ? »

Je suis en train d'étendre du rouge sur une partie de ma bannière et sans trop réfléchir je dis :

« Pour un démon, du rouge. »

Il éclate de rire, il est content, il marmonne : « Pan ! on va t'en mettre du rouge, ça va chauffagiser, bien fait pour toi ! »

Il ne prend pas la couleur du tube, il la mélange avec une autre et son savoir-faire m'épate. Il voit que je l'observe et me dit : « Regarde pas ! Occupe-toi de ta bannière, avance ! Il faut que tu la fasses toute seule, c'est pas moi qui va t'aider ! »

Il y a dans ses paroles une sorte d'agressivité réjouie, toute nouvelle et qui me stimule.

Son rouge n'est pas un rouge ardent ni brutal. En comparaison le rouge que j'étends sur ma propre bannière me semble fruste, mais il ne sera plus ainsi quand il sera accompagné du blanc et du bleu que je médite.

Je n'ai pas emporté de pique-nique aujourd'hui et au moment où on sonne pour le déjeuner Bob arrive comme convenu : « Liliana m'a dit de venir vous chercher. » Et à Orion : « Viens avec moi te laver les mains d'abord. »

Orion part avec lui, non sans regarder si je les suis. Au moment d'entrer dans le réfectoire il est effrayé par le bruit et le nombre des convives, mais Bob le pousse en avant et Liliana l'accueille avec tant de gentillesse que nous nous retrouvons, sans trop de mal, assis à une table à l'écart. Ariane passe avec Delphine, elles nous font signe et Orion leur répond comme nous.

L'après-midi nous travaillons sans incidents et à l'heure du thé, pour la première fois, il accepte d'en prendre une tasse.

Le soir au moment de partir, il a achevé d'étendre autour du démon son rouge somptueux. Je suis très fatiguée, lui aussi. Il dit avec regret : « Monsieur Vasco ne vient pas ?

— Non, il a un concert, il viendra demain. »

Le quatrième jour il fait beau, le soleil perce à travers les vitrages et je suis stupéfaite de voir apparaître sur la bannière déployée d'Orion un énorme démon blanc, entouré de rouge ancestral. Jamais je n'avais imaginé cela, je pense à la Chine où les démons sont blancs. Nous ne sommes pas en Chine mais à Paris où ce grand démon blanc a l'air scandaleusement nu. Orion lui aussi regarde, sidéré, cette superbe et terrible forme. « Tu veux le laisser comme ça ?

— Non, il n'est pas fini, il n'a pas de peau, on va la faire.

— Il est beau comme ça, on dirait un démon blanc de Chine.

— On veut faire le démon en noir de Paris. En pollution, en fumée d'essence, en tunnel de métro et en voyous qui bousculent pour voler. »

Nous nous mettons à peindre et Orion trace avec beaucoup de soin sur le ventre du démon un autre visage porteur d'une mince couronne et d'un énorme nez, sous lui les couilles du démon et son pénis lui confèrent étrangement une bouche et une barbe, sans cesser d'être ce qu'ils sont. Ce visage aux deux petits yeux ronds me fait penser à Ubu Roi dont Orion n'a jamais entendu parler.

À l'heure du déjeuner il me suit sans se faire prier et va s'asseoir à la table où Bob nous rejoint. Il se sent en terrain connu, fait la queue pour aller se servir et rapporte lui-même son assiette bien remplie et son verre. À la fin du repas je lui propose une courte promenade, il refuse pour avancer son travail.

Après le goûter Vasco vient nous rejoindre, il est en bleu de travail et va nous aider. Il regarde d'abord le travail d'Orion, il admire le fond rouge et le graphisme aigu, mais est gêné par un défaut. « Tu n'as pas assez de place à droite pour le bras et la queue. Tu pourrais déplacer la queue à gauche, il y a plus de place et le bras est plus haut. » Orion voit tout de suite que Vasco a raison. Celui-ci, sans insister, s'agenouille à côté de moi et m'aide à étendre du bleu sur ma bannière. Pendant ce temps Orion commence à réparer son erreur, quand il a effacé la queue mal placée, il s'écrie : « Ce n'est pas juste que tu travailles seulement avec Madame. On peut aussi être aidé.

— Exact, dit Vasco, j'achève ce triangle et je t'aide. »

Vasco va se mettre à côté d'Orion qui lui explique ce qu'il doit faire. S'il a une hésitation il demande : « Et pour ça ? » La réponse d'Orion est immédiate et précise.

Mon dos me fait mal, je me redresse et vais voir les peintres encore à l'œuvre. Certaines bannières sont belles ou frappantes mais aucune n'a la force acérée ni l'inventivité de celle d'Orion. Je reviens vers notre coin. À deux ils ont bien avancé, il y a maintenant sur la tête du démon trois yeux verts et méchants. Les oreilles en forme de feuilles sont menaçantes. Sur le dos commencent à apparaître deux petites ailes, incapables, sauf action magique, de supporter l'énorme poids du corps.

Tout en travaillant, Orion s'est rapproché de Vasco, ils sont maintenant épaule contre épaule et Vasco ne se dégage pas. Orion tourne vers lui son regard et dit sans s'arrêter de peindre : « On est bien tous les deux.

— Oui, on est bien.

— Quand on travaille comme ça, dit Orion, c'est comme si tu étais l'enfant bleu. Si on n'avait pas été si petit on aurait fait comme ça à l'hôpital Broussais.

— L'enfant bleu parlait aussi en disant « on » ?

— On ne sait pas, on n'avait que quatre ans. Ne va pas plus loin là, il faut laisser une ligne blanche. L'enfant bleu avait une maman bleue, il parlait comme elle.

— Madame n'est pas une maman bleue pour toi ?

— C'est une maman d'enfant bleu même si elle porte presque toujours des pantalons. Avec elle on a appris des mots, beaucoup. On est toujours en face d'elle pour les dictées que-de-fautes et pour les dictées d'angoisse et pour apprendre. L'enfant bleu... il était à côté de moi... Il m'apprenait... comme moi on t'apprend à bien étendre les couleurs en te touchant l'épaule. Avec Madame... on se parle presque toujours en se parlant.

— Tu dis presque toujours, il y a des fois où vous vous parlez sans vous parler ? »

Orion éclate de rire : « C'est pas souvent mais parfois on se parle comme ça. Alors on ne le dit à personne, sauf aujourd'hui. »

C'est avec Vasco qu'Orion parle. C'est bien. Avec toi, tout est bien, comme dit Orion. Pourtant il y a une petite déception, ce n'est pas avec toi, c'est avec Vasco qu'Orion parle de l'enfant bleu.

Je suis toute seule avec ma bannière, ils travaillent tous les deux à celle d'Orion.

Orion se lève : « Il est l'heure, Monsieur, on doit prendre l'autobus et Madame elle est très fatiguée. On a bien avancé... »

Vasco réagit : « Tu ne peux pas dire, j'ai bien avancé ?

— On ne sait pas.

— Demain matin, nous finirons à trois ta bannière. Et l'après-midi celle de Madame. D'accord ?

— D'accord et nous on parle encore de l'enfant bleu. »

Orion sourit en disant cela. L'enfant bleu est là, peut-être ?

Le lendemain nous cueillons Orion à l'arrivée de l'autobus. Au théâtre, il est de la famille. Il dit bonjour à tous et tous lui répondent. Nous commençons, comme prévu, à travailler à son dictateur-démon. Orion est au milieu et dirige le travail. Je m'occupe de la tête, Vasco des pieds et des mains, qui ont chacun dix doigts très effilés et pointus, des yeux espions et des bouches menaçantes. Orion s'occupe de replacer à gauche la queue amputée à droite. Pendant que le travail avance, Orion se déplace peu à peu vers Vasco. Quand leurs épaules se touchent et comme Vasco ne se retire pas, il se met à parler :

« Quand on était petit, on souffrait du cœur, on ne faisait pas les mêmes progrès que les autres enfants et les parents devaient attendre qu'on ait quatre ans pour aller à l'hôpital Broussais au service de la chirurgie infantile. Est-ce que tous les enfants ont peur, Monsieur quand ils vont là, que les parents doivent partir et qu'on doit rester tout seul ? Toi, Monsieur, tu aurais eu peur ?

— Oui, j'aurais eu peur. »

Orion écoute avec grand contentement cette réponse : « Mais, moi, Monsieur, on avait plus peur que les autres. On ne connaissait pas encore le démon de Paris, mais il faisait déjà qu'on avait peur des infirmières, des docteurs et surtout des autres enfants. Quand les docteurs posaient des questions, on ne pouvait pas répondre, rien que pleurer et crier quand ils me touchaient. »

Nous continuons à travailler en silence. Le temps me dure et je dis comme si j'écoutais les histoires de papa.

« Et après ? »

Nous nous serrons tous les trois, nous communiquons par les épaules, comme Orion aime. J'entends ou peut-être je crois entendre Vasco répéter : « Et alors ?

— On m'a descendu dans une machine à civière dans une chambre où maman ne pouvait pas entrer. On a été couché sur du froid, il y avait du noir, puis du noir avec des étincelles. Quand la lumière est revenue l'infirmière était en blanc de morte. On entendait qu'elle parlait mais on ne comprenait pas ce qu'elle disait. Quand on a été dans le noir du froid, le docteur disait avec une voix de démon d'hôpital : « Respirez... ne respirez plus » et alors on étouffait. L'infirmière voulait expliquer. Expliquer quoi ? Il y avait une odeur nouvelle, une odeur préhistorique qu'on sentait avec la respiration qu'on devait ouvrir puis fermer. Pourquoi ?

C'est là que tout s'est emmerdoublé et qu'on a entendu le bruit et senti la grande odeur et la force du démon de Paris. Et les autres, même maman, quand on est sorti de la machine noire ne le savaient pas. Ils n'entendaient pas ce qu'on entend dans la chambre d'étincelles... quand le démon entre en moi par la petite porte qu'on ne peut plus fermer. »

Orion se presse contre nous, il transpire beaucoup, il crie à voix basse ses dernières phrases.

Bob à ce moment vient nous dire : « C'est l'heure du déjeuner. » Il voit Orion tout contracté et ruisselant de sueur et dit : « Tu as chaud, viens te laver les mains. »

Orion se lève et le suit, Vasco dit : « Je vais avec vous. »

Et à moi : « Retiens une table. »

La bannière d'Orion est prête, il ne lui reste qu'à signer. Je vais seule à notre table, c'est pour Vasco qu'Orion a commencé à ouvrir la porte de l'enfant bleu, c'est Bob qui, sans le savoir, a arrêté la crise qui menaçait. C'est bien, Orion a besoin d'amis, moi je suis sa psycho-prof-un-peu-docteur. Ne pas l'oublier.

Pendant le déjeuner Orion est calme, de temps à autre il s'arrête de manger pour poser la main sur l'épaule de Vasco ou de Bob. Au dessert, il y a de la tarte, Bob lui en sert un grand morceau et une tasse de café, alors qu'Orion n'a jamais pris de café de sa vie. Bob lui dit : « La tarte c'est meilleur avec du café. »

Orion, sans hésiter, prend une gorgée de café, il grimace un peu.

« Mets du sucre et tourne », lui dit Vasco en lui donnant deux morceaux. Le café sucré lui plaît, il en prend, comme Bob, avec son morceau de tarte et finit par vider sa tasse. Il se tourne vers moi : « Il ne faut pas le dire aux parents. »

Mais Vasco : « Il faut le leur dire. Tu es grand maintenant, tu fais ce que tu veux.

— C'est papa qui gagne les sous. »

Vasco m'interroge du regard, j'interviens : « Tu en gagnes un peu aussi, tu as une pension, tu vends déjà des œuvres. Tu étudies, tu peins, tu sculptes, tu as un métier.

— Ils disent que ce n'est pas un vrai métier.

— Si, c'est un vrai métier, dit Vasco, ici tous sont des artistes comme toi. Tu es un artiste peintre et sculpteur. »

Les yeux d'Orion se tournent vers Vasco avec une joie reconnaissante : « Un artiste peintre et sculpteur ? »

Il se tourne vers moi : « C'est vrai, Madame ?

— C'est vrai.

— Et maintenant, allons-y, dit Vasco, car si ton Démon fasciste est fini, l'Espérance de Madame ne l'est pas, il faut s'y mettre tous les trois.

— Demain on part à Sous-le-Bois, je ne peux pas rentrer tard.

— Tu rentreras quand ce sera fini, dit Vasco, tu ne vas pas nous lâcher.

— Non », dit Orion, et comme Bob, qui a trouvé une cafetière encore emplie, lui propose du café il lui répond avec assurance : « Oui, une demi-tasse et un sucre. »

Nous travaillons tous les trois à ma bannière, Orion, au centre, ajoute à ma demande une nouvelle couche de blanc aux quatre étoiles de l'espérance. Avec sa précision habituelle il rectifie les erreurs que j'ai faites lors des premières couches. Vasco et moi travaillons aux bleus et aux rouges que les flèches doivent traverser.

Tout est un peu rigide dans ma bannière et si mes rayons d'espérance vont aux limites des résistances massives qui les entourent, ils ne les dépassent pas. Pas encore. C'est bien ainsi que je suis. Sous ma bannière j'ai laissé en blanc un petit rectangle. Pourquoi ?

Orion le regarde : « Toi, tu es un artiste écrivain, tu dois écrire là. »

Je suis frappée, mais écrire quoi ? Je regarde Vasco, il approuve de la tête. Brusquement me revient à l'esprit un demi-vers. « Si j'écrivais « En lumière acharnée » ? »

Le visage de Vasco s'éclaire : « Écris-le. »

Et Orion : « On ne comprend pas vraiment, Madame, mais ce sont des mots qui dérayonnent... »

Quand Orion a signé son démon-dictateur et que j'ai écrit mon texte nous étendons sur le sol nos deux bannières ainsi que Liliana nous l'a demandé. Celle d'Orion est de loin la plus belle, la plus inattendue, mais je vois dans leurs yeux que la mienne n'est pas mal et digne de défiler le jour de la manif.

À ce moment Ariane et le scénographe viennent voir les bannières. Ariane est manifestement frappée de la qualité et de l'agressivité stupéfaite, comme elle dit, de l'œuvre d'Orion. Il est vrai que son démon-dictateur est puissant, dangereusement armé mais qu'il est surpris de la résistance qui lui fait face. Ariane interroge Orion sur certains aspects de son œuvre. À ma surprise, il lui répond chaque fois à grand effort mais avec précision.

Elle rit : « Tu en sais des choses sur le démon et les dictateurs. Et il paraît que tu bois du café maintenant.

— On a moins peur ici.

— C'est normal d'avoir peur du démon-dictateur, il est fort et méchant. Mais on peut lutter. »

Ariane se tourne vers moi : « J'aime aussi ta bannière et ton texte : « ... en lumière acharnée ». C'est ce que nous pouvons apporter : un peu de lumière et beaucoup d'acharnement... Comme tu fais avec Orion. »

Le scénographe continue à regarder la bannière d'Orion, il n'est pas expansif mais est manifestement frappé par la précision et l'originalité du travail d'Orion. : « C'est fort... ce sera long... mais continue. »

Nous sommes contents tous les trois, Orion est pressé de s'en aller, il part demain à Sous-le-Bois, il ne faut pas qu'il arrive trop tard chez lui.

LA MANIF

C'est le jour de la manif. Elle part du Panthéon où nous nous regroupons pour prendre les bannières. C'est un jour venteux de novembre, il a plu le matin, les rues sont humides et les nuages menacent. Nous montons chacun notre bannière sur une hampe en bambou. Il y a un peu de confusion au début mais tout a été préparé avec grand soin, des cordons ont même été prévus de chaque côté au bas des bannières pour que deux personnes puissent assister le porteur en cas de grand vent. Pour donner l'exemple à Orion, je porte ma bannière moi-même et Vasco reste à côté de moi. Orion fait des difficultés pour porter sa bannière et dit à Bob : « Non, toi d'abord, on la prendra ensuite si ça va. » Il y a de nombreux photographes de presse et c'est la bannière d'Orion qu'ils prennent le plus souvent en photo. Le père et la mère d'Orion ont l'air étonnés par l'ampleur de la manifestation qui rassemble déjà beaucoup de monde.

Les cent bannières sont en tête du cortège qu'Ariane précède ou longe pour donner des instructions avec son porte-voix ou lancer des slogans. Elle est à la fois calme et vibrante et elle anime toute la manif de sa fougue, de sa conviction. Le cortège s'ébranle, en tête des banderoles disent les raisons et les buts de la manifestation. Ensuite viennent nos cent bannières, elles frappent les gens groupés ou qui circulent sur les trottoirs. Le gros de la manifestation suit, formé de beaucoup de gens connus qui veulent soutenir les artistes sud-américains, emprisonnés ou chassés par leurs dictateurs. Je m'aperçois, tandis que notre marche est rythmée par moments par des musiciens, que j'ai très peu pensé, depuis le début de l'entreprise, au but et aux raisons de la manifestation. Tout a été occulté par la présence d'Orion et par le souci qu'il s'adapte au milieu inconnu du théâtre et de la manif. Nous traversons le boulevard Saint-Michel. Le vent est fort, je me fatigue, Vasco me relaie et porte ma bannière. Roland qui nous a rejoints tient un des cordons.

Orion, en voyant que Vasco porte ma bannière, veut soudain reprendre la sienne à Bob et la porter lui-même. Je demande à Bob de rester près de lui. Nous passons par de petites rues en direction du Pont-Neuf. Il y a beaucoup de monde pour nous regarder passer. De la tête de colonne, Ariane, avec son porte-voix, nous demande de nous limiter à trois bannières par rang. Nous parvenons à rester de front avec Vasco, la pluie tombe un peu, heureusement j'ai mis la grande casquette que Gamma m'a offerte et qui me donne un air un peu canaille. Beaucoup de gens photographient Vasco au passage. Ils photographient en même temps Orion et sa bannière.

Nous arrivons sur le Pont-Neuf, soudain des rafales frappent nos bannières, chacun se cramponne, je vois Roland éclater de rire en voyant les efforts de Vasco. Orion tient bon au début, Bob et moi le soutenons, en tenant serrés les cordons de sa bannière. Nous avançons vaille que vaille. Au milieu du pont, une autre rafale nous arrive dessus, la bannière d'Orion pique du nez, il croit qu'elle est tombée sur le sol. Il prend peur, lâche la hampe et s'enfuit. Heureusement Bob a saisi le haut, moi le centre de la hampe, la bannière ne tombe pas comme bien d'autres. Bob la redresse, mais Orion se défile derrière les passants. Je le vois rouler des yeux et battre des bras. Deux jeunes gens viennent aider Bob. Je me précipite à la poursuite d'Orion pendant que la manif continue à avancer. Caché derrière un réverbère, il est en train de sauter. En m'approchant je l'entends crier à voix basse : « On t'a eu, bon à rien, débile, débile ! On t'a eu ! »

« Ta bannière n'est pas tombée, Orion, viens vite avec moi, courons reprendre notre place. » Il ne m'entend pas. À ce moment survient son père. Orion le voit, s'arrête, il me voit aussi. Son père dit : « Regarde, elle est là ta bannière, elle n'est pas tombée. » Je le prends par le bras, il se laisse faire. Je me mets à courir, il me suit, nous avançons avec peine dans la foule, nous nous rapprochons peu à peu de Bob et de la bannière. Vasco se retourne plusieurs fois, il est inquiet, il nous voit et nous fait un grand salut du bras. Quand nous arrivons hors d'haleine à notre place, Bob demande à Orion : « Tu veux la reprendre ?

— Non, toi. »

Nous sommes rue de Rivoli où la circulation se poursuit sur une moitié de la rue. Tout est bien réglé, musique et slogans se succèdent, je suis un peu étourdie par ce qui est arrivé, le bruit de la foule et la proximité des voitures qui nous dépassent. Roland est heureux, Vasco sourit à des fans, Bob est tranquille et assuré. Je prends plaisir à entrer dans le jardin des Tuileries, le vent est moins fort, le bruit des voitures atténué, Orion s'est apaisé, il sourit à nouveau à l'espérance et aux couleurs des cent bannières. Il demande à Bob de lui rendre la sienne qu'il porte avec fierté.

Cette épreuve risquée s'achève, le succès est là car Robert Douai, qui est venu assister à la fin du défilé, s'approche de nous. Il demande à Orion : « Tu es content de ta bannière ? »

Et lui sans hésiter : « Oui, Monsieur, elle est bien et la manif aussi, mais on a reçu des rayons sur le Pont-Neuf.

— Heureusement tu avais des amis avec toi. »

Orion rit avec une sorte de bonheur : « C'est vrai, Monsieur, on a des amis. »

Nous nous regroupons près de l'entrée des Tuileries, derrière le Jeu de Paume. Ariane forme avec les bannières un grand demi-cercle, les manifestants se rassemblent derrière nous. Le ciel est toujours menaçant mais, entre les nuages, les rayons intermittents du soleil viennent éclairer les couleurs des bannières. Tout est très simple, rien que l'appel des noms des artistes massacrés, emprisonnés ou disparus. Une grande fraternité s'élève de ce coin de Paris qui a connu tant de scènes tragiques.

Orion est heureux, il y a un an encore, jamais il n'aurait pu supporter une telle expérience. Une grande joie me traverse : nous marchons lentement, parfois très lentement, mais nous marchons.

L'ENFANT BLEU

Le lendemain quand j'arrive à l'hôpital de jour je suis encore attristée par le départ de Vasco. Trois semaines de tournée en Italie, puis une semaine près de Naples pour apprendre avec le maestro de Gamma ce qu'elle peut encore chanter et ce qu'il vaut mieux éviter pour sa voix et sa santé.

J'apporte des journaux à Orion qui n'en lit jamais. Tous parlent de la manif et le font en bonne place, dans *Libération* il y a une grande photo de sa bannière, au départ devant le Panthéon. Dans les autres journaux ce sont des photos collectives où on distingue particulièrement la sienne.

Il est très content, il a entendu parler de la manif à Radio-Luxembourg, qu'on écoute chez lui. Il a vu aussi quelques images à la télévision.

« Est-ce qu'on va se voir avec Vasco ? Chez toi ou ici dans le petit bureau ?

— Vasco est parti ce matin pour l'Italie. »

Il est surpris, ses yeux s'embuent de larmes. « Il ne me l'a pas dit.

— Si, il te l'a dit, mais avec tout le tintamarre de la manif tu n'as pas entendu.

— Il part longtemps ?

— Assez longtemps, un mois. »

Il est décontenancé : « On voulait parler avec lui et toi de l'enfant bleu. Hier quand on était dans la manif, on avait peur, on sentait le démon qui soufflait dans la bannière. Puis, avec Vasco et toi, l'enfant bleu était de nouveau là. Mais le démon soufflait toujours : On t'aura, on le fera mourir l'enfant bleu et alors on t'aura ! Quand le rayon est venu sur moi au Pont-Neuf on a pensé que l'enfant bleu était mort et on s'est enfui. Tu es venue et on a pu continuer...

— Vasco ne reviendra pas avant un mois, Orion, mais si tu fais une dictée d'angoisse sur l'enfant bleu, j'en ferai une copie pour lui et la lui enverrai, ce sera comme s'il était là. Quand il l'aura lue, il te téléphonera un jour et on sera trois comme tu le souhaites.

— Vasco va faire ça, Madame ?

— Il est très occupé, il a beaucoup de répétitions, de concerts, de voyages à faire, mais il le fera.

— Il n'est pas payé comme toi pour ça ?

— Non, il n'est pas payé, il le fera parce qu'il est ton ami.

— Mon ami... mon ami. »

Orion tourne et retourne en lui ce mot, qui devient le plus beau du monde.

Je prends le cahier, ma plume.

« Alors, vas-y...

DICTÉE D'ANGOISSE NUMÉRO NEUF

On a été opéré du cœur à quatre ans. Quand les parents m'ont mené à l'hôpital, on ne m'a pas mis dans un dortoir. L'odeur de l'hôpital épouvantisait dès qu'on est entré. On ne connaissait pas le démon alors, même pas son nom. On connaissait très peu de noms, très peu de mots, les parents ne se rendaient pas compte parce qu'on faisait comme si on comprenait. À la maison on entendait le bruit de la bouche de maman, de papa ou de Jasmine, on savait ce qu'on devait faire, comme toi quand ça sonne tu décroches le téléphone mais on ne comprenait pas vraiment ce qu'ils disaient. Alors avec les mots qu'on n'avait pas, on était comme obligé de déconner en mots qu'on savait. Pas beaucoup. Le docteur d'alors, qui était gentil, appelait ça mon perroquettisme. Ceux de quatre ans qu'on ne savait pas opérer du cœur dans le temps vieux, ils mouraient. Quand on est opéré là-bas, on est comme un résurrectifié. Tout d'un coup on doit vivre comme les autres, on a le même cœur, mais quand on est un peu pistonné du démon on ne sait pas comment faire. On ne doit plus avoir peur, plus avoir des crises, on ne doit plus perroquettifier et ennuyer les parents et les copains d'école, mais on a beau être changé on est le même.

Quand les parents m'ont installé dans la chambre on a pensé qu'ils allaient rester mais ils sont partis. Maman, elle a beaucoup fait de bisous avant de partir et même elle pleurait un peu, car elle voyait qu'on avait peur tellement. Elle a dit : À demain.

On avait peur des infirmières avec leur tablier et parfois des taches, on pensait du sang. Elles avaient des voix gentilles mais pas des voix de maman. On devait rester dans son lit, manger des choses qu'on n'avait pas l'habitude, prendre des pilules. Heureusement maman n'avait pas oublié ma petite étoffe et mon nounours. On ne pouvait pas s'endormir sans la petite étoffe comme on disait. Tu as dit qu'on avait besoin de la petite étoffe car elle rappelait l'odeur de la maman. Alors on ne le savait pas et les soignantes non plus. Quand on ne l'avait plus, on pleurait jusqu'à ce qu'on la retrouve. Ça faisait souvent.

Il y a un garçon plus grand que moi qui est venu. Il a regardé le nounours, on a vu dans ses yeux qu'il allait le prendre. On l'a mis de l'autre côté du lit, il a attrapé une patte et tiré comme pour l'arracher. Il était plus fort mais on a crié et pleuré, une infirmière est venue et il s'est sauvé. Quand l'infirmière est repartie, il est revenu, on a caché le nounours sous les draps, il se tenait dans la porte. Il a demandé : C'est quoi ton nom ? On ne voulait pas le lui dire. Alors il dit : Tu ne sais même pas ton nom, un vrai débile !

On dit : Orion.

Ce n'est pas un nom français ça.

Si, c'est un nom français. On est français, moi, mais on ne pouvait pas le dire. On sentait que les mots n'étaient pas sûrs, méchants peut-être et qu'on allait faire rire de soi en répondant si on parlait.

On s'est tourné du côté du mur et on pleurait parce qu'on ne pouvait même pas dire qu'on était français comme les autres. On était comme les autres, mais les autres ne le voyaient pas. L'infirmière est arrivée, fâchée, elle a dit : Qu'est-ce que tu lui as fait pour le faire pleurer ?

Rien, Madame, j'ai demandé son nom, il a dit un nom de con.

Il a dit Orion, c'est son nom.

C'est pas un nom français.

Si, c'est un nom français, tout le monde ne peut pas s'appeler Louis comme toi. Tout le monde n'a pas un nom de roi. On est en république, tu n'es pas encore président. Sors d'ici ce n'est pas ta chambre.

Il retourne dans sa chambre et il me déteste. Tout le temps quand les infirmières ne sont pas là, il vient dans ma chambre avec ses copains qui font les mauvais coups. On a peur, on doit cacher ses jouets.

Maman vient l'après-midi à l'heure des visites, elle voit qu'on a peur mais les mauvais coups restent dans leurs chambres quand elle est là. Elle ne comprend pas pourquoi on a de plus en plus peur. Quand on s'éveille, maman a rangé la chambre, elle dit des mots comme pas toujours parce qu'on est malade parce qu'on est celui qui comprend plus tard que les autres ou parce qu'on est bouché, ça c'est un mot qu'on comprend. On a peur, Madame, et on vomit un peu dans son lit. Elle est gênée maman en nettoyant le lit et le vomi. Elle dit à l'infirmière : Orion, on peut dire qu'il n'est pas comme les autres. Mais le docteur dit qu'il ira mieux. Ses yeux clignent, il agite ses bras, il parle sans arrêt, il dit des choses qu'on ne comprend pas, il comprend tout ou presque tout. Quand il est debout, n'ayez pas peur s'il saute, s'il fait la danse de Saint-Guy. Ça va passer, il ne casse presque jamais rien. L'infirmière dit : Ne vous en faites pas, Madame, on connaît ces enfants-là, ça ira mieux après l'opération.

Est-ce qu'on accuse maman, à cause... à cause de moi ? Elle s'en va à la fin des visites. Elle sait toujours ce qu'il faut faire. Mais les garçons mauvais coups reviennent. On voudrait être leur copain, on ne peut pas le dire. Il faut se taire et supporter jusqu'à ce que l'infirmière arrive. Elle est en colère, ils sont fâchés comme si c'était à cause de moi.

Fin de la dictée d'angoisse. »

« Voilà, Madame, c'est l'heure, on va à la piscine, on fera la suite lundi, ce sera bien si Vasco est au téléphone. »

Je suis troublée après le départ d'Orion, je sens en moi naître et bouillonner quelque chose. Pour une fois j'ai un peu de temps, je peux. Ce qu'Orion a dit c'est un poème, un poème de malheur. Il doit porter en lui une sorte d'espérance puisqu'il est vivant, Orion est vivant c'est ça que je dois dire.

Ce sera un poème-histoire, plus personne ne fait ça. Pas d'importance. J'écris, j'écris très vite plusieurs pages. Tumultueuses, sûrement pleines d'erreurs et de fautes. Peu importe. Le rythme, la forme viendront plus tard, ça peut attendre. Aujourd'hui c'est la matière qui est là, celle que crachent les volcans d'Orion. Les volcans que-de-fautes !

Assez, il est temps que je retourne chez moi pour écouter les patients qui vont venir.

Le soir, seule, je relis. Il y a là un chaos, une matière qui donne à vivre et à penser. Je travaille le début, je parviens à donner forme à cinq longs vers :

Les enfants de quatre ans, qui sont à l'hôpital en chirurgie du cœur
Le cœur se serre lorsque l'on pense à eux. Quel cœur ?
Le mien serait-il assez vaste
Pour entendre ce qu'a vécu, dans sa petite enfance, Orion, l'adolescent obscur
Dont si longtemps plus tard je cherche à décrypter les mots, les cris, les phrases entrecoupées
Les rêves, les dessins et les dictées d'angoisse...

À la séance suivante Orion annonce :

« DICTÉE D'ANGOISSE NUMÉRO NEUF – DEUXIÈME PARTIE

Ce n'est pas facile d'être malade au service de la chirurgie infantile. On a peur..., on n'ose pas dire. Papa, quand il vient le soir après ses heures, il dit : Tu es un garçon. C'est vrai. Un grand garçon, comme ils disent. Mais ce n'est pas vrai, on n'est pas grand. On est devenu comme grand et même fort, quand on a peur on soulève les bancs, on casse des portes et des fenêtres, on aime ça parfois. Et puis on pleure parce qu'on sent qu'on redevient petit, comme on était, comme on est vraiment.

Un jour on me descend par le grand ascenseur. On entre avec la bonne infirmière, celle qui a compris qu'il ne faut pas me parler car on a peur. On n'est pas comme les autres, elle le sait. Elle montre tout ce qu'il faut faire. On a peur dans cette chambre blanche avec toutes les machines qui montrent leurs dents. L'infirmière me couche sur du froid, elle me tient un peu la main.

Puis, il y a du noir, puis du noir avec des étincelles et le docteur avec sa grosse voix de fou qui dit : Respirez... Pourquoi il dit ça, puisqu'on respire toujours. Puis : Ne respirez plus... Pourquoi ? La lumière blanche revient, l'infirmière montre comment bouger sur le froid, elle prend ma main, on ne pleure pas, on a trop peur, le noir revient avec des étincelles et quand le fou crie : « Ne respirez plus !... » le vraiment grand entre en moi avec quelque chose qui fait des explosions dans la poitrine. Et les autres, le docteur fou qui parle dans le noir, la bonne infirmière qui comprend et maman qui m'attend dans la chambre, les autres ne le voient pas.

Le jour de l'opération arrive. Maman est là quand on fait la première piqûre. Après on ne se rappelle plus. Quand on s'éveille, ça fait mal, on ne connaît aucun mal comme ça... Pourquoi ils me font si mal, on n'a rien fait ? Maman explique : C'est pour ton bien, pour l'avenir. On ne comprend pas ces mots, elle ne le sait pas.

Maman prend ma main. On est son petit garçon malade, elle ne parle plus, elle me regarde avec ses yeux de maman. Est-ce qu'elle comprend ? Elle regarde sa montre, elle doit partir. On a peur, les mauvais coups vont venir. On montre le nounours, on dit : Prends-le. Maman est étonnée, elle le prend, elle va le mettre dans l'armoire. On s'agite, elle dit : Bouge pas, tu vas faire monter la fièvre.

Elle ne sait pas que dès qu'elle sera partie Louis va venir prendre le nounours. On n'a pas les mots pour expliquer, on pleure, elle fait deux bisous, l'heure est la plus forte, elle part.

Ils arrivent. Jacques reste dans le couloir pour voir si une infirmière ne vient pas, Louis examine mon lit, le nounours n'est pas là. Il ouvre l'armoire, le prend. On est dans le malheur démon, tellement si fort qu'on s'endort en pleurant.

Quand on s'éveille, il est là. L'enfant bleu, l'enfant de la maladie bleue. Il est grand, il a sept ans. Il est assis sur le lit de façon à ne pas gêner et il tient ma main dans la sienne. On est très content. On ne connaît pas cet enfant bleu... mais on sent tout de suite que lui me connaît.

— Il te connaît... ?

— On ne sait pas, Madame. C'est un enfant de l'hôpital, un enfant vrai qui tient ma main et c'est aussi l'enfant qu'on se fabricole pour ne pas être trop malheureux...

On s'endort encore un petit peu, l'infirmière vient avec un médicament. On voit qu'elle aime bien l'enfant bleu. Elle dit : Il va le cracher. Donne-le-lui, toi. Il prend le verre, me montre comment on doit ouvrir la bouche et avaler le remède. On est étonné, on est content, il montre une deuxième fois. Il le porte à mes lèvres : Tiens-le toi-même. C'est mauvais, mais on l'avale. Il est content, il rit, on sent qu'on peut rire avec lui, il ne se moque pas.

Où est ton ours ?

Des yeux on montre l'armoire.

Il va voir : Il est parti, on te l'a pris. Il ne demande pas qui.

On va le chercher.

Il revient avec le nounours.

Il te le prendra plus.

C'est le soir, papa arrive avec un jouet, l'enfant bleu part doucement en le saluant de la tête. Papa donne le jouet. Il dit : Ils sont gentils de me laisser venir après les heures de visite. Il me donne le jouet, il me parle, on comprend le son de sa voix, le mouvement de ses yeux, pas les mots. Avec l'enfant bleu, c'est plus facile, on se parle sans mots.

On s'endort un peu, on a moins mal depuis le médicament, papa m'embrasse, il part en disant : Heureusement ils sont gentils. L'enfant bleu vient et fait avec ses yeux et ses mains des petits signes qui font rire. On comprend que Louis et ceux qui font les mauvais coups ne reviendront pas. Il leur a parlé et ils lui obéissent. On ne sait pas pourquoi, mais de ça on est sûr.

Au milieu de la nuit on s'éveille, on a mal au démon, il crie dans mon oreille : Qui est gentil ? Qui est gentil pour papa et maman, puisqu'ils doivent toujours partir ? On se débat un peu dans son lit. On a mal. Qui est gentil à l'hôpital ? L'enfant bleu. Il n'a pas peur, lui. Le démon est là tout le temps qui guette pour envoyer des rayons ou des fusées dans les nerfs. L'enfant bleu est plus fort, pourquoi ? Pourquoi, Madame... ? On se demande ça maintenant, alors on ne connaissait pas ce mot. On ne savait même pas dire : on ne sait pas. Qui m'a appris à dire ça ? On n'en est pas sûr, Madame, mais on pense que c'est lui, l'enfant bleu, lorsqu'on jouait à deux ou avec un des méchants qui devenait gentil, sur le plancher ou sur mon lit. Dans notre île...

Après l'opération on peut sortir du lit, il m'aide, on est dans les presque guéris, c'est difficile car on ne comprend pas bien et on a peur de faire des bêtises et que les autres se mettent à rire. On sent qu'alors on va faire une crise très forte, plus forte qu'à la maison, car dans la chambre noire avec les étincelles le démon est entré... il a grandi. On voit – on ne savait pas très bien dire ça, Madame, car alors on était très petit –, on voit que si on fait rire les autres de soi, le démon ne pourra pas le supporter et il me jettera par terre devant les autres enfants. Alors on ne connaît pas de mots pour dire ça, mais la chose est déjà dans la tête, on a peur de ces têtes qui me regardent hurler, vomir et cracher sur le sol en me tordant de peur. Hurler tout seul par terre au milieu des autres, est-ce que ce n'est pas trop terrible pour le démon ?

L'enfant bleu, il voit qu'on a peur, il sait de quoi, peut-être qu'il a aussi connu ça, mais maintenant il est grand, il est beau, toutes les aides-soignantes et les infirmières l'aiment. Il voit ce qui va se passer quand, tout d'un coup, on ne comprend plus rien.

On ne peut plus rester dans une chambre tout seul, il demande aux infirmières et on peut venir dans sa chambre. On est heureux quand on parvient à comprendre. Aller dans sa chambre, dans son île, on n'a peut-être jamais été si contentifié qu'alors.

Avec lui tout devient facile, il montre ce qu'il faut faire. À table on doit manger de la viande souvent et on ne parvient pas, on fait des boulettes qu'on tourne dans sa bouche sans pouvoir avaler. Ça fait rire les autres, l'infirmière est un peu fâchée. Pour lui c'est rien, il montre, il prend un morceau de pain, le porte à sa bouche, il met un petit morceau de viande dedans, il attend que personne ne regarde et le jette loin sous la table. Il me tend un morceau de pain préparé, on le porte comme lui à la bouche mais la boulette de viande avec le pain autour on n'ose pas la lancer, alors il la prend et il la jette loin.

Il sait tout l'enfant bleu, il devine tout, il est gentil, il ne refuse rien, il n'obéit jamais.

Surtout il comprend tout ce qu'on ne comprend pas. Il ne le dit pas, il montre, très lentement, et quand on sait le faire il dit les mots.

Quand maman et papa viennent, il n'est pas là. Quand l'infirmière entre, il est là, il renvoie tous ceux qui font des mauvais coups. Ils obéissent. Pourquoi, Madame ?

Un jour la nouvelle infirmière nous mène, toute une bande, à la douche. On n'a jamais fait ça, on a très peur, on va sauter, on va se dénoncer avec le cri de fou que le démon cache dans le fond de la gorge. Quelqu'un prend ma main, c'est l'enfant bleu. L'infirmière gronde un peu : Ce n'est pas ta place ici, c'est pour les petits. Il lui sourit et elle ne se fâche plus.

La douche avec lui, ce n'est rien. On crie un peu, on saute mais pas trop haut ni trop longtemps. On est presque comme les autres, on est deux. Il m'aide à m'essuyer, car on ne sait pas bien.

Lui a sept ans et moi quatre, à deux dans la même chambre, c'est lui qui m'apprend en jouant, qui m'apprend beaucoup.

On est sorti de l'hôpital, le cœur était réparaturé. Grâce à l'enfant bleu on est sorti, lui est resté à l'hôpital. On dit que la maladie bleue est longue et pas toujours qu'on sort guéri.

On a vu dans la chambre des rayons ce que les autres ne voient pas. L'enfant bleu l'a compris et c'est pour ça qu'on est vivant. Est-ce qu'il est sorti de l'hôpital, est-ce qu'il a guéri de la maladie bleue ? On ne sait pas... Comme toujours, on ne sait pas.

L'enfant bleu, un jour il est là. Il n'a pas besoin de dire son nom et son prénom. On joue.

Dans le corridor du départ quand papa porte ma valise et que maman me tire par la main, on le voit. Il ne dit pas au revoir, il sourit seulement, il est mon ami et on n'a pas pleuré.

Fin de dictée d'angoisse. »

LE MUR FRACASSÉ

Comme je l'ai promis à Orion, j'envoie à Vasco les dictées d'angoisse de l'enfant bleu. Au téléphone je lui dis : « Il aurait voulu les faire en ta présence. »

Vasco comprend tout de suite que ces dictées sont un événement important pour nous trois. « Téléphone-lui, Vasco. Tu auras sans doute son père, tu lui demandes de te le passer. Sois patient, laisse-le parler. Rappelle-moi après. »

Quand Vasco rappelle, il me demande : « Tu veux que je te raconte ?

— Non, c'est entre lui et toi. »

Je sens qu'il est soulagé : « Il m'a demandé de lui téléphoner chaque semaine.

— Tu as accepté ?

— Non, j'ai dit une fois par mois. Il ne faut pas que j'interfère entre vous.

— C'est bien. Ce qui compte c'est qu'il sache que tu es son ami. »

Le docteur Lisors a été frappé par la participation d'Orion à la manifestation des bannières. Il me demande de le prendre pour des séances d'analyse, trois fois par semaine, sur le divan. Je trouve qu'il y a encore des risques. Il ne les sous-estime pas, mais pense que cela vaut la peine de les affronter.

Douai me fait entrer en contact avec les dirigeants d'une association « Les quatre points cardinaux » qui organise des activités culturelles et des voyages pour des jeunes en difficulté. Ils projettent un voyage d'une dizaine de jours en Tunisie : six jours sur une plage, quatre consacrés à un circuit. L'encadrement semble sérieux, le prix convient au père d'Orion. Robert Douai pense comme moi que ce serait une occasion de sortir Orion de son cadre habituel.

Je téléphone à Mme Lannes, la directrice. Elle veut, avant de prendre une décision, qu'Orion vienne parler avec elle et la psychologue du groupe de ses problèmes, de son travail et de ses motivations. Elle souhaite que je l'accompagne.

Avant d'aller les voir, Orion me demande de lui faire répéter ce qu'il va leur dire. C'est un travail nouveau. Comme toujours c'est moi qui l'écoute, mais ce qu'il dit ne s'adresse plus à moi, mais à d'autres qu'il ne connaît pas encore.

Mme Lannes et la psychologue nous reçoivent avec gentillesse. Sur la table nous remarquons des photos de peintures et de sculptures que le père d'Orion leur a apportées hier.

Orion, sans préambule, commence à parler de son caractère, de ses problèmes, de ses violences, de ses espoirs avec une force, une perspicacité que je ne lui ai jamais vues. Il sait que c'est une épreuve, il est tendu, très rouge, ses gestes sont saccadés mais sa parole est compréhensible et sa sincérité émouvante. Il donne des précisions sur ses œuvres : les couleurs, les matériaux utilisés, les dates, mais ne dit rien sur le sens qu'il leur donne. Mme Lannes et surtout la psychologue sont très frappées par les photos de ses sculptures. L'une d'elles représente une sculpture en bois, que je n'ai pas encore vue et qui porte la mention : *Jeune Fille préhistorique.*

« Pourquoi préhistorique ? » demande la psychologue.

Et Orion, comme une évidence : « On ne sait pas, Madame. »

Je suis heureuse, je ris. Mme Lannes me demande pourquoi. « Parce que c'est la vérité. »

Je sens que la partie est gagnée, sans que j'aie rien dit d'autre. Orion a parlé seul, jamais il n'a tenté de se faire comprendre des autres et de se comprendre lui-même avec autant de justesse. Ni ses fantasmes, ni le charabia ne sont parvenus à perturber tout à fait sa parole.

Il ira en Tunisie, c'est décidé. Arrivés au boulevard Saint-Germain où Orion va prendre le bus, nous sommes si fatigués, si contents l'un et l'autre que nous nous quittons sans un mot.

Au retour du groupe de Tunisie, Mme Lannes me téléphone et dit qu'Orion est revenu très content. Il y a eu un gros incident en avion qui s'est bien terminé. Ensuite seulement de petites alertes. Il a fait de beaux dessins qu'il a donnés.

« Si une autre occasion de voyage se présente, le reprendrez-vous ?

— Seulement si vous venez avec nous. Il est très intéressant, mais avec ses problèmes il mobilise trop les accompagnateurs. Il vous racontera tout cela. »

Je vois Orion au Centre le lendemain, il est bronzé, il semble content d'être revenu. Il demande, dès qu'il est assis : « On peut faire une dictée d'angoisse ?

DICTÉE D'ANGOISSE NUMÉRO DIX

On est parti en avion, les parents m'ont conduit, on est content de revoir Madame Lannes et de connaître l'infirmière. On n'a jamais pris l'avion, tout de suite on aime beaucoup. On a une place au milieu et on ne voit pas très bien le hublot. Le voisin est Mario, un garçon du groupe, il regarde par le hublot quand on s'envole, on est un peu fâché parce qu'on ne peut pas voir. Après on a apporté des plateaux, le voisin mange, moi on n'ose pas. On se penche vers le hublot pour regarder, il y a de grands nuages et le soleil. On veut voir pour se sentir bien et puis on pense à toi et à faire des tableaux de nuages. Mais quand on se penche le voisin dit qu'on l'empêche de manger. On ne l'empêche pas, on veut seulement voir le soleil et les nuages. Il me repousse et moi on essaie de voir en m'écartant de lui. Ils ont apporté du thé et du café, on n'en prend pas, lui en prend. Pendant qu'il boit, on se penche trop fort et on renverse sa tasse. Il crie : Laisse-moi, regarde tu as renversé ma tasse sur moi. On ne voulait pas renverser, on voulait voir et lui gênait toujours. On ne peut plus supporter ses cris et on lui donne sur l'épaule, avec le poing, un coup qu'on croit pas trop fort. Il a mal, il se met à pleurer et à gémir. Alors on a envie de le taper plus fort. Heureusement l'infirmière a vu. Elle arrive, elle dit : Viens, prends ma place, là tu pourras voir. Les deux jeunes filles hôtesses sont venues aussi, elles repartent. L'infirmière, elle avait ta voix, elle a dit comme toi : Tu es avec des amis, Orion, prends la bonne place au hublot. On va à cette place, pendant tout le voyage on voit les nuages et on se calme. Après on voit la mer et les bateaux, puis c'est la Tunisie. À l'aéroport Madame Lannes vient, elle me prend par le bras, on voit que les autres ont un peu peur de moi et le voisin Mario se tient loin. On a les nuages et la mer dans les yeux et on ne veut plus taper personne.

On reste six jours à la plage, on devient copain avec un garçon tunisien et puis le lendemain avec deux autres. On joue au basket et un peu au foot, mais au foot on n'est pas bon. Quand ils veulent jouer au foot, on fait des dessins. On les leur donne, ils sont contents. L'ancien voisin de l'avion vient nous regarder avec sa copine Louise. Le copain tunisien leur dit : Venez jouer avec nous, c'est mieux à six, trois contre trois. Mario dit : Il va nous taper. Le copain tunisien dit : Lui, taper ? Jamais, c'est un bon copain. On est content d'avoir des copains tunisiens arabes et on est triste quand on part de la plage. On voulait les emmener, mais ils n'avaient pas d'argent et moi on tient à mes sous qu'on n'a pas beaucoup. Avec un petit autobus on est allé jusqu'à une oasis, c'est l'endroit qu'on aimait le plus. Là on veut se promener seul avec Louise, mais Mario dit non, que c'est sa copine à lui. On dessine un monstre-comète, on veut le donner à Louise, mais elle en a peur. Madame Lannes alors dit qu'elle le veut bien, que c'est beau. On le lui donne. Alors Louise veut en avoir un autre mais on n'a plus rien dans la tête. Dans l'avion pour revenir, on est à côté du hublot, on ne fait pas de crise. Madame Lannes dit qu'elle va réserver une place pour une exposition de moi dans sa salle.

Fin de dictée d'angoisse. »

Le lendemain Orion arrive chez nous assez agité, mais il va tout de même s'étendre sur le divan. Après un moment de silence, il s'agite, parle de façon désordonnée, peu à peu je parviens à comprendre qu'il est très déçu parce que Louise a téléphoné qu'elle ne pourra pas venir à l'exposition où il va présenter quelques œuvres. Dans la rue un jeune homme lui a demandé de l'argent. Il a pris peur et s'est enfui en courant. Haine, colère, colère contre le démon qui lui fait ça.

Il se dresse à demi, voit soudain apparaître le démon, sortant du mur blanc en face. Il bondit du divan, saisit le fauteuil qui est devant ma table et, avant que je ne puisse rien faire, le lance sur le mur où il se fracasse à demi. Je ne bouge pas de ma place, je lui rappelle que je suis là, qu'il est chez des amis. Il est tout essoufflé, je lui demande de ramasser le fauteuil, de s'étendre à nouveau sur le divan. Il le fait. Quand il a repris son souffle et s'est un peu détendu je lui installe la table à dessin. Il retrouve son calme en dessinant une station de métro hantée. Ce sera peut-être un beau dessin.

Les semaines, les mois passent, il y a des années qu'Orion et moi travaillons ensemble. Comme toujours au mois de décembre quand ses parents vont faire un voyage en province, Orion est très angoissé. C'est son mois d'épreuves, le mien aussi. Parfois Jasmine vient lui tenir compagnie. Il a été seul hier soir et pour le rassurer je lui ai proposé de venir chez nous ce matin.

Il arrive très perturbé, il a fait un rêve où des squelettes sortaient du cimetière et envahissaient les autobus de sa ligne. J'essaie de le calmer par une relaxation. Impossible, il est trop angoissé. « Les autobus conduits par les squelettes se cognent dans ma tête et grimpent les uns sur les autres, ça va faire de l'accident.

— Et si tu en faisais plutôt un dessin ? »

Je lui apporte son jus d'orange, il commence à tracer quelques traits au crayon. Je m'installe à mon bureau en face de lui. Il dit : « Tu écris et on dessine, on se parle comme ça. » Nous nous plongeons chacun dans notre travail, je vois que son dessin prend forme et cela agit sur mes mots qui sont plus fermes et se découvrent l'un par l'autre plus activement.

Tout à coup il affirme : « Ici, c'est comme une autre île Paradis, une île où il n'y a pas d'école, pas de métro, pas de parents, une France gouvernée chacun par soi-même... Toi, Madame, tu vas mourir avant moi, les parents aussi ? Il faut faire des œuvres et avoir des copains pour ce temps-là. Car une copine on n'aura pas, on dirait. »

La scène qu'il dessine a lieu la nuit, les personnages – tous des squelettes –, les autobus, le cimetière se détachent en blanc sur un fond noir. C'est un immense travail, il fait tout à la plume et ne se sert pas du pinceau.

Je prépare le déjeuner. Dès qu'il a mangé il retourne à son travail. Je le préviens que j'ai des patients à quatre heures et qu'il devra partir. Il n'est pas d'accord : « Le dessin veut continuer, il veut tout transporter dans ta salle de séjour, comme ça on pourra travailler pendant que tu écoutes tes patients. »

Il n'a jamais fait ça, mais pourquoi pas ? Nous transportons le tout, puis il revient avec moi dans le bureau, il regarde le trou qu'il a fait dans le mur en lançant un fauteuil sur l'apparition du démon. Je n'ai pas voulu faire réparer les dégâts. Il regarde le trou avec une certaine satisfaction : « Le démon, il a la force de faire ça malgré mon coup sur la bouille.

— Quand tu l'as vu, Orion, tu n'aurais pas pu l'engueuler, l'injurier plutôt que de casser mon mur et mon fauteuil ?

— Non, Madame, on ne pouvait pas. Le démon de Paris, il parle, il parle, il gueule, il pète, il bombardise, mais rien, il n'écoute rien. Jamais !

— Pars quand tu veux, ne fais pas de bruit. »

Il ne répond pas, il est déjà repris par son travail. Je reçois trois patients, je suis persuadée qu'Orion est parti quand je reviens dans la salle de séjour. Il est toujours là et le dessin a beaucoup avancé.

« Il est plus de sept heures, Orion, tu devrais être parti depuis longtemps.

— Le dessin n'a pas voulu, téléphone à papa, il doit être à la maison. »

Je téléphone, j'annonce le retard d'Orion et l'explique au père.

« Nous étions un peu inquiets de ne pas le voir en rentrant. J'irai le chercher à la sortie du métro. »

Quand je reviens, Orion contemple avec perplexité son dessin. « Il est bien, n'est-ce pas, Madame ?... Mais le dessin n'est pas encore content comme s'il y avait du pas fait.

— Je dois sortir, je le regarderai tout à l'heure. Va, Orion, ton père t'attendra au métro.

— Le dessin voudrait qu'on revienne demain pour le finir. On peut tout laisser là ? »

J'avais d'autres projets, il le voit, il insiste : « Tu promets ? » Naturellement je promets. Son désir a été si constamment contrarié jusqu'ici, que dès qu'il insiste je ne puis refuser.

Il part, je vais à la gare chercher Vasco qui revient pour deux jours. Nous regardons ensemble le grand dessin presque achevé sur la table. Il est très fort, très fou. Vasco compte les squelettes, il y en a plus de quatre-vingts. Leur présence et l'affreux désordre des autobus grimpant les uns sur les autres ont quelque chose d'irréfutable.

Vasco me montre un squelette plus petit que les autres, celui d'un enfant qui semble sortir avec un effort immense de la mort. Il tente de courir, en tendant les bras en avant pour appeler au secours. Son image est très douloureuse, en face de lui un squelette adulte court peut-être à sa rencontre. Peut-on espérer que ce sera pour le protéger ?

« Pour Orion le dessin dit que quelque chose manque.

— Le dessin a raison, Véronique, il montre l'action du démon, pas sa présence. »

Vasco part tôt le matin pour la musique d'un film. Je repense au démon-mur, au démon du mur blanc, qu'Orion a vu apparaître couché sur le divan et qui l'a fait bondir sur le fauteuil. Dans son dessin les cercueils ouverts, les squelettes, les autobus en débandade prennent toute la place.

En arrivant Orion est heureux de voir la table, son matériel et son dessin comme il les avait laissés la veille.

Il tourne et retourne son dessin : « Est-ce qu'il est presque fini ou pas, Madame ?

— C'est ton dessin, Orion, c'est toi qui sais.

— Le dessin pense qu'il y a quelque chose qui clocharde.

— Tu devrais penser au démon-mur blanc sur lequel tu as lancé le fauteuil.

— Il n'y a plus de place, le pas-fini est déjà en noir.

— Tu le couvres avec de l'encre blanche. »

Il ne répond pas, débouche la bouteille d'encre blanche, je crois qu'il va se mettre au travail. Il demande : « On peut regarder le livre de cathédrales qu'on a vu avec toi ?

— Je te l'apporte, je te laisse, j'ai deux patients. »

Quand je reviens, il a élevé sur le côté droit du dessin une tour de cercueils au sommet de laquelle apparaissent le haut du buste et la tête d'un démon blanc. Son cou démesuré soutient une tête couverte d'un casque. Il n'a pas d'oreilles, un nez qui est presque un museau, de très grands yeux qui espionnent et une bouche d'où sortent des crocs et une langue avide.

« C'est un dessin terrible, Orion, un de tes meilleurs. Tu as fait un démon blanc.

— C'est celui de ton mur, Madame, et dans le livre des cathédrales on a regardé des images de démon. On n'a pas copié, le dessin n'a pas voulu et tout d'un coup on a eu dans la tête cette gouille gare.

— Cette gargouille.

— Non, Madame, cette gouille gare par où le démon de Paris et banlieue envoie ses TGV de rayons pour qu'on devienne moi aussi le squelette qu'on n'est pas. Alors on pourrait conduire des autobus en liberté avec une copine en squelette. Ce qu'on ne pourra jamais faire dans le vrai avec une vraie copine.

— Ton dessin est beau et effrayant. Vasco l'a beaucoup aimé.

— Il est plus bien maintenant. La tête a vu des choses nouvelles et le dessin il veut s'appeler *Le Cimetière dégénéré*. »

Quelques mois plus tard Orion doit exposer à un salon organisé par la Préfecture. Son père me téléphone : « Orion a terminé sa statue en bois, elle est bien. Le bois est beau mais il y a des fissures, nous pouvons les remplir, mais ça n'a pas l'air de plaire à Orion.

— Laissez le bois tel qu'il est, pour Orion les fissures font partie de sa statue. »

Le lendemain je demande à Orion ce qu'il va exposer.

« Le dessin astronomique avec des planètes et celui avec le pharaon du fond de la mer.

— Et ta statue ?

— C'est la jeune fille préhistorique que tu as vue pas finie. On l'a laissée avec ses fissures. Quand le jury passera près des œuvres, tu restes derrière moi, comme un Vendredi de Robinson, sans ça on a peur.

— Tu n'exposes pas ton *Cimetière dégénéré* ?

— C'est pas un dessin pour la Préfecture... »

L'exposition a lieu dans des salles situées près de l'hôpital Sainte-Anne. En m'y rendant je crois retrouver l'odeur très particulière et le climat de ces lieux où je suis allée assister à tant de conférences et de séminaires. Quand j'arrive le père d'Orion me dit joyeusement : « Il y a des chances qu'Orion ait un prix. » Orion est troublé par cette perspective et par l'annonce de la présence du préfet. Il se colle à moi : « Reste tout le temps tout près.

— Montre-moi ta statue terminée. »

Il a fait cette statue chez lui, seul, soutenu par la présence de son père, car il ne peut longtemps travailler dans la solitude.

Je suis saisie en la voyant : c'est une femme agenouillée aux formes puissantes et archaïques. Le nez aquilin dans la ligne d'un front mince, des yeux larges dont on croit qu'ils sont fermés et qui vous fixent de face sans vous voir. Le menton inexistant, le visage qu'on dirait au-delà de la parole, dans un silence d'un autre monde, est entouré d'une forte chevelure, posée ou enfoncée comme un casque.

Les épaules sont très effacées, les seins presque joints, sur lesquels jouent les nuances subtiles du bois, le ventre est légèrement bombé, les mains s'y croisent, pour contenir, pour protéger, peut-être pour une prière du corps.

Orion a instinctivement joué avec les fissures du bois. L'une d'elles traverse le front et coupe en deux la joue droite comme un coup de sabre. D'autres encore sillonnent le corps. Ces fissures ou ces blessures soulignent l'air d'indifférence profonde de la jeune fille. Pourquoi une jeune fille alors que la statue évoque plutôt une femme ? Elle est d'un autre univers et Orion l'a bien nommée préhistorique. Je regarde le dos, sculpté avec une sensualité, beaucoup plus vive que le reste du corps. Les courbes du dos, le creux des fesses au-dessus des jambes accroupies forment une sorte de grand visage d'ombre à peine esquissé. Un visage ? Peut-être, je n'ose le faire remarquer à Orion, je dis : « C'est beau, quel travail tu as fait ! » Son visage s'éclaire, sa peur du jury s'éloigne. Je passe la main sur le bas de la statue, parfaitement poli, c'est une joie pour la main.

Les membres du jury s'approchent, ils accompagnent le préfet. C'est un homme un peu gros, un peu enflé, un important qui distribue des sourires à tous, il s'arrête plus longtemps devant les œuvres primées, dit quelques mots à l'artiste et lui remet une médaille. Orion est anxieux, il se retourne : « Tu restes derrière moi, comme avec le Minotaure. »

Le jury arrive, ses membres me séparent d'Orion, le président montre au préfet *La Jeune Fille préhistorique*. Le préfet a l'air stupéfait en voyant les fissures qui sabrent le visage et le corps de la statue. Il a l'air de douter du choix du jury et de craindre un canular. Cette statue est une enfant du désir préhistorique et d'un futur qui n'appartient pas à l'univers bureaucratique. Le président lui fait toucher du doigt la statue et son merveilleux polissage. Le préfet est rassuré par la qualité artisanale de l'œuvre et arbore son sourire professionnel. Il tend la main à Orion, lui donne une médaille et annonce : « Premier prix de sculpture. » Il dit quelques mots à Orion en lui serrant la main et celui-ci, très rouge, parvient à lui répondre. Je ne m'attendais pas à cet exploit venant d'un garçon qui ne peut pas entrer seul dans un magasin.

Il est si content d'avoir vaincu sa peur qu'il ne se rappelle pas ce que lui a dit le préfet ni ce qu'il a répondu et que je n'ai pas pu entendre. Il me dit : « On savait que tu étais derrière moi. C'est mon prix, mais c'est comme si on l'avait un petit peu gagné les deux. »

Vasco, pris par le film dont il fait une partie de la musique, n'a pu venir au vernissage de l'exposition. Il y est allé avec Orion et revient enthousiasmé par la voie nouvelle qui s'ouvre avec *La Jeune Fille préhistorique*. Il a exprimé son admiration à Orion avec tant de chaleur que celui-ci est très ému et semble prendre mieux conscience du chemin parcouru.

C'est alors qu'Orion m'apporte une petite boîte en carton qu'il dépose sur ma table. « Qu'est-ce que c'est ?

— Regarde. »

J'ouvre la boîte, elle contient des cartes de visite :

ORION
Artiste peintre et sculpteur

Il les regarde d'un air fier : « C'est Vasco qui a téléphoné à papa, qu'on doit faire ça. Les parents étaient étonnés. Vasco leur a dit qu'on a un vrai métier maintenant, qu'il fallait faire des cartes et mettre le métier qu'on a sur ma carte d'identité. »

ON NE SAIT PAS

Depuis que la présence de l'enfant bleu grandit entre Orion et moi, je reprends souvent le brouillon du poème que j'ai écrit sur lui dans un moment de fatigue et d'enthousiasme obscur. Je retravaille certains passages, je ne cherche pas à terminer, ce n'est pas seulement pour Orion que l'enfant bleu apparaît et grandit. Il parle aussi en moi et j'ai beau écouter ses paroles, être attentive à ses inspirations, à ses actes en nous, je sais que je ne l'entends pas, que nous ne l'entendons pas encore. Pas tout à fait. Patience... on ne sait pas... on ne sait pas.

Je n'écris donc que des fragments, aujourd'hui j'ai, peut-être, mis au point quelques vers.

Lorsqu'il ne restait plus qu'à cracher, qu'à vomir, à se rouler en trépignant
À hurler sur le sol, sous le regard fasciné des enfants
Un jour, l'enfant bleu, l'enfant de la maladie bleue, un jour il était là.
À sept ans et moi quatre, on jouait, on apprenait beaucoup
Après on ne m'a plus appris...

Un jour il était là. Laisser ces mots dictés descendre et pénétrer en moi tout le temps qu'il faudra. Rien d'autre ne m'est demandé. Suivre la trace de l'enfant bleu, l'incertaine, l'obscure ligne sinueuse qu'il a tracée et qui demeure, malgré le voile de l'amnésie et celui de la vie courante.

Dans la parole désordonnée d'Orion, ses brusques interruptions, ses dictées d'angoisse, l'enfant bleu ressurgit plus souvent. Une image se forme en moi :

Il était comme les autres et il ne l'était pas
Ses yeux comprenaient tout et n'avaient jamais peur

Les jours, les semaines passent avec les hauts et les bas habituels mais quelque chose en nous change dans les profondeurs. L'image, la mémoire renouvelée de l'enfant bleu apaisent un peu Orion et je sens qu'elles m'éclairent. Mais comment n'avoir jamais peur de ce qui peut arriver sur la route inconnue, avec un être aussi blessé qu'Orion ? Enfin, j'ose voir, j'ose penser que si l'enfant bleu n'avait pas peur c'est qu'il sentait les forces présentes bien qu'encore cachées dans Orion. Malgré mes craintes, mes ignorances, je peux, moi aussi, avoir cette confiance.

Le printemps se déroule, l'été s'annonce et le poème s'achemine vers sa fin.

On est sorti de l'hôpital, on a vécu si c'est ça vivre et l'enfant bleu n'était plus là.
Est-ce qu'il est sorti, est-ce qu'il a guéri de la maladie bleue ?
On ne sait pas. Comme toujours on ne sait pas. On ne sait que les mots et les gros mots qui sortent du volcan.
On est sorti, c'était forcé, car le cœur était réparé et l'on est revenu du côté qui fait mal.
L'enfant bleu, avec son regard avisé, son acte transparent, qui était-il, de quel côté du côté qui fait mal ?
On ne sait pas. Un jour il était là, un jour on est parti.
Il n'a pas dit son nom ni son prénom. Dans le corridor du départ
Quand papa traînait ma valise, il était là. Comme toujours il était là. Il a souri.
Sans doute il était mon ami, puisque c'est lui qui me montrait
C'est lui qui m'apprenait à vivre. À vivre et à jouer.
Après on m'a forcé.
Seigneur, si l'on peut vivre
Ce qu'on doit vivre encore

Fais que l'on soit toujours dans la simplicité,
La lumière de l'enfant bleu,
Au carrefour d'Angoisse.

Pourquoi ai-je écrit Seigneur ? Il n'y a pas de Seigneur, c'est ce qu'aurait dit mon père, c'est que j'aurais écrit autrefois. Ce mot pourtant, je l'ai écrit, le poème l'a aimé ! Devant le premier labyrinthe d'Orion, le docteur Lisors m'avait dit : « Nous devons tous les deux rester étonnés et même stupéfaits devant ce labyrinthe. » Je sens que je dois demeurer étonnée et même stupéfaite devant ce mot Seigneur. Quel Seigneur ? Celui de la route ignorée.

À la fin de cette année-là Orion me dit : « Papa, il a entendu parler d'une bourse pour la vocation, il a reçu les papiers, il veut qu'on soit candidat. C'est la dernière année qu'on peut.

— C'est une bonne idée.

— La vocation, on dirait que c'est pour les grands, moi, on est plutôt un petit en prison.

— En prison...

— Oui, Madame. Avec les œuvres on fait des sortes de ciels, d'ouragans, même de soleils, mais en prison. Toi, Madame, quand tu écris en face de moi et qu'on dessine, tu es aussi en prison. Ta prison, c'est moi, car tu dois écouter mes parleries, me soigner quand on a des crises, apporter du chocolat et du jus d'orange. Et moi, c'est toi ma prison pour qu'on fasse des œuvres de peintre et sculpteur, qu'on sorte du charabia qui coupe la parole des autres. Il est tard, Madame. On doit partir.

— Apporte-moi les papiers pour la bourse de la vocation, tu peux courir ta chance.

— Peut-être, Madame, si tu aides à remplir les papiers. »

Je reçois Orion le lendemain à l'hôpital de jour pour l'aider à répondre au questionnaire. Tout le monde est déjà parti en vacances, il ne reste qu'une secrétaire et nous deux. Je prévois des difficultés pour répondre aux questions posées, ceux qui les ont rédigées n'ont pas pensé aux problèmes d'un handicapé. Il doit parler de lui-même, de ce qu'il a fait jusqu'ici et de l'avenir qu'il envisage. De plus, le questionnaire doit être rempli à la main par le candidat. C'est épineux pour Orion qui écrit avec peine, dans la peur de faire des fautes d'orthographe et de salir le formulaire s'il s'énerve.

Je lui propose de dicter d'abord un brouillon que je taperai ce soir et qu'il n'aura qu'à recopier demain. Le formulaire lui demande une description de son passé. Il comprend mal le sens de la question, nous en discutons longuement. Quand il l'a bien saisi il me dicte du ton qu'il prend pour les dictées d'angoisse.

« On était un enfant retardé par une maladie du cœur jusqu'à quatre ans. À l'hôpital Broussais on a été opéré et on a connu la terreur. Heureusement il y a un enfant bleu de sept ans qui a protégé. À l'école maternelle ça allait, on avait une maîtresse gentille qui sauvait souvent. À l'école primaire un démon de Paris attaquait, c'était un inspecteur, on ne pouvait pas lui répondre, on avait trop peur quand il interrogeait, alors on lui a donné des coups de pied et on a été jeté de l'école. Les parents ont trouvé pas trop loin un centre psychopédagogique pour faire mes classes primaires mais il y avait beaucoup de mots qu'on ne comprenait pas et on n'osait pas le dire. À l'hôpital de jour ça allait mais en quatrième il y avait trop de mots qui manquaient, on le cachait, on avait l'habitude, mais les professeurs ont commencé à le voir. On a presque été jeté, puis une professeur psy gentille est venue. Elle a compris pour les mots et puis pour le dessin, la guitare, la sculpture. On est devenu peintre et sculpteur et on a exposé, on a eu des prix mais tout de même on n'est pas guéri. Depuis qu'on est petit le démon de Paris me lance des rayons dans les nerfs, me fait sauter, pour que les gens et les choses deviennent sorciers. Quand on a trop peur on casse des carreaux, on donne des coups dans la porte, on saute, on tape et pour finir on pleure pour aller à la campagne. Madame la psychothérapeute, elle a compris qu'on doit se réfugier dans son imagination, dessiner des labyrinthes, fuir avec la gouache dans l'île Paradis numéro 2 ou dans des planètes à l'encre de Chine. Avec elle on se calme, on fait des œuvres d'artiste peintre et sculpteur, on parle, on siffle des chansons ou des morceaux de symphonie. Parfois la vie devient plus claire, on est moins petit devant ceux qui font les mauvais coups mais souvent le démon est comme un ovni dans le ciel. Les gens se sorciérisent et les autobus hurlent dans les rues qui deviennent noires. »

La deuxième question porte sur sa vocation. Il reprend :

« C'est de mon imagination que viennent les œuvres. On ne peut pas les connaître à l'avance. Il faut d'abord qu'on les voie dans sa tête, on travaille au fur et à mesure que l'imagination les montre. On ne peut pas copier la nature, il faut qu'elle vienne d'abord, pas tout à fait comme elle est en photo, dans ma tête.

La question est difficile pour moi car parler et écrire c'est lourd, parfois on parle trop et on devient ennuyant. Si on pouvait répondre en dessinant ou en sculptant, peut-être on aurait une bourse. En écrivant on sait qu'on n'a pas la chance mais mon père pense qu'il faut essayer. »

Il a peu de chance d'avoir la bourse, c'est vrai, peut-être n'en a-t-il aucune mais cette candidature l'amène à réfléchir sur lui-même, sur son travail, à se penser, à s'identifier comme artiste peintre et sculpteur.

Quand Orion a terminé, je lui lis son texte, nous faisons encore quelques corrections et je lui dis : « Demain, tu auras le texte tapé et tu n'auras qu'à le recopier sur le formulaire.

— Si le démon n'attaque pas en criant : Que de fautes ! Que de fautes !

— Il ne le fera pas, je serai près de toi. »

Orion me serre la main et sort. Je l'entends revenir.

« Tu as oublié quelque chose ? »

Il s'arrête dans la porte, il me regarde dans les yeux, comme je tente depuis longtemps de lui apprendre à le faire. Il me regarde comme il ne l'a jamais fait, peut-être. Il dit : « Merci, Madame, avec toi on a gardé son territoire. »

Il recule, ferme soigneusement la porte et s'en va.

Il me laisse très troublée, je revois en un instant toute l'étendue de mon erreur l'an passé. Ce n'était pas le mois d'apprentissage à l'atelier de son père qui le troublait. C'était surtout de sentir que la maladie de Gamma occupait presque entièrement mon esprit. Il a eu peur de perdre son territoire en moi, le plus important, celui de l'imagination. Pour se déployer son imagination a besoin de quelqu'un qui l'écoute, qui croit en lui et dont la confiance suscite l'énorme effort qu'il doit fournir pour aller de l'avant et se libérer du banal. En continuant à le voir, pendant et après la maladie de Gamma, je lui ai montré qu'il avait toujours son libre territoire en moi, toujours quelqu'un prêt à regarder, aimer, espérer ses images. J'ai cru vivre la mort de Gamma, elle est vivante et guérie. Orion a cru que je lui retirais son territoire imaginaire, il s'est aperçu qu'il est toujours là. Je ne m'en suis pas trop mal tirée somme toute. Maintenant il faut que je parte, que j'emporte nos fantasmes à travers les rues, le métro, la chaleur qui devient écrasante.

Le lendemain matin je prépare mes bagages, je vais partir dans une petite maison en Touraine. Vasco est en tournée, il me rejoindra dans quelques jours. C'est une journée très chaude. Je sens que je prépare mal mes valises, j'oublie des choses, j'en prends trop d'autres, je m'énerve. Orion doit être en train de s'énerver aussi, ce ne sera pas un après-midi facile.

La chaleur est lourde, les odeurs pesantes dans le métro malgré les courants d'air. J'ai de la chance, une rame arrive tout de suite, il n'y a pas trop de monde. Au Centre, la secrétaire n'est pas arrivée, je suis seule. Je m'installe dans le petit bureau, je suis partie trop tôt, Orion n'arrivera que dans une demi-heure. Toute la fatigue de cette année tombe sur mes épaules. Que vais-je faire en attendant ? La réponse survient avec une force qui me surprend : Ne fais rien ! Ce n'est pas un conseil, une suggestion, c'est un ordre. Arrête, arrête de faire ! Est-ce que tu ne sens pas comme il fait chaud, comme tu es fatiguée ? Arrête la machine. Écoute, écoute un peu vivre, respirer, se détendre le corps exténué qui te chérit sans que ton esprit s'en aperçoive.

Orion arrive en nage et très nerveux. Je l'envoie se rafraîchir le visage et les mains. Je le rassure avec des paroles, un ton de voix qu'il connaît. Je lui donne un jus d'orange. Est-ce que je dois avoir honte d'être un peu l'infirmière qui le soigne et l'aide à se détendre ? J'en retire un certain plaisir, c'est vrai, mais je trouve que j'y ai droit. Il se plaint : « On a peur de faire des fautes d'orthographe, alors le formulaire sera du foutu. Et puis si on n'écrit pas bien droit ça fera débile.

— Fais des lignes au crayon, tu les effaceras ensuite.

— Non toi... tu les fais toi. »

Je trace des lignes au crayon bien régulières sur les feuilles. Il est rassuré.

« Maintenant tu prends ma place et tu recopies les feuilles dactylographiées. » Il recopie la première feuille en poussant de gros soupirs, il se lève soudain, il crie : « On a mis deux fois le même mot, qu'est-ce qu'on va faire ?

— Assieds-toi d'abord, ne t'énerve pas. Tu barres soigneusement le deuxième mot avec la règle. Comme ça, bien... fais deux traits. Voilà. Tu vois je suis tout près, en face de toi. »

Je me suis assise dans un fauteuil, dont je ne me sers guère d'habitude, devant sa table. J'ai poussé l'imprudence jusqu'à m'étendre à demi en mettant mes pieds sur la deuxième chaise. Naturellement dans cette chaleur, épuisée comme je suis, je sens monter une douce somnolence. Je lutte, je n'ai pas le courage de me lever. Orion travaille, il est tranquille. Je sens ma tête glisser vers mon épaule. Je suis accueillie, recueillie par le sommeil. Je devrais..., je ne peux pas, je m'abandonne.

Je m'éveille à demi, j'entends mon cher papa, sans doute penché sur moi, me dire : « Tu dormais si bien. »

C'est vrai, je dormais si bien, je dors encore un peu. Soudain le cœur se serre. Ce n'est pas mon père, il est mort. J'ouvre les yeux. Penché vers moi, au-dessus du bureau, Orion me regarde m'éveiller avec un très beau sourire d'indulgence sur les lèvres. Le sourire d'un jeune père pour son enfant endormi.

Il me tend son travail, son sourire confiant me rassure. Je m'attendais à devoir l'aider, il a tout fini seul, pendant mon sommeil. Je me rassemble, je m'étire, je lis le formulaire tandis qu'il me regarde avec le même sourire de bonté.

Depuis que je me suis endormie il n'a fait aucune faute, la correction de tout à l'heure est nette et claire. Il n'a plus qu'à effacer les lignes au crayon, ce qu'il fait habilement. Quand les feuilles sont en ordre, je les mets dans l'enveloppe.

« Mon père ira la déposer à la poste ce soir.

— Bonnes vacances, Orion !

— Bonnes vacances, Madame, demain on pensera à l'enfant bleu et à toi en passant au carrefour d'Angoisse, sur la route de Périgueux. »

ME COLLE PAS

Il y a treize ans que je suis entrée à l'hôpital de jour, douze ans que je m'occupe d'Orion. Il a vingt-cinq ans maintenant et, même en tenant compte du retard considérable qu'il avait quand je l'ai pris en charge, il y a longtemps qu'il aurait dû quitter le Centre. Il n'y est resté que grâce aux dérogations successives obtenues par le médecin-chef et Robert Douai, qui se sont intéressés à cette psychothérapie inhabituelle où délires, fantasmes et passages à l'acte ont pu, sans disparaître, diminuer et se transformer en œuvres.

Cette situation ne peut plus durer, je sens que l'équipe soignante, malgré la sympathie de beaucoup pour Orion, trouve qu'à son âge il n'est plus à sa place dans un hôpital de jour pour adolescents. À la rentrée, je parle du problème au docteur Lisors et à Robert Douai, je leur propose d'arrêter mon travail au Centre à la fin de l'année et de chercher un hôpital de jour pour adultes afin d'y faire entrer, pour un an ou deux, Orion qui me semble capable de pouvoir se débrouiller ensuite dans le cadre de sa famille.

Douai demande : « Comment, après un travail à deux si intensif, va-t-il supporter la séparation avec vous ?

— Si vous êtes d'accord, je continuerai à le voir deux fois par semaine, non plus en psychanalyse, mais en entretien. Si cela marche dans son nouveau centre, j'espacerai progressivement les rencontres.

— Et comment, dit Douai en riant, supporterez-vous d'être déchargée de lui ? »

Je réponds en riant moi aussi : « Ce sera difficile, mais la séparation est nécessaire... Pour lui et pour moi. »

Je dis à Orion que ce sera notre dernière année car je vais, en même temps que lui, quitter l'hôpital de jour. L'annonce de notre départ et de la recherche d'un autre centre provoque chez lui une vive angoisse. Au cours de nos premières séances, il se plaint beaucoup de n'avoir pas de copine, pas d'ami.

« Pourtant tu as beaucoup d'amis au Centre. Tu as aussi Vasco, Roland et moi. » Une inspiration soudaine me fait ajouter : « Et tes œuvres, tes tableaux, tes sculptures : *La Jeune Fille préhistorique*, la superbe *Otarie* que tu as presque achevée, le bison auquel tu penses, tu crois qu'ils ne sont pas tes amis ? »

Ma question le rend songeur, soudain il dit : « Parfois on pense, Madame, que presque on pourrait avoir un ami comme ça. Quand on était petit dans l'ancien appartement, parfois pour faire des sous, papa faisait le soir des heures supplémentaires. Il venait dans ma chambre, il croyait qu'on dormait, mais souvent on faisait semblant. On l'entendait alors parler aux outils et aux bijoux avec une autre voix, une voix d'ami. Quand il était content de son travail, il riait et les bijoux riaient avec lui dans une petite lumière. On sentait que papa avait un vrai ami, un ami du travail.

On était trop petit alors pour avoir un ami comme ça, le travail c'était apprendre à l'école, le calcul, l'orthographe, on ne pouvait pas avoir un ami dans ce travail-là qui criait : « Que de fautes ! Que de fautes ! Espèce de débile, de pas comme tout le monde ! »

Un ami du travail quand on peint ce serait une longue ligne droite, avec en dessous des cercles et des rectangles pour jouer, se reposer et faire de la musique. Une ligne verticale, ça irait vers le ciel, c'est pas là qu'on veut aller, ça fait Roches Noires. Avec l'horizontale on avance sur la terre, vers des îles, des amis. On ne peut pas peindre ça, maman dirait que c'est de l'abstrait, Jasmine que c'est pas sûr vendable. Et papa, il est pas tant pour donner son avis. On est tous des pas très libres, Madame, moi on va devoir partir du Centre et, toi, tu vas perdre ta place. Tu dis qu'on se verra encore les deux l'an prochain, Madame, mais qui te donnera des sous pour ça ?

— Je te recevrai deux fois par semaine, Orion, chez moi. Je ne serai plus ta psycho-prof-un-peu-docteur, je te recevrai comme amie de ton travail et personne ne devra me payer pour ça. »

Au cours du premier trimestre je vais visiter de nombreux centres pour adultes, j'en trouve peu qui pourraient convenir à Orion et ceux-là n'ont pas de place disponible.

Ce sont des mois difficiles, coupés parfois de moments heureux. L'*Otarie* d'Orion, cette image profondément vécue de la Grande Mère, obtient dans une exposition la médaille d'or accompagnée pour la première fois d'un chèque. À une exposition d'art brut à Bruxelles son terrible *Premier labyrinthe antiatomique* est acheté, à un prix modeste il est vrai, par un collectionneur connu. Est-ce le signe qu'il va percer un jour ? Personne, il y a dix ans, n'aurait pu espérer cela pour lui.

Je ne l'accompagne plus que rarement voir des expositions ou au cinéma, il y va maintenant avec Ysé, une camarade de l'atelier de sculpture. Souvent perturbée, elle aussi, Ysé sait comment le rassurer quand il prend peur, se bloque et peut devenir violent. De son côté, il accepte naturellement les étranges fantasmes d'Ysé, ses fixations sur des actrices à la mode et sa passion de peindre des groupes menaçants de femmes bardées de mitraillettes.

Après Noël, comme je m'inquiète de ne pas trouver de place pour Orion, la secrétaire d'un hôpital de jour pour adultes me téléphone qu'elle aura une place pour septembre. Je prends immédiatement rendez-vous et ma première impression est bonne. Le Centre n'est pas trop grand, une quarantaine de patients entre vingt et quarante ans, les activités collectives sont variées sans être obligatoires. On y donne quelques cours qu'on peut choisir, il y a deux moniteurs pour les sports et la piscine, une belle bibliothèque où Orion pourra dessiner et une vaste salle à manger. En plus des soins médicaux, Orion sera suivi en psychothérapie par une psychologue. Je fais sa connaissance, elle me plaît. Très jeune, Annie Gué est encore un peu bardée de théories, mais elle écoute.

Plus âgée, déjà mère d'un enfant, l'infirmière principale, Mme Marinier, m'inspire confiance par son calme et son expérience. « Forcément, me dit-elle, vous êtes inquiète, après douze ans, de lâcher votre bonhomme dans un autre univers. D'après le dossier que j'ai reçu de votre centre, il a été longtemps sadisé par des camarades qui pourtant admiraient son talent et sa force quand ils l'avaient excité. Puis, peu à peu, il s'est bâti un petit nid en face à face avec vous. Il ne retrouvera pas cela ici, il va retomber dans le collectif, mais sans persécutions. Il me semble qu'il a fait du chemin avec vous, les photos de ses œuvres que j'ai vues dans le dossier le prouvent. Je crois qu'il s'adaptera au moins pour un temps ici, surtout s'il parvient à se lier à un copain ou une copine. C'est souvent décisif. »

Je fais part au docteur Lisors de ma visite, il adresse une demande d'admission pour Orion à l'hôpital de jour La Colline. Il me prévient qu'elle est acceptée et je l'annonce à Orion. Il me regarde d'un air fâché et perplexe :

« Pourquoi on doit aller encore dans un autre hôpital de jour ?

— Sinon tu seras toujours chez toi avec tes parents. Là tu ne seras pas seul, tu rencontreras des copains, des copines. Tu pourras parler avec la psychologue comme tu fais avec moi. Et tu viendras chez moi, deux fois par semaine.

— Tu es sûre qu'on sera mieux là ? »

Je veux répondre oui, mais j'hésite, je dis : « Presque sûre, Orion.

— Presque, c'est un mot sorcier. »

Il s'agite, fourrage avec les doigts dans ses narines et sans me regarder :

« Cet été, avant de partir en voyage avec moi, Ysé et Roland, celui que tu aimes presque autant plus que moi, voulaient aller en Grèce. C'est du continent ça, une presqu'île, on voulait aller en Crète, dans une île. On a été le plus chiant et on est allé les trois en Crète. On savait que la Grèce était plus belle mais on avait peur du presque, du mot qui rend sorcier. Une œuvre quand elle est presque finie, on sent une chaleur, un début de rayon pour qu'on ne finisse pas. Moi on est une espèce de presque, de pas fini. Être comme les autres, est-ce que c'est être fini ? On voudrait et le presque ne veut pas. On souffre pour finir les œuvres, on aimerait mieux faire des œuvres brûlées. Toi, Madame, tu es une presque ou une finie ?

— Une presque, Orion, je le crains, mais aussi je l'espère.

— On est content qu'on soit des presque, les deux. Moi on est un presque que le démon capote et bousillonne. Vasco, lui, est un super-génie de la musique et de la bagnole. Il a gagné les Vingt-Quatre Heures du Mans et, moi, on ne peut même pas conduire, car si le démon m'attaquait vraiment dans la tête on ferait du deux cent cinquante à l'heure, pas sur pistes, ni autoroutes. Même sur des départementales et on casserait des maisons. On pourrait même écraser des enfants ! Vasco, Madame, c'est un fini ou un presque ?

— C'est un presque... lui aussi...

— Vasco est presque toujours parti, Madame, et toi presque toujours là, dans le vrai et dans ma tête. Ça sonne la fin des presque parlottes, Madame. À demain. »

Le docteur Lisors a pris rendez-vous avec la directrice de La Colline, Mme Zorian, une psychiatre. Il me demande de participer à l'entretien, j'essaie de l'éviter mais il insiste : « C'est vous qui avez constitué le dossier et qui connaissez le mieux Orion, il est souhaitable que vous veniez. »

La directrice nous fait un peu attendre, je sais par Mme Marinier que c'est son habitude. Elle a aussi un cabinet privé et aime avoir l'air débordée. Elle connaît bien Lisors et ne s'adresse qu'à lui. C'est une belle femme, encore jeune, très assurée dans son métier. Elle parle fort bien et écoute peu. En lisant dans le dossier les symptômes et les actes de violence d'Orion, elle s'étonne qu'on lui ait prescrit si peu de médicaments.

« Nous les avons évités, sauf en période de forte crise, puisque la cure marchait, dit Lisors. Les symptômes ont évolué ou se sont affaiblis. Les violences sont devenues rares ces dernières années. »

Nous voyons qu'elle n'est pas convaincue. « Elles se manifestent encore quoique vous l'ayez gardé bien au-delà des limites habituelles. Il aurait dû passer en centre pour adultes depuis longtemps.

— Orion ne progressait plus, dit Lisors, quand nous avons tenté un traitement mêlant art et psychothérapie. Le résultat a été inattendu, lent, mais efficace. »

La directrice se tourne vers moi : « Montrez-moi dans son dossier l'évolution de ses œuvres. »

J'ouvre le dossier de photos des œuvres d'Orion. J'ai choisi des œuvres de différentes périodes afin de faire voir ses progrès mais aussi de montrer ses symptômes et ses fantasmes.

Elle regarde tout très vite : « Au début c'est de l'art brut, puis une période d'art naïf, c'est plus élaboré maintenant. L'*Otarie* semble bien sculptée mais c'est un peu pompier. L'art brut était plus intéressant. Pourquoi lui a-t-on appris ?

— Il a appris par lui-même, nous l'avons encouragé, je l'ai regardé faire. Il dit d'ailleurs qu'il ne peut peindre ou sculpter que ce qu'il a dans la tête.

— Vous l'avez pourtant emmené à un atelier de sculpture.

— Pour l'apprivoiser, sans cela il n'aurait jamais commencé à sculpter. Il a travaillé là avec de la terre et du plâtre. Ensuite, il a entrepris seul de sculpter le bois et c'est le bois qui l'a formé.

— Jolie formule, vous êtes sans doute une littéraire. Vous semblez contente du travail fait avec lui. »

Je sens que je lui déplais, il ne faut pas que cela se retourne contre Orion.

Lisors intervient : « Véronique Vasco s'est montrée capable et très dévouée dans ce traitement, mais c'est moi qui l'ai dirigé. Orion sera toujours un handicapé, il reçoit une pension pour cela. Nous avons, je crois, amélioré son état mais surtout nous lui avons donné un statut social. Il est peintre et sculpteur. Il se sent reconnu comme quelqu'un qui a un métier.

— Il vend ses œuvres ?

— Un peu, c'est un commencement. Il n'est pas très armé pour vendre. Ses parents non plus. On peut espérer dans l'avenir. »

Lisors se lève : « Nous vous l'enverrons donc à la rentrée. Véronique Vasco le conduira et se tiendra à la disposition de votre équipe si des renseignements sont nécessaires. »

Dans la rue, Lisors me dit : « J'ai été injuste envers vous en disant que c'est moi qui ai dirigé la cure, alors que vous l'avez menée librement. Je n'ai fait que vous soutenir.

— Vous avez bien fait, la discussion commençait à devenir difficile.

— C'est une vraie psychiatre qui veut ce qu'on appelle des résultats tangibles.

— Elle va lui prescrire des médicaments ?

— Sûrement. Quelqu'un pourrait suggérer à Orion de ne pas les refuser et de ne pas toujours les prendre.

— Quelqu'un essaiera, mais croyez-vous, docteur, qu'Orion tiendra là-bas ?

— Je ne sais pas. L'expérience vaut d'être tentée. Même si elle ne réussit pas ce sera une indication pour ceux qui le soigneront ensuite. Voilà mon autobus, au revoir Véronique. »

Je participe pour la dernière fois à la journée d'études de fin d'année à l'hôpital de jour. Après la réunion il y a un pot pour toute l'équipe. Robert Douai annonce mon départ, me remercie du travail que j'ai fait au Centre et me souhaite bonne chance. Un des professeurs me donne au nom du comité d'entreprise un cadeau :

des disques fort bien choisis. Je suis touchée, émue, il me semble que je devrais dire quelques mots avant de les quitter. Mais non, on apporte déjà des boissons, des tartes, des gâteaux et le bruit des conversations explose.

Treize ans, qui auront beaucoup compté dans ma vie, se terminent abruptement dans le tumulte de cette fête des vacances et c'est bien ainsi, mais je suis trop troublée pour y participer. Je dis au revoir à chacun et m'éclipse pour rentrer vite chez moi, être seule. Apprendre à déposer mon fardeau...

En revenant à Paris après mes vacances avec Vasco, je trouve des demandes d'analyse en attente qui remplaceront, en partie, les seize heures par semaine que je consacrais à Orion. Reste le vide de la profonde attention dont je l'entourais et qui n'est plus nécessaire. D'autres vont s'occuper de lui. Comment ? C'est ce qui n'est plus mon affaire !

Comme convenu, le jour de la rentrée, j'amène Orion, très réticent, à La Colline. Mme Marinier, l'infirmière, nous attend, elle m'embrasse et tout naturellement embrasse aussi Orion. Je vois qu'elle lui inspire confiance. Nous entrons, il y a quelques patients dans le hall qui lisent des journaux ou bavardent entre eux. C'est l'heure des jeux. Mme Marinier nous fait voir la salle. Elle annonce : « C'est un nouveau, Orion. Faites-lui place à un jeu, ce sera un bon camarade pour vous. »

Nous parlons un moment avec la psychologue puis Mme Marinier me dit : « Je vois que vous êtes un peu angoissée, venez prendre une tasse de thé avec nous. »

Elles me servent une tasse de thé, je sens que je ne pourrai la finir et j'avoue : « Je vous prie de m'excuser, je suis absurdement émue, il vaut mieux que je m'en aille. »

Elles comprennent et me reconduisent ensemble. En passant devant la salle de jeux je vois Orion s'affairer à la table de baby-foot en poussant de grands rires. Il y a une déchirure, du chagrin. Je m'efforce de ne pas le montrer. Elles m'embrassent et Mme Marinier me serre dans es bras. Je franchis la porte, je l'entends se refermer oucement. Je suis dehors... Il est temps de m'éveiller.

Au premier rendez-vous que je lui ai fixé, Orion arrive n peu en retard. Il s'est pressé, il est rouge et troublé. 'ai préparé sur la table son jus d'orange, son chocolat, our moi une tasse de thé. Il les voit et pourtant il emande : « Est-ce qu'il y a du jus d'orange ? »

Il boit un verre et va s'étendre sur le divan. Je le laisse aire, puis lui dis : « C'est Mlle Gué maintenant qui est a psy, nous nous parlerons comme des amis. Tu te mets ans ce fauteuil, celui que tu as cassé autrefois lors de apparition du démon. »

Il obéit, je croyais qu'il allait rire comme chaque fois u'on évoque ce haut fait, mais il ne rit pas. Il dit somrement : « On veut faire une dictée d'angoisse en maneant le chocolat.

— Dicte, je suis prête. »

« DICTÉE D'ANGOISSE NUMÉRO ONZE

On est allé à la salle de jeux quand tu m'as conduit t Madame Marinier, qui est gentille comme tu as dit, demandé que quelqu'un me laisse jouer à sa place. Un arçon m'a dit : Prends ma place ! On l'a regardé et on senti de l'ami pour lui. On a gagné contre l'autre. On tait content, on riait, on n'était plus triste.

Un autre a pris ma place et le garçon m'a dit : Allons ouer à quatre, on fera une équipe, il faut faire la queue errière l'équipe qui joue. On était content d'être une quipe avec lui, on a demandé son nom. Il a dit : Jean. lotre tour de jouer est arrivé. L'autre équipe était forte. ean pas trop fort, on l'aidait, on faisait des points. On presque gagné, mais presque ça veut dire qu'on a erdu. On croyait dans sa tête que Jean était un autre nfant bleu. On avait envie de dessiner avec lui. On se net tous les deux à une table du fond de la bibliothèque, n sort de son sac des feuilles, de l'encre, des crayons.)n commence un enfant bleu. Jean prend des crayons e couleur. Il dit : Moi, c'est plutôt la musique, mon essin n'est pas aussi bien que le tien. On demande : Tu joues quel instrument ? Il dit : Presque tous, mais le mieux c'est la voix, quand la maladie permet. On dit : Moi, on connaît seulement la guitare, mais on fait des œuvres et on lui montre ma carte de visite : Orion, artiste peintre et sculpteur. On est, moi et lui, étonnifiés par l'autre. Jean dit : Tu es peintre et sculpteur et moi musicien et chanteur, on est les deux artistes d'ici. Pourquoi tu es en hôpital de jour ?

À cause du démon de Paris et de banlieue, on dit.

Et Jean : Mes parents ne croient pas au démon. Madame Zorian, la directrice qui me soigne, dit que c'est une projection.

On ne répond pas, Madame, parce qu'on ne sait pas ce que le mot projection veut dire. Tu m'expliqueras plus tard, maintenant on dicte.

On dit : Le démon, mes parents disent aussi qu'il n'existe pas, mais à moi il lance des rayons qui existent. À toi qu'est-ce qu'il fait ?

Il me serre au centre de plus en plus fort, si ça dure on doit crier. Parfois on tombe.

On dessine, il fait une fleur pas mal, on veut dire pas trop bien, tu comprends ? Parfois il me la passe pour que je corrige, alors on a tout près les épaules comme on était avec Vasco et toi au théâtre. Peut-être qu'on se serre un peu trop contre son épaule. Il dit : Me colle pas ! On pensait qu'il était mon copain et qu'on pouvait, mais il prend son dessin et va à un autre banc.

Au déjeuner on veut être à la table de Jean. Madame Marinier dit : C'est pas ta place et elle me met à une autre, celle des plus nouveaux. On est à côté de Rosine, une dame jeune, qu'on pense gentille, on lui dit qu'on est peintre et sculpteur. Elle ne le croit pas, elle dit : Tout le monde peut dire ça. On a les yeux vers Jean, il est beau, il mange plus propre que moi, mais trop peu. On est un peu énervé, on mange beaucoup, on renverse presque un peu le plat, plus même qu'un peu car il y en a sur la table. Madame Marinier vient, elle dit : C'est rien et arrange tout comme tu fais. Après le déjeuner elle me dit : Ne regarde pas trop Jean, sans cela il ne sera jamais ton copain, car il a un tic qui le prend parfois. On fait comme elle dit et l'après-midi sa maman est venue chercher Jean.

Fin de dictée d'angoisse. »

Ce n'est qu'après deux séances où nous avons surtout regardé ses œuvres ou des livres d'art qu'il désire à nouveau parler de sa vie là-bas.

« Mademoiselle Gué organise une chorale avec ceux qui veulent. Ils sont sept à venir à la chorale mais... presque... on n'entend que Jean. Même à la radio on n'a jamais entendu une aussi belle voix, sauf celle de Gamma. Il ne chante pas fort à cause de sa gorge et parce qu'il est trop nerveux.

Quand on sort de la salle, on dit à Jean : Tu chantes aussi bien que Gamma. Il est content : Tu l'aimes aussi ? Gamma et Vasco sont mes idoles...

On les connaît, Vasco c'est le mari de Madame... ma psychothéraprof et Gamma c'est son amie.

Il me regarde comme si on était le débiléfou qu'on n'est pas. Il dit : Tu blagues !

On est un peu fâché : Si tu me crois pas, téléphone à Madame Vasco, je t'écris son numéro.

Est-ce qu'il t'a téléphoné ?

— Pas lui, Orion, sa mère. Elle est charmante et m'a dit : Mon fils est à La Colline avec votre ancien patient Orion. Ils sont déjà un peu amis, mais Orion parle beaucoup et Jean a l'impression que parfois il se vante. Êtes-vous la femme du musicien Vasco que lui et moi admirons tant ?

Oui, Madame, et Gamma, c'est vrai, est ma meilleure amie, vous pouvez avoir confiance dans Orion, il parle beaucoup mais ne ment pas.

Tu vois Jean souhaite devenir ton copain, mais lui aussi est malade et tourmenté. Plus que toi. Aide-le quand tu peux mais ne fais pas les premiers pas.

— C'est quoi les premiers pas ?

— C'est celui qui commence à aller vers l'autre.

— Moi, on veut commencer, on veut être son ami.

— Ne le montre pas trop, sans cela il pensera encore que tu le colles.

— On est collant, Madame, un collant qui coupe la parole des autres, qui a peur d'eux et leur fait peur. On est même un chiant, un ami chiant...

— Sois patient, laisse Jean venir vers toi, comme a fait Vasco avec toi. Ne cours pas après lui.

— C'est qu'on voudrait être tout le temps près de lui, comme avec l'enfant bleu dans la chambre.

— Alors tu avais quatre ans, Orion, tu n'es plus un enfant. »

Il se tait un moment en roulant des yeux, il fait l'effort de bien respirer et dit abruptement :

« DICTÉE D'ANGOISSE NUMÉRO DOUZE

Le lendemain pendant le déjeuner, on avait un peu changé les places, on ne voyait plus Jean que de dos, mais on aimait aussi voir son dos et parfois entendre un peu sa voix. Tous ceux qui faisaient face à Jean ont détourné la tête, comme s'ils avaient peur et Jean a crié. Il a crié un cri de démon, comme quand les chevaux blancs la nuit mordent le démon de Paris dans la rue. Il s'est agité et est presque tombé de la chaise mais Madame Marinier et l'autre infirmière sont arrivées et l'ont emmené dans leur bureau.

C'était l'heure du dessert, on a demandé : Qu'est-ce qui lui arrive ? C'est Rosine qui a dit : C'est sa petite crise, il fait son tic, il crie et puis il tombe. Heureusement que les grandes c'est pas souvent. Il ne devrait pas être ici mais dans un vrai hôpital, celui-là.

On avale sa dernière bouchée de dessert et on dit à Rosine : Dis plus jamais ça, Jean c'est mon copain. Elle répond : Si tu crois que tu me fais peur ? Mais elle avait peur, moi aussi, car on n'a pas envie de casser Rosine avec mes cornes de bison en colère. Dommage, elle a dit, il est si beau, surtout quand il chante. Et sa copine Julie : Quand il chante on croit qu'il y a un ciel et quand il s'arrête il n'y en a plus.

Fin de dictée d'angoisse. »

Des semaines passent, Orion semble s'habituer à La Colline, il se fait des camarades à la salle de jeux et au sport. Son travail avec Mlle Gué semble bien marcher. Il parvient à contenir son amour pour Jean, il essaie et réussit souvent à garder un peu de distance envers lui. Si l'amitié de Jean est encore hésitante, Orion est heureux quand ils dessinent ensemble, chacun à une table. Il prend plus d'assurance en voyant qu'il peut aider son ami et les autres aussi, car ils sont maintenant plusieurs à solliciter ses conseils et ses corrections. À la chorale Mlle Gué organise de nombreuses répétitions, elles sont courtes pour épargner les forces de Jean. Un jour Jean demande à Orion de participer à la chorale. Il arrive très excité chez moi. « Jean me demande ça mais on ne sait pas chanter.

— Puisque tu lui apprends à dessiner, demande-lui de t'apprendre à chanter.

— Ce n'est pas coller ça ?

— Non, je pense qu'il sera content. Où est-ce qu'il a appris le chant ?

— Avec sa mère, elle est chanteuse, elle ne peut plus continuer parce qu'elle est malade... Comme lui... Il ne va pas mourir, Madame ? »

Une semaine plus tard : « On chante, Madame, presque chaque jour et Jean trouve : « pas trop mal ». Il me dira quand on pourra entrer dans la chorale.

— Il chante avec toi ?

— Parfois quelques notes, plutôt il joue la musique au piano. Il est beau, Madame, mais maigre, maigre... Il mange très peu et il est grand, une tête presque de plus que moi. Est-ce que tu crois qu'il va mourir jeune comme l'enfant bleu ? Rosine et les autres pensent ça. Dans quinze jours on va entrer dans la chorale. Est-ce que tu viendras l'écouter ?

— Je ne crois pas, Orion, le docteur Zorian m'a demandé de ne pas venir à La Colline pour que tu t'habitues là sans moi. Elle ne serait pas contente que je vienne.

— Et Vasco, Madame ? Jean dit que c'est son idole, il ne peut pas venir l'écouter ?

— Pose la question à Vasco, il devra demander l'autorisation à Mme Marinier. »

Vasco reçoit à Londres, où il enregistre un disque avec Gamma, une lettre d'Orion.

Cher Vasco,
On est à La Colline, un centre nouveau où on est sans Madame, mon pas encore tout à fait copain Jean chante avec une voix pas forte, presque aussi bien on pense que Gamma. Il dit que Vasco et Gamma sont ses idoles. Madame ne peut pas venir l'entendre, toi si tu venais, il serait content et encore plus ton ami Orion, peintre et sculpteur.

Quand Vasco revient à Paris, il obtient l'autorisation d'aller entendre Jean chanter.

À son retour il me dit : « La chorale, c'est gentiment amateur, ça ne tient que par la voix de Jean. C'est la voix d'un malade, parfois incertaine, pas vraiment éduquée, mais extraordinaire. Orion a senti que, malgré sa voix faible, il chante comme Gamma de l'inouï. Il est beau, un front admirable, un long corps trop maigre, il peine à se tenir debout.

— Et les crispations qu'a vues Orion ?

— Elles font craindre des crises. Il a voulu chanter une de mes musiques, Mlle Gué lui a fait connaître ton poème, le lui a expliqué, mais il n'a pas eu le temps d'apprendre le texte. Il chantait autre chose, pas des mots : des couleurs, des matières, des arbres, les parfums de la terre. Pourtant c'était ma musique, tes mots non dits étaient présents, tes rythmes et les miens. Mlle Gué était dans l'admiration, la petite chorale aussi mais le plus ému, le plus transporté, était Orion. En écoutant Jean, je ne pouvais m'empêcher de penser : quelle épreuve d'entendre quelqu'un qui a un don, un génie pareil en lui et ne peut pas s'en servir. Est-ce que son problème est physique ou psychique ?

— Les deux, Vasco.

— Est-ce que l'ardent désir de la musique ne peut pas améliorer le psychique et guérir le physique ?

— On peut espérer.

— Comme tu as espéré et en partie réussi pour Orion ?

— Tu crois que c'est une expérience qu'on peut faire deux fois dans sa vie ? »

Le silence entre nous se prolonge longtemps.

Vasco est parti pour le Brésil et l'Argentine où Gamma ira le retrouver pour plusieurs concerts. Orion vient régulièrement. Il fait une nouvelle dictée.

« *DICTÉE D'ANGOISSE NUMÉRO TREIZE*

On ne fait plus de rêve, tout est parti, quand le rêve s'éveille. C'est pas des très bons jours à La Colline. Jean a fait trop d'efforts quand Vasco est venu. Il est fatigué, il ne vient plus qu'un jour sur deux. Quand il vient il me parle seulement de Vasco et Gamma. On les aime, mais on aimerait qu'il parle aussi de son presque copain Orion et qu'il dessine encore avec moi et m'apprenne à chanter.

La semaine passée on est allé chez Ysé peindre avec elle dans son atelier. Elle a fini un tableau. Elle a vu qu'on n'aimait pas. Elle a une cheminée pour faire du feu avec des bûches. Elle dit : On va tenir la toile que tu n'aimes pas au-dessus des flammes avec des pinces, tu verras, le tableau, en brûlant, va devenir plus beau, toutes les couleurs seront en feu. On n'aimait pas trop. On a peur des incendies, moi, Madame. Ysé a fait brûler son dessin malheurifié et c'est vrai qu'un instant il est devenu beau... beau comme on n'aurait jamais cru qu'on le verrait. La fois prochaine on amènera chez elle un tableau de moi pour le faire plus beau en feu.

Fin de dictée d'angoisse. »

LE RETOUR DE L'ENFANT BLEU

Hier soir je reçois un coup de téléphone d'Annie Gué. « Il y a eu aujourd'hui une série d'événements difficiles. La mère de Jean est malade et a demandé que nous reconduisions Jean. Mme Marinier est enceinte et devait aller voir son médecin. Elle m'a dit : Vous n'êtes plus que deux, aucune de vous ne peut y aller. Demande à Orion de l'accompagner en taxi, c'est son copain, c'est lui qui s'en tirera le mieux. Orion a été très content de reconduire Jean qui n'avait pas l'air bien. Plus d'une demi-heure après leur départ la mère m'appelle, inquiète : Le taxi n'est pas arrivé, sans doute parce qu'il y a une manif et de grands bouchons. Je lui dis : Ils seront revenus à pied et vont arriver, mais je suis aussi inquiète qu'elle. Un peu plus tard elle me rappelle : Jean est revenu à pied avec son camarade et une jeune fille qui l'a aidé. Il a eu un début de crise mais Orion dit qu'il a pu le soigner et le ramener sans appeler les pompiers. Grâce à Orion, Jean n'a pas eu de grande crise. Sa mère m'a raconté que si ça arrive dans la rue c'est terrible, il y a tout de suite un attroupement, des flics, une ambulance des pompiers ou du Samu qui arrive. Orion s'en est bien tiré. »

Je n'appelle pas Orion, j'attends qu'il vienne à son entretien deux jours plus tard. Tout de suite il demande : « Est-ce qu'on peut dicter ? » Il n'attend pas ma réponse, il commence :

« DICTÉE D'ANGOISSE NUMÉRO QUATORZE

On a du presque bien et du malheurisant à dire, tout mêlé. Mardi, on dessinait chacun à un banc, Jean vient s'asseoir près de moi et me dit : Vasco dit que la musique peut guérir, qu'on doit essayer de guérir par le chant. On voudrait, mais est-ce qu'on a la force, avec les crises, qu'est-ce que tu penses ? On est embarrassé, on voudrait bien te demander avant de répondre, mais on ne te voit que dans trois jours. Jamais il n'est venu pour me poser une question comme ça, on ne sait pas quoi dire mais dans la tête vient une pensée d'enfant bleu. On dit : Madame pense que Vasco est un champion qui invente et chante pour tout le monde, Gamma aussi chante comme ça. Toi, si tu ne peux pas chanter comme eux, tu peux chanter ici, comme tu fais à la chorale et pour moi. Madame, elle écrit souvent des poèmes, mais toute la semaine elle travaille avec des handicapés comme toi et moi... Est-ce que c'est bien ce qu'on a dit à Jean ?

— Oui. Est-ce qu'il n'a pas été triste ?

— Il est retourné à sa table, Madame, on sentait qu'il était content et aussi triste. Il n'a plus dessiné, il a un peu chanté, du chant qu'on n'entend pas, avec ses lèvres, comme il aime.

Pendant le déjeuner, il mange presque rien, pas comme moi qu'on avale toutes les pâtes qui restent et une deuxième orange, celle qu'il n'a pas mangée.

Après il y a du bazardement parce que la mère de Jean est malade, elle ne peut pas venir le chercher et Madame Marinier doit aller chez le docteur pour son bébé. Mademoiselle Gué lui demande : Et qui va reconduire Jean ? Madame Marinier dit : Pas toi, on a besoin de toi ici. Appelle un taxi et demande à Orion d'aller avec lui, c'est son copain. On est content qu'elle dise qu'on est le copain de Jean.

On sort avec Jean, on attend, le taxi il n'arrive pas, Jean veut partir. On est heureux de partir avec lui. Lui pas, il est pâle, il a son mouvement de la bouche comme quand il va crier et tomber. On est à deux dans la rue, on prend son bras pour le soutenir, il dit rien, peut-être qu'on vient trop près, il dit : Me colle pas ! On est un peu fâché, on lâche son bras et on donne un coup de pied dans une porte. Pourquoi toujours les portes, Madame ?

Il a une petite tremblote, il demande : Reprends mon bras, Orion, et ne va pas trop vite. On le tient bien, on le pousse un peu de l'épaule, on évite les poubelles, presque on le porte. Il commence à ouvrir sa bouche, ça fait danger, ça fait un peu trou noir, il y a des gens qui le regardent drôle. Ils ont peur, moi aussi on a peur, on est son copain, on pense qu'on doit le soigner comme l'enfant bleu soigne. On lui dit : Marche lentement, respire bien, expire. Recommence encore... encore ! On lui masse un peu les mains comme tu fais. On lui soutient le dos en disant : Respire, détends-toi ! On le pousse vers sa maison. On sent qu'il va crier, qu'il va tomber, on est son enfant bleu, on dit : Laisse-moi faire ! Il y a un square tout près, on le prend dans ses bras. Il est pas lourd, mais il est grand, on s'embarrasse, on pousse la porte, l'enfant bleu voit un banc et le couche dessus. Il y a un gardien qui vient, l'enfant bleu cache un peu la tête du copain. Le gardien dit : Il ne faut pas se coucher sur les bancs ici. L'enfant bleu dit : Il a un malaise, ça va passer. Le gardien a peur en voyant la tête du copain, il veut appeler les pompiers. L'enfant bleu dit : Non, non, on n'est pas loin de chez lui. Sa mère elle souffre du cœur, si les pompiers arrivent avec mon copain, elle risque d'avoir peur et alors...

Le gardien répond : C'est comme ma mère, elle aussi a le cœur pas trop bien et alors... les pompiers c'est mieux pas. Jean se tord un peu sur le banc, l'enfant bleu lui masse le plexus comme tu as montré et parle tout doux des mots pour calmer. La bouche est ouverte moins grand, il ne crie pas. Une jeune fille vient vers nous et regarde Jean couché avec un air d'infirmière. L'enfant bleu lui demande : Le copain est malade, il va mieux, sa maison n'est pas loin, tu veux le soutenir avec moi aux épaules ?

Elle sourit à l'enfant bleu. Elle dit : Bien sûr ! Mon nom c'est Janine. On dit : Moi, c'est Orion. On porte le copain à deux, l'enfant bleu le plus, mais Janine aussi. Ça va pas vite, Jean comprend de nouveau. Il dit à Janine : Merci, merci, on est mieux. Il lui sourit, elle aussi. On est un peu jaloux de voir que Janine lui plaît tant mais l'enfant bleu dit : Faut pas ! Jean ne fait plus la bouche noire, mais il devient très lourd. Janine dit : Arrêtons un peu, on n'en peut plus ! L'enfant bleu souffle : Porte-le tout seul, c'est moins lourd que ton démon qui n'est plus là. C'est vrai que le démon de Paris, depuis qu'on est sorti de La Colline, il ne pèse plus.

L'enfant bleu dit à Janine : Va vite sonner chez lui, au numéro 17. On va le porter.

On pense qu'on doit sortir sa force de colère comme quand on jetait des bancs. Avec l'enfant bleu dans la tête, on soulève le copain avec la force qu'on n'a pas, comme si on était Vasco. On le porte jusqu'au 17. Janine a sonné, la porte est ouverte. Elle dit à l'enfant bleu d'Orion : Heureusement que tu es si fort. La mère de Jean en peignoir est dans le corridor. Une infirmière arrive, avec elle et Janine on porte Jean dans sa chambre sur son lit.

Il dit à sa mère : Orion m'a bien aidé et Janine aussi. La mère dit : Merci ! Elle embrasse Janine et veut m'embrasser aussi mais l'enfant bleu dit : On a chaud, Madame, on transpire trop. L'infirmière a couché Jean. Janine dit : On doit partir, on est étudiante, on a un cours. Orion a été formidable, il a presque tout fait ! On pense qu'il doit retourner à son hôpital de jour.

La mère de Jean dit : On vous donnera des nouvelles, ce soir. On sort les deux. L'enfant bleu est encore un peu dans la tête. Il ose dire à Janine : On peut t'accompagner jusqu'à ton cours ? Elle dit : Non, on a un copain là-bas, il n'aimera pas. Tu comprends ? On transpire encore un peu, mais elle donne un bisou et part en courant. Janine, Madame, c'est plutôt une copine pour un étudiant, on dirait.

À La Colline, Mademoiselle Gué félicite : Tu as été formidable, un malade qui soigne et porte un autre malade, c'est le plus beau. On dit : C'est pas seulement moi, c'est même plus l'enfant bleu. Elle ne comprend pas, on ne peut pas expliquer. Seulement toi tu comprends que parfois on est à deux étages en même temps.

Le soir, la maman de Jean a téléphoné, mais on était de nouveau sauvagé par le démon, on la comprenait pas bien, on a passé la communication à papa. Elle lui a dit que Jean était mieux, qu'il devait rester à la maison et demandait qu'on vienne le voir, mais seulement un petit moment le lendemain à quatre heures. Elle a dit aussi tellement de félicitations pour moi que papa était tout embalbutié.

Le jour d'après Madame Marinier dit : Tu as été très bien, Orion. C'est quoi le paquet que tu portes ?

C'est un tableau de l'île Paradis numéro 2 pour Jean. Il y a deux mois qu'on le peint pour lui. Elle le regarde et dit : C'est beau, ça lui fera du bien. Donne-le-lui toi-même.

Un peu avant quatre heures on attend un moment, on pense qu'on verra peut-être Janine. Elle ne vient pas. On sonne au 17, c'est l'infirmière qui ouvre : Tu viens voir Jean ?

Seulement pour cinq minutes, on dit.

Jean est sous perfusion. Ce paquet c'est quoi ?

Un tableau pour lui.

Elle me dit de montrer et demande : C'est quoi ?

C'est la jungle de l'île Paradis numéro 2, là où on voit un peu l'Atlantique.

Où as-tu trouvé ça ? C'est cher ?

C'est moi qui l'ai peint, madame, on est peintre et sculpteur.

C'est vraiment toi qui as fait ça ?

Oui, c'est moi et l'enfant bleu pense que ça va lui faire du bien à Jean.

C'est qui l'enfant bleu ?

On peut pas dire, Madame, c'est ce qui soigne et donne du courage.

Une sorte d'infirmière ? Il vaut mieux en avoir une vraie. Tu as l'air excité, Orion, tu ferais mieux de retourner chez toi.

On doit donner le tableau à Jean. C'est pas un tableau excité, on l'a peint pour aider à guérir.

Elle me prend pour un débilodélirant, mais elle me conduit chez Jean. Il est beau, pâle, il a des perfusions aux bras, la gorge serrée. On montre le tableau, Jean dit à petite voix : On l'aime beaucoup.

On doit sortir, l'infirmière elle me donne de la part de la mère de Jean un paquet de chocolat. Elle ouvre la porte, on dit : On a peur pour Jean, l'enfant bleu dit...

Elle me coupe : Jean sera bien soigné, il n'a pas besoin de tes histoires d'enfant bleu. Hier tu as été courageux, aujourd'hui, rentre chez toi. Elle me donne un bisou qui fait pas tant plaisir et referme la porte. On ne veut pas abîmer la maison de Jean en donnant des coups dans la porte, mais on les donne aux autres maisons. On va prendre le métro, on pense que l'enfant bleu et Orion ont été jetés de la maison de Jean. Est-ce qu'on n'est pas dans le vrai, Madame ?

Fin de dictée d'angoisse. »

J'apprends par Mme Marinier que Jean a eu une grande crise et qu'il va être envoyé en clinique de long séjour. Elle est allée le voir, il est très affaibli, il a fait placer le tableau d'Orion en face de son lit. Il a dit : « Quel beau cadeau il m'a fait et je ne pourrai même pas le voir avant de partir. Dites-lui que je lui ai envoyé un disque de Mozart. »

Quand je le revois, Orion me dit : « Jean va partir dans une clinique, Madame, il a envoyé un disque. On l'écoute chaque soir, parfois on l'embrasse comme on aurait voulu embrasser l'épaule de Jean, mais on n'a pas osé à cause de l'infirmière et parce qu'on avait peur qu'il dise : « Me colle pas, Orion ! » On n'est pas heureux depuis que Jean n'est plus à La Colline, l'enfant bleu dans la tête pense qu'il ne viendra plus. Ce n'était pas tant possible qu'on soit le vrai copain-ami de Jean.

— Qu'est-ce que tu fais à La Colline, maintenant qu'il est parti ?

— On voit deux fois par semaine Mademoiselle Gué, on parle de Jean, du démon de Paris, parfois de toi et de Vasco. Quand on reçoit des rayons elle comprend, ça fait du bien. On va jouer à la salle de jeux. À la bibliothèque il y a un livre sur les animaux avec des images sur les bisons d'Amérique. Ça aide, car on a commencé la tête du bison dans un grand bloc en bois de cerisier, c'est à la maison ça. On n'avance pas vite car papa n'a pas toujours le temps de venir dans l'atelier.

Si on est seul le démon envoie des rayons dans le dos et c'est moi qui deviens statue, on n'a pas envie d'être en bois et de brûler.

— Brûler...

— Oui, Madame, on a toujours envie de faire des dessins qui saignent et de les faire brûler comme Ysé. Dans le petit jardin de La Colline il y a un arbre. Là, Madame... tu n'aimerais pas... on peut faire du feu, avec deux demi-copains : un qui surveille qu'on soit pas vu, un qui allume et moi qui tiens le dessin jusqu'au beau moment de feu.

— Un beau moment, vraiment... ?

— De la beauté du démon, que les demi-copains voient aussi et alors, comme ils disent les deux, on jouit.

— On jouit...

— On ne sait pas Madame, c'est eux qui disent ça, moi on tient le dessin qui brûle et on ramasse les cendres.

— Et les demi-copains, eux...

— On ne sait pas, Madame.

— Ce n'est pas mieux de garder tes dessins ?

— Pas ceux-là, on les fait pour brûler. »

Quand Orion vient quelques jours plus tard, je vois tout de suite qu'il a les gestes saccadés et le ton angoissé et brutal des mauvais jours.

« Prends ton cahier, ça va être la vraie dictée d'angoisse.

DICTÉE D'ANGOISSE NUMÉRO QUINZE

On apprend que Jean est parti pour sa clinique, on ne sait pas où. On n'a même pas pu le voir sortir de sa maison et entrer dans l'auto. Alors, alors... alors quoi ? Jean aurait aussi été content si on avait pu le voir, il a emporté le tableau. Madame Marinier le sait. Moi, on ne sait rien, on ne sait rien jamais, Madame. Pourquoi le copain doit partir sans me voir ? Pourquoi on n'a plus que des demi-copains à cette Colline de merde ? Pourquoi pas de copine ? Parce qu'on transpire trop, est-ce qu'on pue, Madame ? Parce qu'on parle trop, trop vite, mais c'est qu'il y a des vagues, des rouleaux de mots qui viennent dans la bouche. Déjà qu'on a été malheurifié, jeté à la poubelle à l'école primaire. Et Jean, le seul copain vrai, on savait qu'il était trop bien pour moi, il part et cela fait chagrin. Le chagrin aussi qu'on ne pourra pas avoir d'enfant ni de femme pour pas faire un bébé encore plus handicapé qu'on est. Est-ce que c'est pas trop à la fin ? Est-ce qu'on est né pour la machette, comme ce qu'on a vu à la télé au Rwanda. Écris tout, saute rien, c'est Orion le débile qui doit sauter. Pas toi.

Arrête un peu, Orion, calme-toi, viens avec moi à la cuisine, ton chocolat sera vite prêt et j'ai acheté des gâteaux pour toi.

— On viendra Madame, mais une dictée diabolisée on ne peut pas l'arrêter. On ne peut pas comme on est maintenant, Jean parti, Janine qui a un copain, toi qu'on voit tout peu, on ne peut pas s'arrêter de brûler des dessins, même si tu n'aimes pas.

— Cela va se savoir...

— Peut-être que quelque chose veut, Madame, qu'on soit jeté.

— C'est bien que tu le voies.

— On a fait un tableau pour Jean, on travaille le bison, on n'a pas de nouveau tableau dans la tête, Jean et l'enfant bleu ont pris la place. Les dessins pour brûler c'est tout ce qui reste...

Fin de dictée d'angoisse. »

ON N'EST PAS JETÉ

C'est la Toussaint, je pars deux semaines à l'étranger avec Vasco. À mon retour je téléphone à Orion, il me passe son père qui me dit : « La directrice de La Colline, cette fameuse Mme Zorian, l'a renvoyé pour huit jours.

— Pourquoi ?

— Il aurait brûlé une caricature d'elle devant un groupe de camarades. Attendez, il me dit qu'il veut vous raconter cela lui-même au prochain rendez-vous. »

Quand il arrive je vois qu'il est confus et fier de ce qui s'est passé pendant mon absence.

« Tu as été renvoyé huit jours. Raconte...

— On a acheté un grand saladier en verre...

— Tu l'as acheté, toi !... Dans un magasin ? Avec tes sous ?

— Rosine est venue, elle a aidé.

— Elle a aidé... ?

— Pour brûler un dessin en rouge de Madame Zorian qui montre ce qu'on ne doit pas montrer. On l'a fait dans la salle de jeux, personne n'a cafardé, et papa dit qu'ils n'ont pas de preuve. On a mis une petite bougie au fond, on a montré le dessin tout rouge aux autres, on a allumé la bougie. Cela a fait une seule flamme. Madame Zorian a brûlé comme une omelette au rhum. On était tous contents, quand Madame Marinier est arrivée, il n'y avait plus que les cendres. Elle a dit : Orion tu as fait brûler quelque chose, c'est défendu !

C'est défendu, Madame Marinier, mais c'est triste ici, depuis que Jean est parti. On doit brûler quand c'est comme ça. On est ami de vous, Madame Marinier, on vous respecte, mais on brûlera tant qu'on est ici.

Elle a téléphoné à la directrice, puis elle m'a donné mes affaires et a dit : Tu es renvoyé huit jours, Orion. Elle m'a reconduit à la porte avec son beau gros ventre à dormir son bébé, elle était triste. On n'a rien dit, on attendait, alors elle a donné un bisou.

— Tu es retourné à La Colline après tes huit jours de renvoi ?

— Oui, on est retourné, on verra Madame Zorian demain. »

Quand il revient, je demande : « Comment ça s'est passé mercredi ?

Réponse abrupte :

« *DICTÉE D'ANGOISSE NUMÉRO SEIZE*

Tous les jours on écoute un peu *La Flûte enchantée*, c'est le disque que Jean a donné, c'est un peu comme s'il était là. En arrivant à La Colline on a d'abord aidé un camarade et une dame qui ne dessinent pas trop, trop bien. Moi, on dessine une bouche d'ogre, ça les fait rire. Après on a écouté à ma petite radio la musique qui était au programme. On doit voir Madame Zorian à dix heures. Madame Marinier dit d'aller à sa salle d'attente. On monte par l'escalier, on laisse les fauteuils libres, on met son cul sur une chaise, Madame, on ne sait pas pourquoi mais on a besoin de dire ce mot. À dix heures quinze, il y a du démon qui vient, pas encore du rayon, mais on sent qu'il est caché. Sur la table il y a des revues et des journaux, on cherche *Géo*, il y a pas. On cherche une BD, pas non plus. On sent que le démon commence à s'énerver, il y a une corbeille à papier et pour le faire patienter on déchire en petits morceaux des pages d'une revue pour dames. Pour gagner du temps, car les rayons commencent à cerner, on fait un petit chemin de revues et de magazines de la porte du bureau de Madame Zorian en retard à l'escalier. Il est dix heures quarante-cinq, le démon prend la table et la met debout sur le canapé. C'est un peu comme une bête avec quatre pattes qui donnent envie, envie de brûler. L'enfant bleu dit : Faut pas ! Jette tes allumettes et ta petite bougie par la fenêtre du bureau. On entre au bureau, on ouvre la fenêtre et on les jette. En revenant le démon renverse les chaises du bureau et met le téléphone dans un bouquet de fleurs. Ça fait bazar, mais on gagne du temps, car les rayons commencent à traverser la tête et les mains. On sort du bureau avec un petit tapis et on l'accroche aux pieds de la table sur le canapé. Il y a une heure que le démon attend, parfois on l'entend mugir comme un bison, on sent ses cornes qui poussent et qui ont envie de casser la porte. On commence à donner des petits coups dans la porte, puis plus fort. On ne veut pas la casser, on met un fauteuil sur la table dressée sur le canapé, on pense que c'est une tête de géant, on fourre entre le siège et le dossier une feuille de pub d'une revue, elle est presque rouge. Ça fait un géant ogre. Le démon de Paris a envie de faire tomber la tour, de casser le rire de la tête d'ogre. Pour pas laisser trop enrayonnifier le démon on dessine sur le mur avec un gros crayon un jeune paumé qui a tué son Minotaure et en dessous on fait le docteur Zorian, habillée en trampoline rouge qui saute sur la tête du démon. On est obligé aussi de sauter, de danser la grande danse de Saint-Guy. On a envie de casser la porte, l'enfant bleu dit de nouveau : Faut pas ! On gagne du temps en décrochant les tableaux. La force du démon bouillonnise et commence à faire un peu cracher. Le démon dit : Regarde ta montre ! On le fait, il est onze heures dix-huit. Il y a une heure et dix-huit minutes qu'on se défend. Évidemment, évidemment, Madame, qu'on ne peut plus contenir la force du démon. On court jusqu'à l'escalier, on prend son élan pour défoncer la porte. L'enfant bleu l'ouvre juste avant et on tombe sans rien casser.

Il y a du bruit, c'est le docteur Zorian qui monte, rouge, en colère on dirait, et derrière Madame Marinier, avec son beau gros ventre, l'air tout calme qui dit : Ne vous fâchez pas, docteur. Il est en crise, il y a plus d'une heure qu'il attend. On arrête de cracher, on dit ou peut-être on crie : Regardez ce que vous avez fait, tout est bazardifié, chambardemmerdifié et le démon voit tout ça. Le démon, il y a une heure et vingt minutes qu'il attend. Vous croyez qu'il peut supporter ça, le démon de Paris et banlieue ? On se bat avec lui tout ce temps pour pas qu'il casse tout, on a même jeté par la fenêtre mes allumettes, pour qu'il ne brûle pas le bureau. Vous ne comprenez pas que c'est dur, trop dur pour lui ?

Madame Marinier dit : Le docteur a eu une urgence.

Le démon est plus urgent que les urgences. On est tout en démoli par ce qu'il m'a fait faire. Et tout ça sans bruit ! On n'a même pas pu casser pour appeler au secours !

Madame Zorian proteste : C'est facile de dire que c'est le démon. C'est toi, Orion, qui as fait tout ça !

On sent qu'elle ne comprendra jamais. On laisse le démon la pousser contre le mur, il ne donne qu'un peu de sa force, il la presse sans forcer. Elle devient pâlotte, la dame. Elle entend la voix démon qui dit : Gueule pas ! Elle est pas comme Orion, la directrice, elle a jamais entendu ça, elle a peur, elle ne crie plus.

Madame Marinier dit avec une voix d'enfant bleu : Laisse-la, Orion, aide-moi à l'amener à son bureau.

Le démon la laisse, elle est lourde, elle est presque dans les pommes. À deux on l'assied dans le fauteuil pas renversé. On se dit que l'enfant bleu remettrait tout en ordre et on commence à ramasser le renversé, on défait l'ogre. Madame Marinier vient près de moi, elle dit : Le docteur va mieux et tu as ramassé le plus gros, c'est bien, descends avec moi.

D'abord tu dis au docteur qu'on veut partir du Centre, mais pas renvoyé.

Elle retourne au bureau pendant qu'on accroche les tableaux. Elle revient : Le docteur est d'accord que tu partes sans être renvoyé.

C'est toi qui promets ça ?

C'est moi.

Alors on te croit.

L'autre infirmière arrive pour finir de tout mettre en ordre et soigner Madame Zorian.

On descend avec Madame Marinier, on voit qu'elle n'a pas peur d'Orion pour son ventre berceau. On dit : On a fait un dessin qui est devenu une bouche d'ogre, on veut le brûler au dessert dans son assiette, après on s'en va.

Montre-le-moi d'abord.

On le lui donne. Elle dit : Il est terrible ton dessin. Tu n'as pas fait assez de scandale ?

On n'a pas fait de scandale, on a juste fait sentir à Madame Zorian comment le démon presse, quand il presse. On veut brûler le dessin pour montrer qu'on est un libre, qui part, pas un jeté. On ne le montrera pas aux autres.

Au déjeuner on a des spaghettis et des tomates. On aime. Au dessert chacun a une pomme au four. On aime aussi. Rosine me donne la moitié de la sienne, on lui dit qu'on part, elle est triste. Quand Madame Marinier fait signe, on brûle le dessin bien plié sur son assiette. On dit : Au revoir tout le monde, on part de La Colline, on n'est pas jeté.

Rosine applaudit et tous les autres aussi. On prend ses affaires, Madame Marinier et Mademoiselle Gué m'accompagnent à la porte, on dit : On vous aime beaucoup, au revoir ! Et elles donnent chacune un bisou.

Papa reçoit le lendemain une lettre d'accord pour mon départ. Il est content, surtout à cause de maman, qu'on soit pas renvoyé.

Fin de dictée d'angoisse. »

« On voit que pour les parents ce n'est pas trop gai de m'avoir tous les jours sur le dos, mais ils ne le disent pas. Jasmine dit qu'ils croyaient qu'on serait renvoyé, elle trouve qu'on s'est bien tiré d'affaire seul. Et toi ?

— La directrice n'aurait pas dû faire attendre ton démon comme ça. Tu lui as fait sentir sa force sans la blesser. Cela s'est terminé sans trop de casse pour elle et pour toi. Sans Mme Marinier, ça aurait pu être pire. Somme toute, tu ne fais de grande violence que lorsqu'il y a quelqu'un pour t'arrêter. C'est comme ça que tu arrives à manœuvrer le démon. »

Il ne répond pas, il rit un peu nerveusement d'abord, puis largement et je suis entraînée dans son rire. Il s'apaise, il me regarde comme il fait quand il veut demander quelque chose.

« Madame...

— ...

— Madame, maintenant qu'il n'y a plus de Colline, plus de Jean, ni de Janine qui a un copain. Plus Madame Marinier, on veut... enfin on voudrait... revenir chez toi... plus souvent.

— Je te vois deux fois par semaine, Orion, au stade où tu es maintenant, c'est assez.

— On est toute la semaine dans les jambes des parents, ça énerve.

— Cherche des activités extérieures, tu viens de montrer que tu peux t'en tirer seul. Est-ce que M. Douai ne t'a pas téléphoné ?

— Oui, il a trouvé un atelier de gravure, le meilleur des pas trop chers, il a dit, mais ça coûte, Madame.

— Tout ne doit plus être gratuit pour toi, Orion, tu as une petite pension, tu as vendu des œuvres, tu peux payer. Tu peux aussi te débrouiller pour trouver un atelier de peinture. Pour aller avec Ysé à des expositions ou voir des films.

— On va aller à la gravure deux fois par semaine et on paiera. Mais en décembre, Madame, quand les parents partent souvent. Alors on est tout seul...

— À ce moment-là je te recevrai tous les jours quand ils partent. Tu viendras dessiner comme autrefois.

— Madame... pendant que le démon me chauffagisait en attendant le docteur, il y a eu un moment... Un moment... on sentait... qu'on aurait pu arrêter tout ça... en cassant la gueule à son démon... oui, on sentait ça... mais on sentait que, l'enfant bleu, il aurait jamais fait ça... L'enfant bleu, Madame, ne veut pas tuer son démon... pas le tuer pour le faire taire. »

MYLA

Cette année difficile se poursuit, Orion va deux fois par semaine à l'atelier de gravure et il le paie lui-même. Nos entretiens gardent leur caractère amical mais sont redevenus une forme de psychothérapie. Il se décide enfin à exposer sa statue l'*Otarie*. C'est à travers cette véridique otarie qu'il est parvenu à exprimer son désir, sa vision enfantine d'une large et naturelle maternité. Les enfants qui viennent à l'exposition le comprennent, ils vont immédiatement vers elle et aiment à caresser ses belles courbes de bois, rassurantes et polies.

J'ai été voir le docteur Lisors pour le mettre au courant de l'évolution d'Orion et de son départ de La Colline. Le docteur Zorian lui a téléphoné qu'Orion ne s'est pas bien adapté et que, d'accord avec les parents, elle a accepté de le laisser partir, contrairement aux règles de l'établissement, avant la fin de l'année.

Lisors me dit : « Elle n'a pas fait d'autre commentaire et ne m'a pas parlé de vous. Orion, dit-elle, est difficile et il faut surveiller son habitude d'allumer de petits feux avec ses compagnons. C'est un nouveau symptôme, ça.

— Il brûle certains dessins qu'il fait pour le feu. Il pense qu'en brûlant ils parviennent à un instant d'intensité supérieure. Il m'en a parlé. C'est troublant pour nous qui attendons de l'art une certaine durée. La beauté instantanée, à demi perdue déjà, Orion la découvre dans le feu, c'est bien un nouveau symptôme.

— Malgré cela je trouve l'épisode de La Colline positif. Orion a tenu un certain temps dans un milieu différent, il a été capable de supporter la perte d'un ami, de manifester une violence limitée et d'amener la directrice, qui souhaitait le renvoyer, à le laisser partir librement. Vous avez repris la psychothérapie avec lui ?

— De façon libre, le problème principal demeure : c'est toujours « on » qui parle.

— « On » parle car « je » fait encore peur. Continuez à être patiente. Essayez peu à peu de réduire le nombre des séances. Malgré les risques il faut qu'il apprenne à se passer de vous. Pas d'analyse interminable. Douai m'a dit qu'il l'a fait entrer dans un atelier de gravure. Il faut qu'il ait des activités hors de chez lui. »

Orion tente plusieurs activités nouvelles, mais seul l'atelier de gravure devient pour lui un lieu familier. Très intimidé au début, il s'y sent vite accepté grâce au climat amical et laborieux que le maître graveur fait régner autour de lui. Après quelque temps le maître l'installe à proximité d'une de ses élèves, handicapée elle aussi, avec qui il se sent en confiance. Elle travaille à l'atelier depuis longtemps, elle est très avancée dans les techniques de la gravure, mais moins habile qu'Orion en dessin. « Myla, me raconte Orion, m'apprend pour la gravure, c'est elle surtout qui montre. Moi, quand c'est difficile on l'aide pour son dessin. » Je comprends que Myla, très timide, est heureuse de cet échange où chacun enseigne et apprend à son tour. Sa place de voisin de Myla compte beaucoup dans l'importance que l'atelier de gravure est en train de prendre pour Orion. Quand il vient me voir, j'entends que le nom de Myla apparaît plus souvent que celui, toujours douloureux, de Jean. Orion lui fait cadeau d'un dessin représentant des papillons aux couleurs éclatantes. Quelques jours plus tard elle lui donne une gravure. Elle a inscrit en dessous de sa fine écriture un peu tremblée : « Tirage d'artiste numéro 1. » Ces mots ont profondément résonné en lui et il me les montre avec fierté.

« Tu me parles souvent de Myla. Je voudrais la connaître.

— Tu la verras à une exposition, peut-être dimanche prochain à Charenton-le-Pont. On a présenté des gravures d'elle en même temps que mes œuvres. Le jury en a retenu deux. Ce n'est pas sûr qu'elle pourra venir ce jour-là mais elle viendra sûrement plus tard à l'exposition de la mairie du 5e. Son père arrive du Brésil, elle viendra avec lui et sa mère. Le jury a accepté trois gravures d'elle, moi, on exposera comme à Charenton la tête de bison qui est tout juste finie. Elle est lourde celle-là, on doit être deux, papa et moi, pour la porter.

— Tu espères que Myla sera ta copine ?

— Plus que demi-copine, mais pas plus que presque copine. Dans la tête elle est une copine, pas dans le vrai. Myla, elle ne dira pas qu'on est son copain. Quand on lui a dit qu'elle pourrait exposer, il y a eu comme si les deux on avait envie de s'embrasser. Mais on ne s'embrassait pas, seulement quand on arrive à l'atelier, elle m'embrasse comme les autres, on fait ça à cet atelier. Myla est timide, très, très. Peut-être qu'on doit être un peu content de ça, car moi, quand les choses vont bien, on s'agite souvent, on parle trop, on transpire. C'est mieux de pas faire trop les premiers pas comme tu disais pour Jean.

— À l'atelier tu es toujours près d'elle... ?

— Oui, Madame... mais pas trop, trop. On ne peut pas être de vrais copains, se marier ou se concubiner dans un appartement à nous. On est prisonnier du handicapé, les deux... Sans ça on pourrait avoir des enfants anormalisés, même pire que nous. Ses parents ne doivent pas avoir peur.

— Ses parents ont peur...

— On ne sait pas, Madame. »

Je téléphone au maître graveur. Il est content du travail d'Orion dont il apprécie ce qu'il appelle le réalisme fantastique ou magique. Il me propose de passer de temps en temps à l'atelier. Je profite de son offre et y vais le jour suivant. Orion, très absorbé dans son travail, ne me voit pas. En face de lui, celle qui – je n'en doute pas un instant – est Myla soulève un instant ses longs cils et dit tout bas un nom que je ne puis entendre mais que je lis sur ses lèvres : Orion. Il lève la tête, la regarde en souriant et se tourne vers moi. Myla, le regard absent, se fige dans l'attente tandis qu'Orion, avec son allure de nounours, se précipite dans ma direction pour déverser immédiatement un flot de paroles.

J'essaie de le calmer : « Je viens voir l'atelier, je ne veux pas vous déranger, je viendrai tout à l'heure voir ce que vous faites. »

Il retourne à sa place, il sourit à Myla. Dès qu'elle le voit recommencer son travail, elle fait de même. Je vais parler au maître graveur, de là je puis regarder Myla sans la déranger.

Elle est menue, ses mouvements sont gracieux, elle est habillée comme tous ici de façon décontractée mais avec une certaine élégance cachée. Elle n'est pas jolie, il y a dans ses traits et sa façon d'être quelque chose d'indécis, de vague, presque d'effrayé qui surprend au premier abord. Sur son visage flotte, plus qu'il n'apparaît, un demi-sourire incertain, un peu perdu qui est d'une douceur émouvante. Je pense : encore une douce égarée dans le monde comme ça, qu'on a tout de suite envie d'aider, de protéger. Je comprends ce désir, qui attire Orion vers elle. Lui, l'assisté, le tant protégé, il assiste et protège à son tour cet être démuni. À ce moment, je vois entrer une dame qui se dirige vers Myla, je vois avec surprise Orion se lever et lui offrir sa chaise. C'est sûrement la mère de Myla, elles se ressemblent mais la mère est plus grande et plus belle que sa fille. Derrière une assurance mondaine on retrouve sur son visage le sourire vague et perdu de Myla et une incertitude profonde. Je m'approche d'eux, je lui dis qui je suis et demande : « Vous êtes la mère de Myla ?

— Oui, elle m'a beaucoup parlé de vous.

— Mais je ne la connais pas encore. Bonjour Myla, moi aussi j'ai entendu parler de toi, Orion m'a dit que tu es une excellente graveuse. »

Elle sourit, son regard est très beau. Orion intervient : « C'est Madame... Son mari Vasco est mon ami. »

La mère dit : « Nous sommes brésiliens, il est célèbre au Brésil. Nous aimons beaucoup sa musique... » Elle prend mon bras : « J'espère que nous serons amies, je m'appelle Eva.

— Moi, Véronique.

— Je viens chercher Myla un peu tôt, nous devons aller chez le médecin. »

Myla se lève, range ses affaires avec beaucoup d'ordre, Orion manifestement voudrait l'aider, elle ne le laisse pas faire et murmure : « Travaille, tu as encore une heure. »

Eva, en s'en allant, m'embrasse, Myla aussi, ce baiser est le passage d'un papillon. Orion s'est arrangé pour être au milieu de nous, je suis inquiète que va-t-il se passer ? Il ne se passe rien. Eva l'embrasse sans hésiter et Myla lui plante sur les deux joues un petit bisou de fleur.

Elles sont parties, Orion est très contrarié du départ de Myla, il erre un peu dans l'atelier, revient vers moi.

« Madame..., Madame, tu veux bien te mettre à la place de Myla pour qu'on travaille comme elle veut, et me ramener jusqu'à l'autobus en voiture ? »

Et moi, naturellement, j'accepte.

La semaine suivante il vient chez moi et tout de suite annonce :

« DICTÉE D'ANGOISSE NUMÉRO DIX-SEPT

Tu n'as pas pu venir à l'exposition à Charenton-le-Pont, tu étais à Amsterdam avec Vasco. Dommage, il faisait beau et tout est allé bien. On est arrivé tôt pour voir si les gravures de Myla étaient bien placées et la dame directrice qu'on connaît a dit : Il y aura peut-être une bonne surprise pour ton amie d'atelier. Myla arrive en taxi, on la conduit à l'exposition, il n'y a encore presque personne et elle n'est pas intimidée. On lui montre ses deux gravures bien exposées, elle ne dit presque rien comme toujours mais ses yeux en bonheur sourient sans sourire. Elle dit : Montre ta statue. On la conduit à la statue, on voit dans ses yeux : que c'est beau, on peut avoir confiance dans Orion qui a fait cette tête, la tête d'un vrai animal-homme pas handicapé, pas rayonné. Elle promène ses doigts sur le bois qui est bien rond doux, tout en restant fort. Moi aussi, on caresse le bison, les mains se rencontrent, les yeux disent : tu peux la prendre par la main, te promener avec elle dans l'exposition comme copain et copine. On le fait, on est joyeux calmes, les deux, comme on l'a pas été souvent. Sa maman, la grande belle qui ne fait pas peur, vient. On l'accueille à la porte avec Myla, on se tient par la main, elle va voir le *Bison*. Papa et maman sont venus aussi, ils ont l'air contents qu'on soit les deux. Maman invite Myla à goûter, papa dit qu'il ira la chercher.

La maman de Myla me dit que mon *Labyrinthe antiatomique* est trop terrible pour elle mais qu'elle aime beaucoup ma statue. Myla est si contente qu'elle pleure presque. Elle est encore plus contente quand elle reçoit le deuxième prix de gravure. On l'applaudit, elle rougit, sa maman est fière, mais moi, le plus.

Mardi, Myla vient goûter à la maison, une dame la conduit et repart. On montre mon atelier et beaucoup d'œuvres. Ses yeux disent : on aime. On lui donne un petit tableau de l'île Paradis numéro 2, elle dit : Fais encore un dessin de cette île et moi je le graverai. On dit : D'accord et on est de nouveau heureux calmes les deux.

Au goûter ce n'est pas si bien, maman a préparé des gâteaux et du chocolat, elle lui dit de choisir un gâteau, Myla ne le fait pas. Maman lui en donne un, le meilleur, elle le regarde dans son assiette comme si elle en avait peur. Pendant ce temps, moi on en mange deux. Myla boit une gorgée de chocolat, elle prend un peu de gâteau, elle le garde dans sa bouche sans mâcher, elle devient toute pâle et triste. On pense à l'hôpital Broussais et à l'enfant bleu, quand on faisait des boulettes de viande dans sa bouche. On dit : Si tu ne peux pas le manger, crache-le. Elle n'ose pas et maman, qui sait toujours ce qu'il faut faire, l'emmène en vitesse à la cuisine et l'aide à cracher, on pense, car on n'a pas vu.

Myla dit : Merci, Madame, en pleurant, alors maman pleure un peu aussi et lui fait un bisou. Myla revient avec un sourire tout petit désolé, elle ne peut plus boire, ni manger. Moi non plus, pourtant on a envie, car les gâteaux on aime.

Quand papa revient, il dit à Myla : Vous n'êtes pas bien, il vaut mieux qu'on vous ramène chez vous. Myla dit : Oui, monsieur, et à moi tout bas : Viens aussi.

Elle monte dans la voiture à côté de papa, on lui fixe la ceinture de sécurité qu'elle ne voit pas. On est derrière elle, on prend sa main. Sans doute elle est contente car si on presse sa main tout doux, elle répond de même.

Dans une rue elle dit à papa : C'est là, et elle serre ma main un peu plus fort.

Le soir papa dit : Elle est gentille, Myla, mais quand elle est sortie de la voiture on a senti qu'elle ne pèse rien. Il ne faut plus l'inviter ici, ni aller chez elle si elle t'invite.

On sent qu'il a raison, Madame, même si on ne sait pas tout à fait pourquoi. Maman dit : Malheureusement elle est malade, c'est une anorexique. Cela veut dire quoi ce mot, Madame ?

— Qu'elle ne peut pas manger pour des raisons physiques ou mentales. Dans le cas de Myla cela semble une anorexie mentale.

— Alors elle peut guérir puisque moi on a guéri et que maintenant on mange. Toi, tu dis même qu'on mange trop.

— Il faut la voir plus souvent pour l'aider, Orion, est-ce que vous ne pouvez pas aller trois fois par semaine à la gravure ?

— On peut, mais ça coûte des sous en plus.

— Tu peux payer plus.

— Pour aider Myla à guérir, on paiera plus.

— Je téléphonerai à sa mère pour lui proposer de l'inscrire trois fois par semaine. »

Il ne dit pas : Fin de dictée d'angoisse. Une sorte de complicité apparaît entre nous. Il a un projet, nous avons un projet commun pour leur bonheur à tous deux, pour leur joie calme, qu'il sait comme moi, menacée. Il va falloir être patients, comme ce n'est pas son point fort, il compte sur moi pour ça et s'en va.

Je retourne plusieurs fois à l'atelier, j'aime voir Myla et Orion l'un près de l'autre, absorbés dans leur travail

Orion parfois lève la tête et la bombarde d'interrogations saccadées. Elle lui répond d'un regard ou d'un mot et son seul sourire des yeux suffit à le calmer. J'aime aussi parler avec le maître graveur qui m'éclaire avec beaucoup de patience sur les secrets de son art. Il me parle de Myla. « Elle a toujours été lente et manquant de confiance en elle mais depuis qu'elle travaille avec Orion elle est plus vive et commence à se libérer de la perfection technique dans laquelle elle s'enfermait jusqu'ici. Certains dessins d'Orion sont d'une étrangeté, d'une imagination surprenantes. Myla a gravé le dernier qu'il lui a donné. L'œuvre qui est sortie de leur collaboration est inattendue, le côté sauvage, onirique du dessin d'Orion n'a pas disparu. Il est devenu plus réel, plus mystérieux, moins angoissé par la façon dont Myla y a fait entrer son calme et sa bonté. Je vais vous en montrer une épreuve, vous pourrez la comparer au dessin. »

Je suis surprise, la gravure représente la harpe éolienne du grand chêne, du vieux chanteur dans l'ouragan de l'île Paradis numéro 2. Orion en a fait une nouvelle version dont les couleurs dures, les formes violentes font entendre la musique d'un autre monde. Dans la gravure, dans les noir, gris doux et blanc de Myla, on perçoit plus profondément cette musique. Les formes restent dures, l'arbre mort et l'ouragan sont là mais on voit que le calme est en train de revenir, qu'il est même déjà là, car sous le chêne tourmenté on voit deux danseurs face à face. Dans le dessin d'Orion il n'y a pas de danseurs, ils ont surgi sans doute d'un récit de l'île Paradis numéro 2 qu'il a fait à Myla. Les danseurs, à peine esquissés, sont bien reconnaissables. Orion avec sa silhouette un peu lourde et Myla avec sa grâce légère, bien trop légère et sa bonté minuscule de fleur des champs.

Je dis au maître : « Myla a pénétré et trouvé une place dans l'univers des fantasmes d'Orion. Quelle intuition ! Myla nous change notre Orion, elle le découvre.

— Orion change aussi notre Myla, il la pousse vers la vie. »

En ramenant en voiture Orion à son bus je demande : « Tu as raconté l'histoire de l'île Paradis numéro 2 à Myla ?

— On a parlé, mais on ne peut pas toujours distinguer ce qui est dans la tête et ce qui est dans le singe.

— Le singe...

— Le comme les autres, Madame. »

Nous roulons en silence un moment. « Myla a l'air de t'aimer beaucoup.

— On croit, Madame, elle ne dit pas, elle ne peut pas vraiment. On pense qu'on est copain et copine pour graver, dessiner, exposer ensemble, se promener en se tenant par la main et être heureux de ça, les deux. Pas plus. Son père qui revient du Brésil ne doit pas avoir peur.

— Il a peur...

— Myla n'a pas dit mais on croit qu'elle a peur de sa peur... Myla accepte le copain comme il est mais on sait bien, elle aussi, qu'on n'est pas un vrai Monsieur comme son père.

— ...

— On est artiste peintre et sculpteur, ça ne fait pas être le Monsieur qu'on n'est pas. Le père de Myla viendra à l'exposition, Madame, tu le verras dimanche. »

C'est un beau dimanche de septembre, j'arrive place Saint-Sulpice à la mairie du 5e pour pouvoir visiter tranquillement l'exposition. Orion m'attend à l'entrée, l'air passablement agité.

« Myla vient en taxi, son père est fatigué du voyage, ses parents viendront plus tard. »

Nous n'attendons pas longtemps, Orion se précipite pour ouvrir la porte à Myla, ils s'embrassent comme ils font à l'atelier, elle s'avance vers moi et me fait son petit bisou de libellule. Orion part nous chercher des catalogues. En montant plus lentement que lui l'escalier je demande à Myla : « Orion te parle de l'île Paradis numéro 2 ? » Elle me répond à sa manière en baissant lentement ses longs cils.

« Tu aimes ce qu'il raconte ?

— Parfois... parfois il parle trop... »

Elle coule vers moi un regard confiant.

« Moi, c'est pas pareil... Parler... c'est difficile... Manger... encore plus. »

Sa confiance tendre et timide me bouleverse. Je lui demande : « Tu es contente de partir bientôt au Brésil ? »

Sa voix, toute proche du silence, parvient à dire : « Non..., Madame... »

Quelle différence entre son « Madame » si tendre, un peu craintif et celui d'Orion où résonne toujours une secrète revendication. Non, elle ose enfin, mais un peu seulement, dire non. Elle ne veut pas partir au Brésil à cause... à cause d'Orion bien sûr et de leur travail ensemble.

Orion nous attend en haut de l'escalier, il nous donne des programmes, s'empare de la main de Myla et nous fait entrer à l'exposition. Je veux les laisser ensemble et vais revoir les gravures de Myla. Il y a deux bonnes natures mortes et surtout son extraordinaire *Fin de tempête sous la harpe éolienne* comme l'a baptisée avec justesse le maître graveur. Elle l'emporte de beaucoup sur les deux autres par sa force, pourtant il y a en elles quelque chose qui me dérange et que je n'ai pas le loisir d'approfondir car les visiteurs commencent à arriver et je veux voir à mon aise la statue qu'Orion vient de finir.

Devant elle, je suis un instant subjuguée par la présence sauvage et massive de l'œuvre. Cette tête est celle d'un bison mâle dans l'éclat d'une jeune maturité, d'un bison maître et prophète, défenseur du troupeau formidable que rien ne doit arrêter dans sa marche à travers la Prairie. De ce monde aujourd'hui détruit, dépecé, ce buste est l'inébranlable image à travers laquelle on discerne le rêve de l'homme solide, vigoureusement assuré de sa force et de sa liberté que voudrait être Orion. Celui qui sait qu'il est aussi Orion le paumé a fait surgir de l'imagination profonde un Orion à sa juste place, dans son droit, sachant toujours ce qu'il doit faire pour traverser avec les autres l'immensité de l'herbe. Je vois, réalisé dans le bois qui ne connaît pas l'angoisse, l'impossible désir d'Orion et du peuple du désastre.

Je m'aperçois que Myla, arrivée avec lui, contemple et ressent comme moi la grandeur épique de sa tentative. Elle promène, comme je fais, ses doigts sur les belles surfaces du *Bison*, nos mains se rapprochent et nos regards s'unissent dans l'admiration pour l'obscur, le long travail juste. Orion voit nos yeux, notre sourire. Il existe plus fort. Il reprend la main de Myla et fait avec elle un tour attentif de la statue. Il lui montre ses autres œuvres, son terrible *Labyrinthe antiatomique* et *Le Cimetière dégénéré* avec ses squelettes, dans l'activité du désordre, sous le regard du démon blanc.

Je leur suggère de se promener encore dans l'exposition et les regarde s'en aller, la main dans la main, simplement heureux d'être ensemble et de tourner souvent leur regard l'un vers l'autre.

Je retourne voir le *Bison*, sa ressemblance avec Orion m'apparaît plus clairement ainsi que la présence bien cachée du Minotaure. C'est toujours le Grand Obsessionnel qui poursuit sa marche inexorable. Pourra-t-il la continuer dans la prairie intérieure ou ira-t-il comme le peuple bison se briser sur les barbelés et les fusils des envahisseurs ? Myla, la fragile, la libellule, pourra-t-elle garder sa main dans la sienne et défendre l'espoir courageux ?

Je rencontre les parents d'Orion, son père me dit : « Nous sommes contents de le voir avec Myla, c'est une gentille jeune fille, un peu *borderline* (est-ce Orion qui lui a appris ce mot-là ?) mais sérieuse. C'est une artiste, ils peuvent travailler ensemble. »

Et la mère : « Elle n'est pas trop belle pour Orion, gentille et douce, c'est mieux. »

Ils doivent partir, je m'occuperai du retour d'Orion. Je sens un regard fixé sur moi. Je me retourne, c'est Vasco. Il jouait hier à Zurich et arrive directement de l'aéroport. La jeunesse persistante de son allure, l'ardeur joyeuse avec laquelle il me regarde depuis un moment me touchent. Il m'embrasse et me dit : « Je viens de voir Orion et Myla qui déambulent la main dans la main. C'est nouveau ça, jamais je n'ai vu Orion si heureux. »

Il glisse son bras sous le mien comme j'aime. « Regardons leurs œuvres. »

Il est impressionné par le *Bison*, il tourne et retourne pour en voir tous les aspects. « C'est le bison éternel, qui hante toujours nos profondeurs et c'est sa propre image cachée. Quelle force et déjà quel métier chez Orion ! »

Des enfants s'arrêtent médusés devant la tête, il leur dit : « Il est en bois mais c'est aussi un vrai bison. Vous pouvez le caresser, cela vous fera du bien. »

Leurs mains s'approchent, la douceur des courbes, la force vitale du bois les pénètrent et les rassurent.

Nous allons voir le tableau d'Orion et son dessin *Le Cimetière dégénéré*, dont le cadre souligne le caractère dur et peut-être maléfique. Vasco : « Nous l'avons vu naître celui-là, il est toujours aussi percutant pour les soi-disant normaux, tu n'as pas peur des réactions des parents de Myla ?

— Un peu, Orion ne m'a pas consultée pour ce choix, ce qui est bien, et maintenant il est là. »

Nous partons voir les gravures de Myla, il regarde les natures mortes : « C'est bien, mais surencadré, les cadres sont trop riches.

— Quelque chose aussi m'avait gênée mais je ne savais pas quoi. Ce sont des cadeaux de son père ?

— Naturellement, le beau milliardaire ! Il a même abîmé la gravure de l'ouragan qui est étonnante. Stupéfiant que cette petite Myla, à demi née seulement, ait pu faire ça ! » Vasco m'embrasse. Il n'a pas vu Orion et Myla arriver derrière nous, Orion éclate de rire : « On aime quand tu embrasses, Madame ! »

Et Vasco : « Tu as fait un bison roi, qui est aussi oi-même. J'adore ta gravure Myla, admirable qu'une eune fille ait su avec un ouragan faire en gris, blanc et noir une musique de cette profondeur. » Dans un des mouvements d'enthousiasme qui parfois s'emparent de ui, il saisit Myla et l'élève très haut en triomphe. Elle st surprise, a un peu peur et rougit. En revenant sur erre, d'un mouvement spontané, elle saisit la main l'Orion et se cache à demi derrière lui avant de rire vec nous.

Les visiteurs commencent à affluer. Je dis à Orion : « Quand les parents de Myla seront là, dis bonjour à sa mère, demande à Myla de te présenter à son père, mais ensuite ne reste pas avec eux, reviens près de nous.

— Pourquoi ? On ne veut pas, Madame.

— Tu ne connais pas son père, il revient de voyage, il aura envie d'être avec sa fille. Sois réservé.

— C'est quoi réservé ? Être désauvagé ? »

— C'est simplement être discret. »

Je propose à Myla d'aller avec elle attendre ses parents à l'entrée. Nous n'attendons pas longtemps. Eva, dans le flou gracieux de ses vêtements, voile sa presque incroyable minceur. Malgré ses talons plats elle est plus grande que son mari, un bel homme, proche de la cinquantaine, aux cheveux à peine argentés. On est frappé, en le voyant, par le contraste entre le menton puissant de l'homme de pouvoir et le beau regard où se cachent les secrets du séducteur. Son visage s'illumine quand il voit Myla, il la serre dans ses bras, l'embrasse comme si elle était encore une petite fille. Eva nous présente l'un à l'autre. Il s'appelle Luis et me dit : « Vous êtes psychanalyste, je crois. » Et j'entends dans sa voix que ce n'est pas un métier qu'il apprécie.

« Véronique, dit Eva, est la femme de Vasco, l'ancien champion automobile qui s'est reconverti dans la musique. Tu te rappelles, nous l'avons entendu à Rio. » À ce moment, il me fait un beau sourire, option charmeur et je vois que pour lui la célébrité a une valeur en Bourse. Orion et Vasco sont un peu plus loin. Myla dit : « Papa, c'est Orion. » Eva ajoute : « Son camarade de l'atelier de gravure. »

Le regard de Luis remarque immédiatement la veste bon marché, le pantalon fripé, l'air mal à l'aise et agité d'Orion. Est-ce que Myla s'en aperçoit ? Elle se suspend tendrement au bras de son père : « Orion grave... il peint... il sculpte. » Il est touché par son geste, on voit qu'il l'aime beaucoup. Il ne peut cependant pas s'empêcher de toiser Orion : « Tous les talents ! Allons voir ça.

À ce moment Vasco intervient, il se présente avec sa grâce habituelle et Luis voit tout de suite qu'il a affaire à un homme habitué au succès et à un ami d'Orion.

bien armé pour le protéger. Je crains qu'Orion ne reste collé au groupe et dis à Eva : « Je vous laisse voir l'exposition avec Vasco et Myla, Orion et moi avons à faire. » Et j'entraîne Orion qui gémit : « Pourquoi on ne peut pas rester avec Myla ?

— Son père revient du Brésil, il veut être seul avec sa fille et Vasco va leur montrer vos œuvres. » Orion accepte mais il est malheureux, peut-être humilié et, quand nous croisons Myla et son père, nous voyons bien qu'elle est aussi triste que lui.

Après une fastidieuse déambulation dans les salles, on annonce la proclamation des décisions du jury. Vasco vient nous rejoindre. Enfermée entre ses parents, comme une petite fille, Myla est de l'autre côté et semble encore plus perdue que de coutume.

Orion obtient, pour son *Bison*, le premier prix de sculpture. On l'applaudit beaucoup, Eva applaudit comme les autres mais Luis, immobile, n'applaudit pas. Ce qui me terrifie soudain et qu'heureusement Orion ne peut voir, c'est que Myla n'applaudit pas non plus. A-t-elle peur de son père ou ne comprend-elle plus ce qui se passe ?

Quand on approche de la proclamation du prix de gravure, Orion devient agité, il proclame à voix très haute : « C'est Myla qui doit l'avoir, on a tout vu, c'est la meilleure... » Et d'un ton menaçant : « Qu'on ne fasse pas d'injustice ! » Il est rouge, ses mains tremblent, je crains qu'il ne batte des bras ou pire ne se mette à sauter. Vasco lui pose la main sur l'épaule, je lui souffle à l'oreille : « Sois calme, il y a beaucoup de monde ici, mais tu es avec des amis. »

Il n'y a pas d'injustice, Myla obtient le premier prix de gravure. Orion est heureux, il applaudit frénétiquement. Myla, surprise, se cache derrière ses parents, elle ne bouge pas.

Orion fait un mouvement vers elle, Vasco le retient. Sa mère la prend par la main et la conduit tout en larmes jusqu'à la table du jury. Eva lâche la main de Myla pour qu'elle puisse recevoir son prix. Le président le lui donne mais elle n'ose pas lui serrer la main comme les autres. Elle recule un peu et lui fait une petite révérence charmante et désuète. Les applaudissements redoublent, Myla, éperdue, au lieu de suivre sa mère, s'élance à pas d'oiseau vers nous et, au milieu de ses larmes, tend son écrin à Orion. Heureusement Vasco réagit vite : « Rends-le-lui. Dis : C'est pour tes parents ! » Et à moi : « Reconduis-la. »

Orion se penche vers l'écrin et, avec une grâce inattendue, l'embrasse, avant de le rendre à Myla : « C'est pour tes parents. » On sent l'émotion de la salle, on entend les gens qui se soufflent l'un à l'autre : « Deux handicapés... et quel talent ! »

J'entoure de mon bras l'épaule menue de Myla, à mi-chemin son père me l'arrache en disant : « Ces émotions..., ce n'est pas ce qu'il lui faut ! » Je suis stupéfaite de sa colère. Pendant qu'on annonce les prix suivants, Myla, solidement tenue par son père, ne peut pas s'enfuir et Luis ne veut pas faire un scandale. C'est la fin, l'assemblée se disperse. Je veux rejoindre Eva pour l'aider à ramener Myla à leur voiture. Luis m'arrête en me lançant un brutal « Au revoir, Véronique ! » avant de se retourner avec sa fille. Eva me fait de la main un petit signe d'impuissance affligée. Ils soutiennent Myla mais Eva est trop lente pour Luis qui saisit sa fille dans ses bras et l'emporte comme une proie.

Orion est pétrifié : « On n'a pas pu lui dire au revoir...

— Tu as réagi de façon parfaite en embrassant l'écrin, Orion. »

Il voit que je partage sa tristesse de cet échec imprévu après la réalisation de tant d'espoirs. Vasco a suivi le même cours de pensée que moi. Est-ce pour orienter Orion vers la colère qu'il dit : « Le requin tient entre ses dents sa proie adorée. » Comme Orion ne réagit pas, il ajoute : « Puisque Myla est partie et que tes parents sont allés en province nous t'invitons au restaurant, puis nous te ramènerons chez toi. »

Orion nous accompagne sans rien dire. Je vois qu'il est très mal, qu'il va vouloir sauter. Eh bien aujourd'hui je le laisserai faire ! Nous montons en voiture, il reste dehors, c'est sûr il va sauter et faire la danse de Saint-Guy. Il fait un effort extrême pour se dominer. Il réussit. Cette défaite devient pour lui une victoire, il entre à demi seulement dans la voiture. Je dis à Vasco : « Attends ! Attends... » Orion ressort de la voiture comme une bombe. Il brandit le poing, il hurle : « Sale con ! » Il revient, s'assied dans la voiture. Vasco démarre, il est content, moi aussi.

DÉFENDUE DE RÉPONSE

Vasco me dit : « Je n'ai pas eu l'occasion de t'en parler. Au Brésil je me suis informé au sujet du père de Myla. C'est un requin d'importance moyenne de la finance internationale, il a des affaires importantes là-bas, c'est un spéculateur habile, un naufrageur qui rachète à bas prix les entreprises qu'il a fait couler. À Paris, il n'y a que la holding qui contrôle tout et dont il est le numéro deux. Il a une société de ventes publiques d'objets d'art à Rio et à São Paulo, il la suit de près lui-même. C'est le vrai financier, qui s'intéresse à l'art pour vendre, acheter, promouvoir ce qui est dans le vent. Une exposition, comme celle où Myla a eu son prix, n'a aucune importance à ses yeux et lui paraît sans doute ridicule. La magnifique gravure de Myla : difficile à vendre, le *Bison* d'Orion : invendable ! La sculpture : c'est fini. À la trappe tout cela ! Voilà ses réactions.

— Et Eva ?

— Une comtesse autrichienne, grand nom, beauté, corps et esprit fragiles, des relations, mais complètement fauchée avant de l'épouser. Tout à fait dépendante de lui. Le pire c'est qu'il adore sa fille, il la veut surprotégée et toute à lui. »

Quand Orion revient me voir, le malheur semble écarté. Le père est reparti, Myla était si désireuse de retourner à l'atelier qu'elle est déjà remise.

« Depuis l'exposition et son prix, Madame, on est plus copains qu'avant. Plus copains par les yeux. Avant on ne savait pas ce qu'on pensait les deux, maintenant on le voit. On lui a apporté un nouveau dessin, elle le grave à sa manière, moi, on va le graver à la mienne. Elle vient encore deux semaines à l'atelier, après elle part au Brésil avec sa mère pour deux mois. Ce sera long, Madame.

— Tu pourras lui écrire.

— C'est qu'on n'écrit pas tellement bien.

— Envoie-lui des lettres peintes ou dessinées, même si, à cause de son père, tu ne signes pas, elle comprendra sûrement de qui ça vient et ce que cela veut lui dire. »

Sa figure s'anime : « On va faire ça, on te montrera les lettres avant. »

Après le départ de Myla pour Rio, il est désemparé : « On voulait aller lui dire au revoir à l'aéroport. On entendait l'enfant bleu dire : « Faut pas ! » Et papa disait de même.

— Ils avaient raison, Orion, malheureusement.

— Avant de partir, Myla m'a demandé une photo, on a donné celle où on est à côté de la bannière du démon-dictateur. Elle m'a donné une belle photo d'elle, on ne s'y attendait pas, on a été content, on peut se revoir en photos. On met la sienne près de mon lit le soir et dans mon sac si on sort. Elle fait de même, elle m'a dit. »

Survient le redoutable mois de décembre. Le père d'Orion est maintenant à la retraite, il a plus de temps pour les ventes de bijoux de fantaisie qu'il organise en banlieue, en province et parfois à l'étranger. Sa femme l'aide pour ce travail qui est pour eux un plaisir et leur apporte un complément de ressources. Jasmine est revenue d'un long séjour de travail en Angleterre, elle est parvenue à se faire embaucher par un marchand de tableaux. Elle est plus élégante, elle apprend beaucoup. Elle dit à Orion : « Un jour, j'ouvrirai ma galerie et je vendrai tes œuvres. » Mais elle n'est plus disponible pour remplacer ses parents quand Orion est seul, pour cela il ne reste que moi.

Orion m'apporte trois lettres peintes : « Laquelle on envoie ? »

Je choisis une forêt où broutent une biche et un faon : « À l'âge de Myla c'est celle-là que j'aurais aimé recevoir. »

Durant ce long parcours de décembre Orion vient beaucoup chez nous. Il s'installe dans une partie du séjour qu'il s'est adjugée et, les bons jours, se met immédiatement à peindre. Il commence un grand tableau : dans un exubérant paysage, une jeune fille blonde regarde s'écouler en cascades une rivière qui doit être le temps. Quand le tableau approche de sa fin, je comprends que cette jeune fille est Myla. Elle est presque grande, elle est blonde, Myla est menue et brune, pourtant je n'ai aucun doute, c'est elle. Je la retrouve à son demi-sourire flottant, à son regard baissé, filtrant sous de longs cils.

« Ton tableau est beau, Orion, pourquoi caches-tu Myla dans cette jeune fille blonde ?

— On ne sait pas, Madame. Toi, tu peux savoir que c'est Myla. Les autres c'est mieux pas. »

Je le laisse continuer son travail. Il a sans doute raison de cacher ses espoirs et son bonheur menacé. Ce bonheur qu'il n'ose pas encore nommer. Comment oserait-il appeler amour ce qu'il ressent pour Myla et encore moins ce qu'elle éprouve pour lui. Amour est un mot, c'est un monde pour les normaux, dont Myla et lui sont exclus. Il vaut mieux ne pas montrer, ne pas avouer et cacher sous le voile du silence ou de l'art ce qui susciterait chez les autres le rire ou la réprobation.

Je tente de me consoler en pensant qu'à travers nos années de travail Orion n'est pas seulement devenu un artiste, il a aussi beaucoup grandi en intelligence et en compréhension. Cela ne lui assure pas aujourd'hui, ni demain, la paix de l'esprit et du corps. Il vient de faire une tache sur son tableau, il se lève en colère, renverse sa chaise, en jette une autre sur le divan. Il va sauter et casser quelque chose si je n'interviens pas. J'interviens, cela prend du temps et il a tout de même sauté un peu. Avant de le laisser partir je fais du chocolat chaud, nous le prenons ensemble. Une partie de moi soupire : encore un après-midi perdu. Et une autre proteste : Qu'est-ce que cela veut dire : perdu ?

Noël approche. Orion reçoit du Brésil une jolie carte pour les fêtes avec en petits caractères tremblés : Myla. L'enveloppe est mal timbrée et l'adresse écrite à la hâte.

Orion travaille plusieurs jours à peindre en petit format un labyrinthe qui va de Paris à Rio. Il comporte des passages vitrés où apparaissent d'étranges poissons diversement colorés. Les rapports géographiques sont respectés et ce long labyrinthe, comme les tableaux chinois, s'enroule ou se déroule à l'aide d'un bois sculpté et peint par lui. Ce petit chef-d'œuvre est fait pour enchanter les âmes encore à demi enfantines de Myla et d'Orion. Au départ de Paris il y a une tête de bison, à Rio une libellule posée sur une fleur. C'est un bonheur pour les yeux et je m'écrie : « C'est beau ! Que Myla sera heureuse ! » Orion est content de ma réaction spontanée et de celle de Vasco mais – car comme toujours dans sa vie il y a un mais – il doute que son labyrinthe parvienne à Myla.

Janvier se passe, pas de réponse. Orion envoie encore deux lettres tout en amitié d'amour peint. Elles lui reviennent non ouvertes. Il demande à Vasco de téléphoner, les parents de Myla ont quitté Rio pour São Paulo, on ne communique ni leur adresse ni leur téléphone. Le maître graveur me dit que Myla ne reviendra pas à Paris avant le printemps. Comme un défi à Orion, Luis a fait exposer dans une de ses salles des ventes quatre gravures de Myla et les a vendues très cher.

Orion continue son travail à l'atelier de gravure, il n'y va plus maintenant que deux fois par semaine. Il peint, il sculpte mais sur un fond de détresse et souvent de colère. Les scènes d'inondation de Paris, d'éruptions volcaniques, d'explosion ou d'incendies redeviennent plus nombreuses.

Je vais voir le docteur Lisors, il m'écoute longuement, puis : « L'essentiel est qu'Orion travaille, s'exprime, s'autonomise. Malgré les difficultés actuelles ramenez les séances à une par semaine. Si le chagrin de la séparation avec Myla engendre des passages à l'acte, reprenez-le plus souvent selon vos possibilités. S'il parvient à surmonter l'épreuve lui-même, ce sera un signe, malgré les risques temporaires inévitables, pour la fin du traitement. »

Dans un superbe tronc de tilleul, Orion commence à sculpter un requin. C'est sa plus grande sculpture. « Ce sera un bon requin que les enfants pourront caresser, ils pourront même mettre leurs mains dans sa gueule. Vasco dit que le père de Myla est un requin de la finance, alors on fait cette statue pour elle, pour qu'elle ait aussi un père en bois de requin sculpté. Cette statue, Madame, elle doit dire à Myla : « Mange ! Mange pour être libre ! » Et à Orion : « Travaille, mec ! Travaille même si le démon rayonnise ! »»

Par l'intermédiaire du maître graveur Orion envoie encore à Myla un petit tableau. Il revient des semaines plus tard avec la mention : Refusé !

Il me l'apporte : « C'est dur, Madame, de ne pas devenir un débilancolique. Myla est partie, on lui écrit, elle est défendue de réponse, même Vasco ne parvient pas à connaître son téléphone, on refuse mes lettres-tableaux. Toi, Madame, on ne te voit plus qu'une fois par semaine et tu dis qu'un jour on devra devenir grand sans toi. Marcher sur les deux jambes comme tout le monde, avec les jambes... qu'on n'a pas. On voudrait, pour penser à Myla autrement, revoir l'enfant bleu et la petite fille sauvage. On voudrait brûler avec toi la lettre refusée où ils sont peints... On sait que tu n'aimes pas qu'on brûle, mais cette fois... on voudrait que le ménage, le mariage qu'on ne peut pas, on aimerait que tu les voies en feu avec moi. Dis oui !... Promets, Madame.

— Je promets. Prépare le feu. »

Des flammes jaillissent bientôt dans la cheminée, quand elles commencent à s'apaiser, Orion, avec deux petites pinces qu'il sort de son sac, approche la lettre du feu.

Soudain il crie : « Regarde ! » Pendant un instant je vois jaillir du carton qui commence à flamber un bleu et un rouge d'une beauté fulgurante qui s'éclairent au soleil du feu, s'unissent dans un incomparable vitrail et retombent en lambeaux calcinés. Orion exulte : « Tu as vu ! » L'enfant du bleu, la petite fille sauvage du rouge, les couleurs d'un mariage étincelant, que je n'avais jamais vus jusqu'ici, les ai-je vraiment vus ? De mes yeux ? Ou avec le regard émerveillé d'Orion, dans l'instant de transport que les autres appellent délire... ?

AUJOURD'HUI, JE PEUX PAYER MOI-MÊME

Ma deuxième séance du matin se termine presque. Vasco frappe deux coups légers à la porte. C'est un signal convenu. Je dis au patient : « Je dois interrompre un peu tôt, c'est une urgence. »

Il comprend et s'en va rapidement. Je rejoins Vasco. « C'est Orion, il avait l'air très, très troublé, ça semble grave. J'ai dit que tu rappellerais. » Je me prépare à décrocher mais déjà le téléphone sonne. C'est Orion, sa voix haletante, saccadée :

« Madame... Madame... on doit te parler, ça presse... ça presse ! Je n'ai pas pu jusqu'ici, les parents étaient là... ils sont partis pour les courses. Je prends le bus... toi, prends le métro, je te rejoins à Charenton. »

Je suis stupéfaite, presque effrayée, il a dit « je » trois fois. Il insiste : « Tu viens ?

— Je viens, mais où est-ce que je te retrouve ?

— On ne sait pas, Madame... Si, je sais, tu vas au café, juste au-dessus de la bouche de métro.

— Je viens. Tu seras devant l'entrée ?

— Non, Madame, à l'intérieur, là où il y a le moins de monde. Viens vite, vite, Madame... ça presse de te parler.

— Je pars tout de suite, j'arrive. »

Vasco veut me conduire en voiture, je refuse. Orion a dit en métro, il vaut mieux faire ce qu'il demande.

« Vite, vite, Madame ça presse de te parler... » Je me répète ces paroles en me précipitant vers la station.

Heureusement Orion a bien choisi l'endroit, le métro est direct, mais la rame me semble longue à arriver. Que s'est-il passé ? Tout est étrange, il me téléphone ce qu'il ne fait presque jamais, il me donne rendez-vous dans un café, c'est la première fois, lui qui n'y entre jamais seul. Et cette voix angoissée, haletante et pourtant sans colère... Surtout ses « je », les premiers...

Charenton-le-Pont, je suis vraiment troublée par l'événement du « je » d'Orion, bien plus troublée que je ne croyais. Je me précipite sur le quai, je trébuche dans l'escalier. Il pleuvine, personne sur la terrasse du café. En entrant une forte odeur de café m'emplit les narines, je vois tout de suite Orion, dans la partie éloignée du comptoir où il n'y a personne. Il se lève quand j'arrive à sa table, il a osé commander un jus d'orange et l'a bu. Il est très agité et tout de suite se met à parler, plus bas que d'habitude et dans un état de grande excitation.

« C'est un secret, un grand secret, qu'on doit te dire absolument. À toi, rien qu'à toi. J'ai mendié... j'ai mendié hier dans le métro. »

Je ressens un grand choc, je parviens seulement à penser il dit : je. C'est bien.

Le garçon s'approche, je commande un thé et un autre jus d'orange pour Orion qui me regarde, soudain silencieux, stupéfait peut-être de ce qu'il vient de dire.

Pendant que le garçon apporte la commande je tente de me remettre de ma surprise qui est aussi une frayeur. La famille d'Orion n'est pas riche, pas pauvre non plus, c'est une famille de travailleurs où personne, il le sait, n'a jamais mendié. Lui qui a encore si peur de parler à ceux qu'il ne connaît pas, comment a-t-il pu mendier ? En public ! Et dans le métro, où il se réfugie toujours dans un coin !

Comme s'il avait suivi le cours de mes pensées, il se remet à parler, autrement que d'habitude. Ce ne sont plus les volées de mots précipitées qu'il balance lorsqu'il est en crise. Il parle plus bas, plus lentement :

« C'est à cause de Myla. Rappelle-toi, Madame, tout ce que j'ai dû faire : quitter l'hôpital de jour où on était bien, les deux. Quitter toi, sauf deux fois par semaine, puis une fois par semaine. Aller à La Colline, devenir le presque ami de Jean, le porter dans la rue avec l'enfant bleu, avant qu'il parte en clinique pour toujours. C'est dur tout ça, avec beaucoup de démon qui rayonnifie et d'envie de casser les portes et d'inonder Paris en dessin et en vrai. Pour faire plaisir à Monsieur Douai et à toi, et pour ne pas être trop dans les pieds des parents, on va à l'atelier de gravure. Il y a un bon maître et grâce à lui on connaît Myla, la douce, la gentille. On apprend beaucoup d'elle et elle de moi. Comme tu avais dit pour Jean, je vais doux, je ne fais pas les premiers pas qu'on aurait voulu faire, elle non plus. On est compagnons d'atelier, les deux, dans le timide. On devient un petit peu amis du travail, puis plus et avec les expositions tout à fait. J'ai pour la première fois une vraie copine d'amitié. On n'a plus peur devant elle de parfois rouler les yeux et parler trop et elle n'a pas peur non plus de ne pas parler souvent et de ne pas pouvoir manger. On sait qu'on est des handicapés, qui ne peuvent pas faire plus qu'amis.

Myla, son père l'emmène pour deux mois au Brésil, comme un requin car elle a dit qu'elle ne voulait pas. Je n'ai pas son téléphone, toi non plus, même Vasco ne parvient pas à le connaître. Alors... ! Alors, Madame, tu dis de lui envoyer des petits tableaux-lettres. Je le fais, Madame, j'envoie même un labyrinthe Paris-Rio à travers l'océan Atlantique où on se parle de bison à libellule. Elle envoie une petite carte, la seule, elle voulait sûrement plus Myla, mais le requin la lâche pas. Les tableaux-lettres que je fais encore, le requin les prend, il ne peut pas faire ça, elle est majeure Myla et il le fait. En février, elle ne revient pas, en mars non plus. On commence à voir dans la tête que son père a vu ma photo avec la bannière-démon à côté de son lit. Ça ne plaît pas au requin de finance, il comprend qu'elle m'a donné sa photo, Myla, pour près de mon lit et pour faire doux à mes yeux. Le requin veut sa fille rien que pour ses yeux à lui. En avril elle ne revient pas et je vois dans la tête qu'il retrouve près du lit de Myla ma photo qu'il a défendue. Le requin entre en fureur, il me déchire, il déchire même mon démon, il crie, Myla pleure, elle est évanouie peut-être et moi je ne peux pas la défendre.

C'est dur, dur... ça ! Je vois même que le requin-père et le démon tout en rayons cherchent à me sauter dans la tête pour me faire abîmer la statue de l'arbre-requin. Mais ils ne réussissent pas, elle sera belle la statue, une statue de bonté pour les gamines et les gamins... Hier, Madame, à la gravure, le maître me prend à part dans son bureau, il est triste :

« N'attends plus Myla, Orion, son père a annulé définitivement – moi, on entend : horriblement – son inscription à l'atelier.

— Pourquoi ? je crie.

— Il a vendu leur appartement à Paris, ils restent au Brésil, c'est leur pays. »

C'est trop tout d'un coup, je chauffagise de partout, on voudrait être une bombe pour pouvoir éclater. Et là alors, Madame, si on éclatait vraiment ?... Casser, on doit casser... ! On ne veut pas casser dans l'atelier de Myla et du maître, mais le démon de Paris requin et banlieue, il en fait trop contre moi. Je laisse tout mon bazar en place et je m'enfuis en courant, ça fait pétard, tous les graveurs se lèvent pour me retenir mais on est déjà dehors, on galope avec les trois cents chevaux blancs. On ne sait plus où on est, on donne des coups de pied, des coups de poing mais pas à des personnes, seulement aux requins dévorants qui sont partout. Casser ! Casser ! Casser du démon de requin ! Je cours dans la rue comme si j'étais Orion le débilisé de Paris qu'on n'est pas. On arrive à la station de métro... ! Comment je suis arrivé là, Madame, est-ce que c'est à cause de toi ? Comment, comment ? Ça tourne dans la tête fumante avec sa chaîne, la chaîne des pourquoi ? Comment on est là ? Pourquoi je suis là ? On donne encore des coups de pied à l'escalator. C'est l'heure de pointe, personne ne les voit ni ceux qu'on fourgue dans la gueule des affiches.

Le métro arrive, comment est-ce qu'on monte dedans ? Comment ? Je ne sais pas, Madame. Je monte, on est serré. C'est pas facile de faire du scandalifiant, du déstructifié, comme le démon du requin de São Paulo le veut, quand on est serré comme ça.

Je suis moins furieux contre lui et plus triste de Myla, la douce, l'amie d'Orion le déconnateur. Le bison de Paris banlieue ne peut plus parler à la petite fille sauvage perdue. Je cherche encore quoi casser, mais les gens qui sont assis et debout, ils reviennent fatigués de leur travail comme papa avant la retraite, comme on aurait voulu faire, si on n'était pas le handicapé qu'on est. Ce ne sont pas ces gens qui empêchent Myla de revenir, c'est pas eux que je dois casser et cogner. Peut-être qu'on ne doit pas casser, c'est ce que dirait l'enfant bleu, s'il pouvait parler dans ce métro bondé. Le démon-requin m'a cassé, il faut bien qu'on le casse, on ne peut pas toujours rester dans son coin à tremblote.

Je regarde les gens qui souffrent d'être pressés, d'être dressés et qui rentrent chez eux sans se venger de tout ce qu'on leur fait. Il y a une sorte de voix d'enfant bleu qu'on entend : Prends dans ta main ton vieux bonnet que Madame déteste et va mendier. Je le fais, heureusement il y a encore beaucoup de stations et parfois je change de voiture. Je passe avec le vieux bonnet, je dérange tout le monde. Je ne sais pas ce que je dis, je pleure à cause de Myla. Les gens me laissent passer... certains me donnent des sous, dans chaque voiture. Ça fait un peu de bien, puis un peu plus. Les gens voient que ça va mal pour moi et ils me donnent. Je demande, je mendie et eux font ce que Myla, la douce, ne peut pas faire, ils me parlent avec leurs sous. Ils sont amis de moi à sa place avec leurs sous.

Quand ma station arrive, j'ai reçu beaucoup de pièces, je ne pleure plus qu'un peu, je ne veux plus casser, je ne suis plus un tout seul. L'autobus arrive très vite, il ne crie pas avec ses freins : Débile, on t'aura ! Je ne pleure plus en arrivant à la maison, les parents ne remarquent rien, ils ne posent pas de questions.

Je dors agité la nuit. Ce matin on sent qu'on doit te parler. Je ne peux pas dire que je vais chez toi quand ce n'est pas le bon jour. J'attends que les parents partent pour les courses. C'est long ça ! Je téléphone, tu viens, j'en étais sûr..., pourquoi, Madame ?

Qu'est-ce que tu penses de ça, dis-le vite, Madame, je dois rentrer à la maison pas trop tard pour manger, je ne veux pas que les parents sachent qu'il y a eu du pas comme toujours... Ne pleure pas, Madame, dis-le ! »

Je ne savais pas, il y a des larmes qui glissent sur mes joues. Je suis bouleversée sans doute... De tristesse et de joie... C'est la fin de la belle histoire de Myla... bientôt celle de la grande aventure d'Orion et Véronique. Il dit « je », il peut aller seul maintenant, même s'il vacille et tombe souvent, comme chacun. Il a pris livraison de son analyse, de notre travail, de notre échange.

Je parviens à dire : « Tu as fait ce qui est juste, tout à fait juste Orion. Tu as demandé, tu n'es pas resté exclu et les gens t'ont donné chacun un peu à la place de Myla.

— Madame... voilà je t'ai apporté l'argent qu'on a reçu. Personne doit le savoir que toi. Tu le donneras, moi, je risque encore d'avoir peur.

— Je le donnerai, donner et recevoir. Recevoir et donner, c'est assez.

— On veut rester avec toi, Madame, mais je dois partir... tu comprends ?

— Pars vite, ton autobus est là, je paierai.

— Faut pas, Madame, aujourd'hui, je peux payer moi-même. »

Baumugnes, septembre 1999,
Paris, avril 2004.

TABLE

8427

Composition PCA
Achevé d'imprimer en France (La Flèche)
par Brodard et Taupin
le 13 août 2007. 43079
Dépôt légal août 2007. EAN 9782290348390

Éditions J'ai lu
87, quai Panhard-et-Levassor, 75013 Paris
Diffusion France et étranger : Flammarion